CHASSEURS D'ÉPAVES, NOUVELLES AVENTURES

OUVRAGES PUBLIÉS PAR CLIVE CUSSLER

RENFLOUEZ LE TITANIC, J'ai lu, 1979.
VIXEN 03, Laffont, 1980.
L'INCROYABLE SECRET, Grasset, 1983.
PANIQUE À LA MAISON BLANCHE, Grasset, 1985.
CYCLOPE, Grasset, 1987.
TRÉSOR, Grasset, 1989.
DRAGON, Grasset, 1991.
SAHARA, Grasset, 1992.
L'OR DES INCAS, coll. « Grand Format », Grasset, 1995.
ONDE DE CHOC, coll. « Grand Format », Grasset, 1997.
RAZ DE MARÉE, coll. « Grand Format », Grasset, 1999.
ATLANTIDE, coll. « Grand Format », Grasset, 2001.
WALHALLA, coll. « Grand Format », Grasset, 2003.
ODYSSÉE, coll. « Grand Format », Grasset, 2004.

Avec Craig Dirgo

CHASSEURS D'ÉPAVES, Grasset, 1996.
BOUDDHA, coll. « Grand Format », Grasset, 2005.

Avec Paul Kemprecos

SERPENT, coll. « Grand Format », Grasset, 2000.
L'OR BLEU, coll. « Grand Format », Grasset, 2002.
GLACE DE FEU, coll. « Grand Format », Grasset, 2005.
MORT BLANCHE, coll. « Grand Format », Grasset, 2006.

CLIVE CUSSLER
&
CRAIG DIRGO

CHASSEURS D'ÉPAVES, NOUVELLES AVENTURES

traduit de l'américain par
JEAN ROSENTHAL

BERNARD GRASSET
PARIS

*L'édition originale de cet ouvrage a été publiée par G.P. Putnam's Sons, à New York
en 2002, sous le titre :*

THE SEA HUNTERS II
More True Adventures with Famous Shipwrecks

ISBN (10) 2-246-65351-7
ISBN 978-2-246-65351-6

Pour Barbara, toujours pour Barbara.

C.C.

Pour ma mère, qui a élevé six enfants et des douzaines de chiens :
tu nous manques.

C.D.

EN SOUVENIR DE

Willard Bascom
Grand pionnier de l'Océan

Robert Fleming
Grand explorateur

Richard Swete
Historien et spécialiste exceptionnel de l'archéologie maritime

Donald Spencer
Qui a inspiré des légions de plongeurs

&

Gerald Zinser
Dernier survivant de l'équipage du PT 109

REMERCIEMENTS

Les auteurs expriment leur reconnaissance à tous ceux dont les efforts et la précieuse assistance ont permis à ce livre de voir le jour : Ralph Wilbanks de Diversified Wilbanks, John Davis d'ECO-NOVA Productions, Bill Nungesser, Wes Hall, Connie Young, Robert Fleming, Richard DeRosset, Emlyn Brown, Gary Goodyear, Graham Jessop, Elsworth Boyd, Carole Bartholmeaux, Colleen Nelson, Susan MacDonald, Lisa Bower, John Hunley et Wayne Gronquist.

Introduction

Nous sommes tous fascinés par la mer et les mystères de ses profondeurs. Certes, l'alpiniste se mesure avec les plus hautes montagnes mais, une fois atteints les sommets, des horizons sans fin s'offrent à lui. Le plongeur, lui, ne connaît pas ce plaisir car son regard porte rarement au-delà de six mètres, excepté dans l'eau claire des mers tropicales ; il ne peut que s'interroger sur ce que dissimulent les ténèbres qui l'entourent.

L'homme a sillonné les continents dans leur quasi-totalité ; les satellites les ont photographiés. Des observatoires géants et le télescope Hubble nous ont révélé les splendeurs de l'espace. Mais l'œil humain et l'objectif des caméras n'ont enregistré qu'un pour cent des merveilles tapies sous la surface des mers, et le vide des grands fonds océaniques garde ses secrets.

Cependant, portant un intérêt croissant à ces milieux, les scientifiques ont développé de nouvelles technologies : des sondes étudient les courants marins, les tempêtes des grands fonds, les migrations de la faune marine, la géologie, l'acoustique sous-marine et la pollution hélas ! de plus en plus envahissante. Des instruments sophistiqués explorent maintenant les fonds à plusieurs milliers de mètres et permettent de découvrir dans les ténèbres silencieuses des vestiges ensevelis depuis des siècles.

Des hommes, tel Bob Ballard, et la Nauticos, entre autres sociétés, ont réussi à photographier plusieurs de ces épaves perdues, mais un grand nombre reste encore à découvrir. C'est à cette tâche que nous nous sommes attelés en créant la National Underwater & Marine Agency (NUMA) [1] qui s'efforce de retrouver des navires perdus présentant un intérêt historique et de les étudier avant qu'ils n'aient à jamais disparu. Nos moyens provenant essentiellement de mes droits d'auteur, nos expéditions se concentrent donc sur des épaves en eaux peu profondes.

La NUMA a été fondée en 1978 : nous nous préparions à faire une

---

1. Agence nationale de Recherche sous-marine.

seconde tentative pour retrouver le *Bonhomme Richard* de John Paul Jones quand Wayne Gronquist, l'éminent avocat d'Austin, nous expliqua que nous aurions intérêt à constituer une fondation à but non lucratif. Je donnai mon accord et Wayne, qui devait pendant vingt ans occuper les fonctions de président de la NUMA, se chargea de réunir et de remplir les documents nécessaires à l'établissement des statuts de l'agence. C'est vrai, dans mes livres relatant les aventures de Dirk Pitt, l'agence gouvernementale s'appelle ainsi. Les membres du conseil d'administration estimèrent qu'il serait moral de donner à la fondation le nom d'une de mes créations romanesques pour que je puisse affirmer : « Oui, Virginia, il existe vraiment une NUMA. »

Quant à garder ce qu'on récupère dans les épaves, nous laissons cela aux autres. Aucun membre de la NUMA n'a jamais conservé un seul objet. Les gens s'étonnent toujours de ne voir à mon domicile ou à mon bureau, en guise de souvenirs, que des maquettes et des tableaux des navires que nous avons découverts. Tout ce que nous remontons d'une épave est remis aux autorités concernées. Ainsi, tous les objets récupérés sur le navire confédéré *Florida* et la frégate de l'Union *Cumberland* – tous deux retrouvés par la NUMA – ont été conservés au collège *William and Mary* avant d'être exposés au musée naval de Norfolk en Virginie.

Mon souhait est que nos découvertes soient suivies par les autorités fédérales, celles de l'État ou des communautés locales ; par des sociétés, des universités ou des associations historiques dont le financement permettrait soit de remonter les épaves, soit de récupérer les objets pour les exposer dans des musées. En vingt-trois années d'existence, les équipes de la NUMA ont organisé plus de cent cinquante expéditions et découvert ou étudié les sites de soixante-cinq épaves, sans oublier une locomotive égarée, une paire de canons, un aéroplane et un zeppelin. Je dois avouer, à mon grand regret, que les échecs l'emportent sur les succès. Si vous partez à la chasse d'un objet disparu sur terre ou en mer, vous ne tarderez pas à apprendre que vos chances de le retrouver sont bien plus minces que celles de gagner à la roulette.

Courir après une épave relève dans le meilleur des cas du coup de dés et, pour lancer et financer des recherches, mieux vaut être le premier des idiots du village ou bien le genre de cinglé qui s'obstine à traverser des murs pour la simple raison qu'ils se dressent sur son chemin. C'est sans doute à cette catégorie que j'appartiens.

Il faut accepter les échecs – trop fréquents, semble-t-il. Permettez-moi d'évoquer quelques-unes de nos récentes déceptions.

En 2000, nous sommes partis à la recherche du sous-marin de poche de John Holland, un engin d'à peine cinq mètres de long, dans l'East River de New York. Avec son rival, Simon Lake, John Holland est à l'origine du sous-marin moderne; de leurs dessins en effet sont nées à la fin du XIXe siècle les flottes de submersibles d'Europe et d'Amérique.

Pour son époque, le minuscule sous-marin de Holland paraissait extrêmement sophistiqué. Malheureusement, la plupart des plans et rapports sur sa construction ont été perdus quand l'engin fut volé par la Fraternité du Sinn Fein : cette organisation, à l'origine de l'Irish Republican Army, finança les premières expériences de Holland sur les sous-marins dans le but avoué de mettre hors d'état de nuire la flotte britannique. Holland conçut et construisit pour la Fraternité le submersible le plus avancé d'alors, fort justement baptisé le *Fenian Ram* (le Bélier du Fein). Sans avoir été créé pour éperonner un navire à coque d'acier, ce bâtiment de dix-neuf tonnes avec trois hommes d'équipage, de trente et un pieds de long, et six de large, était propulsé par un moteur Brayton à deux cylindres développant quinze chevaux. Non content de mettre au point un sous-marin efficace, Holland le perfectionna encore et en fit une arme de guerre parmi les plus redoutables : il utilisa des prototypes d'un projectile mis au point par John Ericsson, le célèbre créateur du *Monitor* de la guerre de Sécession – qui l'y autorisa gracieusement –, dans une arme qu'il avait conçue, un tube d'un mètre quatre-vingt de long et vingt-trois centimètres de diamètre. Ce canon fonctionnait à l'air comprimé, une conception astucieuse qui n'a guère changé depuis cent vingt ans.

Les essais du sous-marin et de sa nouvelle arme menés par Holland, s'ils donnèrent de brillants résultats, eurent le don d'irriter les Fenians, impatients. Estimant excessif le temps passé en préliminaires, ceux-ci décidèrent de s'emparer de l'engin et par une sombre nuit de novembre 1883, un groupe d'Irlandais exaspérés, après s'être renforcés dans leur résolution en faisant le plein de whisky dans un bar de Brooklyn, empruntèrent un remorqueur, se glissèrent en catimini jusqu'au quai où était amarré le *Fenian Ram* et le prirent en remorque.

Poussé par les vapeurs de l'alcool, leur enthousiasme les amena à repartir aussi avec le petit sous-marin expérimental. Ils remontèrent alors l'East River vers le chenal de Long Island, avec l'intention de dissimuler les deux submersibles dans une petite rivière non loin de New Haven, dans le Connecticut.

Une fois atteint Whitestone Point, un fort vent du nord se leva et ballotta durement le petit convoi. Les Fenians n'avaient pas remarqué que la bâche recouvrant la tourelle de la maquette n'avait pas été convenablement ajustée et que l'eau commençait à s'engouffrer par les ouvertures. S'emplissant rapidement d'eau, le petit submersible s'enfonça dans les vagues de plus en plus fortes, rompit son câble de remorque et sombra pour reposer par une trentaine de mètres de fond. Sans s'apercevoir qu'ils l'avaient perdu, ils poursuivirent calmement leur route jusqu'à New Haven.

Heureusement, le *Fenian Ram* survit aujourd'hui dans un musée de Paterson, dans le New Jersey.

Je décidai de relever le défi et de me mettre en quête du petit sous-marin. Ralph Wilbanks amena son bateau, le *Diversity,* de Charleston jusqu'à New York où nous montâmes à bord du cargo servant à l'entraînement des cadets de l'Ecole maritime de New York : nous disposions des cabines des passagers et partagions les repas avec les jeunes gens. J'ai une dette de reconnaissance envers l'amiral David Brown, doyen de l'Ecole, dont la courtoisie et l'hospitalité facilitèrent la réalisation de notre projet. Les équipes de maintenance de l'Ecole eurent la gentillesse de mettre à l'eau le bateau de Ralph, de le remonter et de lui trouver une place à quai. Le sonar révéla de nombreux débris au fond du fleuve au large de Whitestone Point où le submersible était censé avoir coulé – encore que demeure un mystère pour moi le fait que les Fenians aient pu prétendre connaître le lieu d'un naufrage qui s'était produit par une nuit épaisse et venteuse dans des eaux agitées bien avant la découverte des sondes de profondeur. Je me demande d'ailleurs s'ils s'étaient même aperçus de la disparition du sous-marin avant d'atteindre New Haven.

La sonde repéra, entre autres, des barils d'acier de deux cent cinquante litres (l'un d'eux servait-il de cercueil à Jimmy Hoffa ?), quelques yachts ou voiliers (lestés de corps de naufragés ?... personne ne proposa de plonger pour le vérifier). La présence de ces nombreux débris métalliques rendait difficile la détection d'un petit sous-marin sous la boue avec le magnétomètre puisque rien n'apparaissait sur le sonar. Après avoir sillonné vainement la pittoresque East River pendant trois jours, nous remballâmes notre matériel et décidâmes de renoncer.

Le petit submersible avait-il été recouvert par la vase ? Gisait-il sous le pont de Whitestone dont les poutrelles métalliques affolaient le magnétomètre ou plus loin dans le chenal de Long Island ?

Cependant je n'ai pas encore dit mon dernier mot et j'espère reprendre un jour nos recherches à l'endroit où le fleuve se perd dans le chenal.

Cédant à ma frénésie de chasseur d'épaves, je me mis alors à rechercher un corsaire confédéré, le *Georgia*, qui avait connu une carrière brillante, bien que brève, capturant neuf navires marchands de l'Union entre 1862 et 1864. Sans être aussi fascinante que celle de l'*Alabama* ou du *Florida* – que nous découvrîmes en 1984 dans les eaux de la James River en Virginie – son histoire l'avait rendu célèbre, les exploits de ce premier corsaire des temps modernes ont inspiré la marine allemande durant les deux dernières guerres.

Ce navire faillit provoquer une guerre avec le Maroc : un groupe d'officiers descendu à terre fut attaqué par des indigènes ; ils parvinrent néanmoins à regagner le bord sans laisser leur peau dans l'aventure.

Scandalisé par cette conduite indigne, le commandant du *Georgia* rappela à leur poste les servants des pièces et canonna les Marocains jusqu'à ce qu'ils se fussent dispersés.

Quelques mois plus tard, on décida de mettre un terme à ses fonctions de croiseur corsaire et on lui confia le transport du courrier entre Lisbonne et les îles du Cap-Vert; saisi peu après par un navire de l'Union et considéré comme prise de guerre, il fut renvoyé aux États-Unis. Après une longue bataille juridique opposant les États-Unis et la Grande-Bretagne, il passa de compagnie en compagnie jusqu'à ce que la Gulfport Steamship Company l'achète pour assurer le transport des passagers et du fret entre Halifax et Portland, dans le Maine.

En janvier 1875, alors que, après avoir quitté la Nouvelle-Écosse, il faisait route au sud, le vieux vapeur toujours baptisé *Georgia* heurta les récifs des Triangles, à dix milles à l'ouest de Tenants Harbour dans le Maine. L'équipage et les passagers s'embarquèrent sur les canots de sauvetage et ramèrent jusqu'au rivage en pleine tempête de neige. Il n'y eut pas de victimes, mais le bateau, véritable épave, fut abandonné sur place : ainsi mourut le dernier des raiders confédérés.

L'historien Michael Higgins rassembla des documents sur le *Georgia* et les circonstances de son naufrage puis me contacta. Bonne poire que je suis, j'acceptai d'entreprendre des recherches pour retrouver les vestiges de ce bateau légendaire. Arrivés à Tenants Harbour, Ralph, Wes Hall, Craig Dirgo et moi nous installâmes dans un hôtel qui nous fit penser à la conserverie de poissons de Monterey dans le roman de Steinbeck. Nous traînâmes nos guêtres dans toute la ville puis regardâmes les trains arriver au dépôt avant de dénicher un vieux drugstore au sol pavé de tuiles blanches octogonales et au comptoir comme autrefois.

Je commandai la boisson préférée de mon enfance, un milk-shake au chocolat avec de la glace battue dans un récipient métallique par un mixer des années trente. Une gorgée et je me retrouvai au paradis.

De bonne heure le lendemain matin, avec Ralph à la barre, le *Diversity* mit le cap sur les récifs des Triangles; attachées à des pièges à homards, des centaines de bouées aux couleurs vives propres à chaque pêcheur – et de plus en plus convoitées par les collectionneurs – l'obligèrent à littéralement zigzaguer. Nous branchâmes le sonar; tandis que je m'occupais du magnétomètre et que Craig surveillait les bouées et les pêcheurs de coquilles Saint-Jacques, Ralph, concentré sur l'écran, se faufilait au milieu des écueils sans paraître les remarquer.

Nous explorâmes les Triangles à trois reprises mais, malgré quelques frémissements du magnétomètre, le sonar ne trouva aucune trace du *Georgia*. Nous savions pourtant que nous étions au bon endroit car d'après les anciens rapports, les seuls autres écueils (que, pour plus de sûreté, nous inspectâmes aussi) étaient bien trop loin. Surpris et déçus de devoir rentrer les mains vides, nous nous demandions comment une épave à coque d'acier de la taille du *Georgia* avait pu purement et simplement disparaître ?

Consultés, les historiens de la région nous ouvrirent les yeux : des plongeurs en quête d'oursins et de coquilles Saint-Jacques ayant patrouillé à longueur d'année au-dessus de ces récifs sans repérer le moindre vestige, il fallait se rendre à l'évidence : ce qui restait de l'épave du *Georgia* avait déjà été récupéré. Les archives des années 1870 et 1880 sont maigres, mais on nous laissa entendre que, étant donné les grandes difficultés économiques des citoyens du Maine à cette époque, on avait remonté à peu près tout ce qu'on pouvait sauver, y compris la quille et les chaudières qu'on avait vendues à la ferraille.

Encore un échec.

En dignes amateurs d'épaves, nous poursuivîmes jusqu'à Saybrook dans le Connecticut pour essayer de retrouver le *Turtle*, le célèbre sous-marin construit par David Bushnell durant la guerre d'Indépendance et, à l'époque, pratiquement le premier connu au monde : tous les submersibles bâtis au siècle suivant en sont des descendants.

Fils d'un fermier yankee du Connecticut, Bushnell, un autodidacte doué d'un esprit créatif, entra tardivement – il avait trente et un ans – à Yale où il partagea la chambre de Nathan Hale qui devint par la suite le plus célèbre espion d'Amérique. Encore au collège, Bushnell se passionna pour l'idée qu'on n'avait pas encore essayé de provoquer des explosions sousmarines avec de la poudre. Il fut peut-être le premier dans l'histoire à concevoir et à fabriquer un récipient bourré de poudre muni d'un déclencheur à mouvement d'horlogerie fonctionnant sous l'eau. Non content de laisser ces mines dériver jusqu'aux vaisseaux ennemis, ce à quoi il parvint brillamment en faisant sauter une goélette britannique et un bateau plus petit dont l'équipage avait commis l'erreur d'essayer de remonter à bord une des mines, il décida que la seule façon efficace de couler un navire de guerre était de placer la mine directement contre la coque. Le *Turtle* en offrirait le moyen.

Dans une grange située à côté de leur maison, David et son frère Ezra construisirent un sous-marin qui évoquait deux carapaces de tortues se faisant face. La coque, taillée dans du bois massif, ressemblait au couvercle d'un jouet posé sur une pointe aplatie. David et Ezra conçurent une soupape de snorkel à boules, une hélice à lame verticale pour faire remonter l'engin à la surface ainsi qu'une autre, plus grande à l'avant pour la propulsion, innovation qui subsista une cinquantaine d'années. Pour la plongée, on embarquait des ballasts remplis d'eau ainsi que du lest détachable.

Le pilote entrait et sortait par un panneau de cuivre surélevé ; à l'intérieur, il se tenait debout. Il barrait avec un gouvernail arrière tout en faisant tourner l'hélice horizontale avant. La torpille, un récipient contenant cent cinquante livres de poudre à canon, une pierre à fusil en guise de détonateur et un mécanisme d'horlogerie qui ne déclenchait l'explosion que quand le *Turtle* avait fait marche arrière pour se mettre à l'abri, était reliée à la partie supérieure du sous-marin par un levier en spirale détachable actionnant une vis devant perforer l'enveloppe de cuivre protégeant la coque du navire ennemi. Dès l'instant où la vis était en place et le récipient bourré de poudre bien accroché, le pilote se dégageait en inversant frénétiquement sa propulsion grâce à la manivelle.

Un soldat de l'armée de George Washington, Ezra Lee, se porta volontaire pour, le premier dans l'histoire, attaquer un navire de guerre depuis un sous-marin. La cible choisie, le navire de l'amiral britannique Richard Howe, la frégate *Eagle,* mouillait dans l'Hudson au large de l'île de Manhattan. Le *Turtle* fonctionna sans défaillance mais Lee, n'y voyant rien sous l'eau dans l'obscurité, ne parvint pas à déployer convenablement l'engin explosif : sa vis heurta une ferrure qui maintenait le gouvernail en place au lieu de s'attaquer au cuivre tendre cloué à la coque. Incapable de fixer le récipient de poudre, Lee dut abandonner sa mission. A la deuxième tentative, Lee plongea trop profondément et rencontra un courant dont la force l'empêcha d'avancer. Le troisième et dernier essai échoua : les sentinelles britanniques avaient ouvert le feu sur le sous-marin qui s'enfuyait. Une semaine plus tard, un sloop britannique coula le vaisseau qui tractait le *Turtle* sur l'Hudson. Ne voyant pas dans le *Turtle* un instrument de guerre perfectionné, les Britanniques l'abandonnèrent à bord du navire à demi coulé.

Dans une lettre adressée à Thomas Jefferson, Bushnell déclarait avoir récupéré le *Turtle* mais se sentir « incapable d'en améliorer la conception ». Bushnell expérimenta alors des mines flottantes sur le Delaware, sans grand succès. Après la guerre, il se consacra à la médecine qu'il exerça comme généraliste tout en enseignant dans une université de Georgie. Il mourut en 1824 à l'âge respectable de quatre-vingt-cinq ans, sans laisser la moindre précision sur ce qu'il avait fait du *Turtle*.

Après l'avoir sauvé des eaux de l'Hudson, le ramena-t-il à Saybrook pour le saborder dans la rivière Connecticut, ou se contenta-t-il d'en faire du petit bois pour lui éviter de tomber entre des mains britanniques ? On ne trouve dans la correspondance des deux frères aucun indice concernant le sort du célèbre *Turtle*.

Ainsi perdit-on la trace de l'ancêtre des submersibles.

Bien que connaissant pertinemment la vanité d'une telle entreprise, nous décidâmes de prospecter la rivière Connecticut à l'endroit où Bushnell avait construit le *Turtle*, en nous cramponnant désespérément à l'idée que si nous ne cherchions pas, jamais nous ne trouverions.

Consultés comme d'habitude, les historiens locaux ne nous en apprirent pas plus à ce sujet, et nous nous contentâmes d'examiner la maquette grandeur nature du sous-marin construite par Frederic Frese et Joseph Leary – ils avaient tous deux effectué des plongées avec cet engin – pour le musée de la rivière Connecticut à Essex. Munis de tous les renseignements disponibles, nous arrivâmes avec notre bateau pour sonder la rivière. Nous fîmes de la maison de David et Ezra Bushnell notre base de départ puisque, par chance, elle se dressait toujours à une cinquantaine de mètres de la rive occidentale. Nous n'utilisâmes pas de magnétomètre car il n'y avait guère de métaux ferreux à déceler : le lest était en plomb, le panneau et les installations essentiellement en cuivre. Bien qu'ayant balayé le fleuve sur un bon kilomètre et demi de part et d'autre de l'ancien chantier, nous n'obtînmes rien du sonar. Ainsi, à supposer – hypothèse très hasardeuse – que Bushnell l'ait réellement sabordé devant son vieil atelier, le *Turtle* pouvait fort bien reposer sous un hectare et demi de marécage impénétrable, nous obligeant à repêcher tout objet détecté par le magnétomètre, si petit qu'il fût – tâche réalisable certes mais coûteuse et difficile.

Nouvelle déception. Comme le disent volontiers les chercheurs d'épaves, « on ne sait toujours pas où elle est, mais on sait bien où elle n'est pas ».

Autant de défaites, autant de déceptions. Heureusement, les quelques réussites enregistrées de loin en loin nous incitent à poursuivre notre route.

Nous en avons décrit certaines dans le premier volume de *Chasseurs d'épaves* et on en trouvera d'autres dans ce livre (même si toutes nos tentatives, comme on le verra, n'ont pas été couronnées de succès). Nous connûmes notre plus grande satisfaction avec la découverte du sous-marin confédéré *Hunley* dissimulé avec son héroïque équipage dans la vase au large de Charleston en Caroline du Sud. Malgré les échecs essuyés à plusieurs reprises par la NUMA, j'étais convaincu que l'épave se trouvait là ; de toute façon, je refusais de renoncer. Le magnétomètre que nous avions traîné derrière nous sur onze cent cinquante-quatre milles finit par détecter une anomalie correspondant à la masse et aux dimensions du *Hunley* : l'inspecteur de la Marine Ralph Wilbanks et les archéologues maritimes Wes Hall et Harry Pecorelli III explorèrent le site et identifièrent le submersible depuis si longtemps disparu. Si telle n'avait pas été leur conclusion en mai 1995, je serais encore à sa recherche.

A cette époque, on ne pouvait pas prédire ce qu'il se passa ensuite : grâce aux efforts du sénateur de la Caroline du Sud, Glenn McConnell, et de Warren Lasch (ils fondèrent les Amis du *Hunley* et rassemblèrent les fonds nécessaires à son repêchage et à sa sauvegarde, permettant ainsi aux générations futures d'admirer le premier sous-marin de l'histoire à avoir coulé un navire ennemi), on parvint à remonter le *Hunley* à la surface.

Aucun témoin n'oubliera jamais le jour où le *Hunley* quitta sa sépulture à plus de huit mètres de fond et où il revit pour la première fois depuis cent trente-six ans la lumière du soleil.

L'équipe de sauvetage, ces héros anonymes, trimèrent vingt-quatre heures sur vingt-quatre pendant des mois : ils réalisèrent une armature autour de la coque qui permettrait de la soulever pour la déposer sur une péniche. Tâche rendue encore plus difficile par la vase qui emplissait le submersible, quadruplant le poids. Ce magnifique effort de sauvetage fut fourni par deux compagnies internationales de renflouage, l'Oceaneering et la Titan Corporation.

Le moment venu, les câbles de halage se tendirent et le petit sous-marin commença à se dégager de sa gangue de vase. Les plongeurs, les ingénieurs et les milliers de spectateurs rassemblés sur une impressionnante flottille retenaient leur souffle, ne quittant pas du regard l'énorme grue installée sur la péniche de renflouage et dont les pieds massifs s'enfonçaient dans le lit de la mer. Quand la coque ruisselante soutenue par l'armature et des coussins de mousse apparut sous un ciel dégagé, applaudissements, vivats et Klaxons ébranlèrent le calme du petit matin, tandis qu'une forêt de mâts montait la bannière étoilée de la Confédération.

Penché sur le bastingage du bateau qui accueillait la presse, j'éprouvai un frisson indescriptible : j'allais enfin voir de mes propres yeux l'épave. Nous avions dû en effet, mon fils, Dirk, mon ami et coauteur Craig Dirgo et moi, renoncer, à cause de conditions météorologiques très défavorables, à la plongée qui nous aurait permis de découvrir ce que Ralph, Wes et Harry venaient d'identifier. Maintenant, c'était trop tard : la conférence de presse prévue à Charleston nous interdisait de nous aventurer de nouveau sur le site car nous en révélerions l'emplacement aux collectionneurs de souvenirs de la guerre de Sécession qui, peu scrupuleux, offraient déjà cinq mille dollars pour un panneau d'écoutille et dix mille pour une hélice à quiconque serait prêt à plonger jusqu'à l'épave pour les récupérer. Le *Hunley* était là, suspendu aux câbles, superbe et imposant dans son manteau de rouille constellé de traces anciennes déposées sur ses tôles par le milieu marin avant que la vase ne l'ait absorbé. On le descendit avec précaution sur une péniche plus petite qui, tirée par deux remorqueurs, lui fit accomplir avec quelque retard son dernier voyage jusqu'en rade de Charleston. On mit en berne les pavillons de Fort Sumter tandis que des figurants arborant d'authentiques uniformes de la guerre de Sécession, de l'Union aussi bien que de la Confédération, ajoutaient leurs salves à celles des canons que l'on chargeait par la gueule et qui emplissaient l'air de petits nuages de fumée. Parmi les femmes alignées sur la rive, vêtues comme avant la guerre de Sécession, en habits de deuil, évoquaient la mémoire des neuf hommes d'équipage disparus. Des milliers de spectateurs massés sur les berges acclamaient la précieuse cargaison et la flottille d'embarcations de plaisance à leur passage devant la Battery de la ville et tout le long de la rivière Cooper jusqu'au vieux chantier naval. Les responsables du projet avaient réussi un exploit stupéfiant : l'opération tout entière s'était déroulée avec une précision digne d'une pendule de Rolls Royce. Une grue transféra le sous-marin de la péniche sur un wagon qui l'amena au Centre de réfection Warren Lasch où il passera quelques années dans un bassin. Là, on ôtera la tôle de la coque pour examiner l'intérieur puis, après les avoir retirés, étudier les restes de l'équipage et les divers objets s'y trouvant encore. Enfin le *Hunley* trônera dans un musée où le public pourra l'admirer dans toute sa gloire.

Je n'arrivais pas à croire que nous avions enfin abouti ; j'étais aussi incrédule que cinq ans auparavant, lorsque Ralph Wilbanks m'avait réveillé à cinq heures du matin pour m'annoncer qu'il ne chercherait plus le *Hunley*... parce que Wes, Harry et lui venaient d'en toucher la coque !

Le docteur Robert Neyland, l'archéologue naval chargé des recherches, eut la bonté de me permettre de toucher le submersible. Au bout de quinze ans et après avoir dépensé une partie de l'héritage de mes enfants à financer ces longues recherches, je ressentis comme une décharge électrique lorsque je posai les mains sur l'hélice. De près, le navire me parut plus long et plus étroit que je ne l'avais imaginé, et son profil bien plus aérodynamique qu'on ne l'avait supposé : le *Hunley* méritait vraiment sa réputation de prouesse technologique pour l'époque de la guerre de Sécession. A la demande d'un photographe, Ralph, Wes, Harry et moi prîmes la pose devant le sous-marin suspendu à son élingue avant qu'il soit descendu dans son bassin de réfection ; soudain, les équipes du chantier poussèrent des vivats et applaudirent à tout rompre. Totalement inattendu, ce moment chargé d'une forte émotion concrétisait l'accomplissement d'un rêve et, refoulant nos larmes, nous goûtâmes la fierté d'en être les initiateurs. Cela justifiait bien tant d'années d'efforts et de sacrifices.

Mais, comme pour une armée triomphante après une grande victoire, l'instant passa rapidement. C'était hier. Maintenant, c'est aujourd'hui et l'heure est venue de nous lancer à la recherche d'une nouvelle épave historique.

Il s'agira peut-être du *Pioneer II*, de l'*American Diver* comme on l'appelle parfois, le prédécesseur du *Hunley* construit par les mêmes hommes dans l'Alabama. Lors de son remorquage hors du port en vue de couler un des bâtiments de la flotte de l'Union qui assurait le blocus, le navire fut balayé par une rafale ; il prit l'eau par un panneau d'écoutille mal fermé et sombra. Par chance, aucun des membres de l'équipage ne se trouvait à son bord. Savants et archéologues ont hâte d'étudier la technologie qui fut à la base de l'élaboration du *Hunley* et qui en fit un sous-marin considéré en 1863 comme un miracle de la technique.

L'État d'Alabama vient de nous autoriser à entreprendre des recherches. Bien qu'absolument certains que cette épave est, elle aussi, tellement enfoncée dans le sable et la vase que la remonter appartient au domaine de l'utopie, nous tentons l'aventure ; sinon, nous ne réussirons jamais.

Beaucoup d'eau a passé sous les ponts depuis que Craig Dirgo et moi avons écrit le premier *Chasseurs d'épaves*. Depuis, la NUMA a découvert l'épave du *Carpathia* qui avait sauvé les survivants du *Titanic* et qui fut torpillé six ans plus tard par un sous-marin allemand ; le *General Slocum*, bateau d'excursion qui brûla et coula dans les eaux de l'East River à New York, entraînant avec lui plus de mille passagers, des femmes et des enfants pour la plupart ; et enfin – le premier grand mystère des océans – le célèbre vaisseau fantôme découvert en 1876 dérivant au large des Açores sans personne à bord, la *Marie Celeste*.

Les récits qui suivent relatent les recherches les plus récentes effectuées par les équipages de la NUMA et leurs efforts pour identifier une épave perdue depuis longtemps : traînant du matériel acoustique par des creux de trois mètres, submergés par des raz de marée, ils ont plongé dans des eaux si polluées qu'ils ne distinguaient pas les ongles de leurs mains tendues devant eux, et déblayé des tonnes de boue et de sable dans des conditions inimaginables. Ces personnages, contemporains ou non, et les événements historiques évoqués sont authentiques avec cependant quelques mises en scène destinées à rendre le tout plus vivant. Dans ma folie de la chasse aux épaves, je ne suis pas poussé par l'appât du gain mais par ma passion pour l'histoire maritime de notre pays et par le désir de la conserver pour les générations futures ; riche, elle mérite qu'on la préserve.

Chaque jour qui passe construit le futur. Alors ne marchez pas d'un pied trop léger, afin de laisser des traces qu'on puisse suivre.

Première partie

_____

L'Aimable

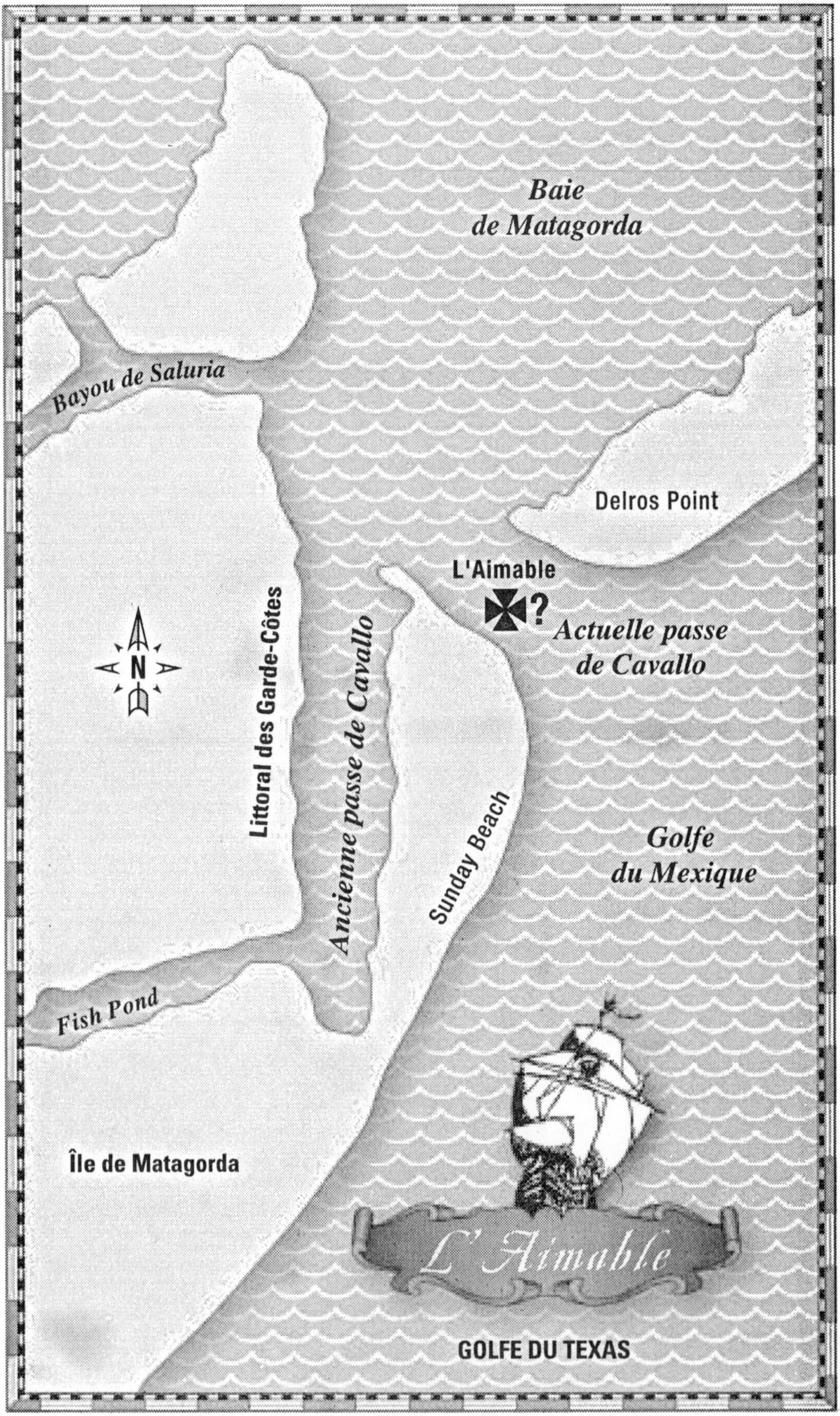

Baie
de Matagorda

Bayou de Saluria

Delros Point

L'Aimable

✠ ?

Actuelle passe
de Cavallo

Littoral des Garde-Côtes

Ancienne passe de Cavallo

Sunday Beach

Golfe
du Mexique

Fish Pond

Île de Matagorda

L'Aimable

GOLFE DU TEXAS

I

Le père des eaux

1684 – 1685

« L'imbécile ! » s'écria René-Robert Cavelier de La Salle : depuis le rivage désolé il attendait, impuissant, la destruction inéluctable de son vaisseau-amiral, *L'Aimable*, qui se détournait du chenal banalisé.

Malgré les protestations du commandant René Aigron, La Salle avait donné l'ordre au vaisseau français – trois cents tonneaux chargés d'approvisionnement pour une nouvelle colonie – de franchir la barre de la passe de Cavallo pour cingler vers la baie de Matagorda qui, cent cinquante-sept ans plus tard, ferait partie de l'État du Texas.

Menaçant, Aigron avait exigé de La Salle un document signé le dégageant de toute responsabilité. L'explorateur, mal remis d'une maladie qui l'avait cloué au lit, n'avait pas eu la force de discuter et s'était exécuté à regret. Craignant le pire, Aigron avait alors fait transborder ses affaires personnelles sur un navire plus petit, le *Joly*, qui avait déjà franchi la barre et jeté l'ancre sans problème dans la baie.

Et maintenant toutes voiles dehors et la toile gonflée par un léger vent arrière, *L'Aimable* voguait vers sa perte sous les yeux horrifiés de La Salle.

Celui qui revendiquerait le Nouveau Monde pour la France naquit à Rouen le 22 novembre 1643. Ayant vainement tenté d'entrer dans la Compagnie de Jésus, il alla chercher fortune en Nouvelle-France, l'actuel Canada, alors colonie française. Après quelques faux départs, La Salle finit par fonder une affaire prospère de commerce de fourrure qui lui permit de s'adonner à sa passion naissante pour l'exploration.

La Salle se lia d'amitié avec le nouveau gouverneur du Canada, Louis de Buade, comte de Frontenac, qui le présenta peu après à Louis XIV. Le roi lui octroya des lettres patentes, autrement dit l'autorisation royale d'explorer les régions occidentales de la Nouvelle-France, faisant de La Salle l'explorateur officiel de la France dans le Nouveau Monde. Croulant sous les dettes, La Salle s'empressa de tirer profit de cet honneur.

Pour étendre son commerce de fourrure vers l'ouest jusqu'au lac Michigan, La Salle entreprit de changer les méthodes de travail. La plupart des trappeurs s'enfonçaient dans ces régions inconnues jusqu'à ce qu'ils aient rassemblé assez de peaux pour charger un canoë en écorce de bouleau ; ils entreprenaient ensuite un long voyage vers une grande ville où ils écouleraient leur butin. La Salle, se rendant compte que les Grands Lacs exigeaient des navires de plus fort tonnage, en fit construire un et, en août 1679, il lançait sur le lac Erié un vaisseau de soixante tonneaux armé de sept canons, le *Griffon,* qui fit l'étonnement des Indiens de la région qui n'avaient jamais vu d'aussi grands bateaux. Il ne connaîtrait hélas ! qu'une brève existence.

Louis XIV avait interdit de commercer avec les tribus indiennes de l'Ouest, mais La Salle passa outre : le *Griffon*, après avoir transporté des passagers jusqu'à Fort Michilimackinac, près du confluent des lacs Huron et Michigan, traversa ce dernier et accosta à Green Bay où on le chargea de fourrures et de marchandises à destination de Fort Niagara, à l'extrémité orientale du lac Erié.

Le *Griffon* disparut dans les brumes de l'Histoire, on ne sut jamais pourquoi.

La perte du *Griffon* puis celle, dans le Saint-Laurent, d'un autre vaisseau chargé de provisions, amenèrent La Salle au bord de la ruine. Peu après, en 1680, les hommes confiés à La Salle dans la garnison de Fort Crèvecœur à l'embouchure de l'Illinois se mutinèrent et anéantirent l'avant-poste. Toutes les entreprises du malchanceux s'écroulaient les unes après les autres.

Pourtant il ne s'avoua pas vaincu, et poursuivit son projet de découvrir l'embouchure du Mississippi. Aussi, en février 1682, se lança-t-il sur le cours supérieur du fleuve à la tête d'une expédition de vingt canoës en écorce d'orme. En mars, elle avait atteint l'actuel Arkansas et pris contact avec les Indiens qui firent bon accueil aux explorateurs français. Profitant d'une amélioration des conditions météorologiques, ils poussèrent plus au sud et, le 6 avril, atteignirent enfin l'embouchure du grand fleuve.

Quelque peu mégalomane, La Salle aimait la pompe ; la cérémonie du 9 avril le confirma. Debout au pied d'un chêne monumental et drapé dans une robe écarlate, La Salle fit entonner des hymnes à ses hommes tandis qu'il se plantait devant une croix taillée dans un gigantesque sapin. Il revendiqua alors pour la France tout le territoire bordant le Mississippi et, en honneur du roi qu'il servait, le baptisa Louisiane.

Pratiquement sans avoir tiré un seul coup de feu, La Salle fit valoir les droits de la Couronne sur une région qui doublait la superficie de la Nouvelle-France : des monts Appalaches à l'est jusqu'au sud où se trouvaient les territoires revendiqués par l'Espagne, ces terres couvraient près d'un million cinq cent mille kilomètres carrés.

Il lui fallait maintenant établir une base plus au sud afin de tirer le meilleur parti de sa découverte : une base, surtout, qui l'éloignerait de ses ennemis toujours plus nombreux en Nouvelle-France et de ses créanciers. Frontenac, l'ami de La Salle, avait été remplacé au poste de gouverneur de la Nouvelle-France par Antoine Lefebvre, sieur de La Barre qui, comme beaucoup, ne portait pas dans son cœur l'arrogant explorateur. Peut-être, s'il revenait en France, parviendrait-il à convaincre Louis XIV de le soutenir dans ses efforts pour coloniser le sud de la vallée du Mississippi. Tentative réussie puisque, le 24 juillet 1684, il quittait la France avec quatre vaisseaux et quatre cents colons.

*
* *

Mais René-Robert Cavelier de La Salle ne savait pas gagner la popularité de ses hommes : à Petit-Goâve, port de l'île d'Hispaniola dans le territoire de Saint-Domingue, le capitaine André Beaujeu, qui commandait un vaisseau de guerre de trente-six canons, le *Joly*, exposait en effet ses griefs à propos de La Salle à André Aigron, capitaine du navire ravitailleur *L'Aimable*. Aigron, dont le bateau était ancré au large de Port-de-Paix et séparé du reste de la flotte à cause d'ordres contradictoires, avait traversé l'île à dos d'âne pour se rendre à cette conférence.

— D'abord, l'escale à Madère, ensuite le baptême de la ligne ! s'indigna Beaujeu. La Salle est timbré de refuser aux matelots ces rituels qui font partie depuis toujours de leurs traditions !

Aigron, un mètre cinquante à peine et cinquante-cinq kilos, tirait, maussade, sur le long tuyau de sa pipe au fourneau d'acajou en forme de méduse. Balayant la fumée d'un geste, il désigna la carte rudimentaire qui s'étalait sur la table de son interlocuteur.

— Je suis plus que préoccupé, observa Aigron, par le fait que La Salle n'a tracé nulle part sur ce torchon le cours du grand fleuve qui se jette dans le golfe du Mexique.

— Je lui ai demandé avant de quitter La Rochelle, répondit Beaujeu en buvant une gorgée de vin de son gobelet d'argent, quelle route nous devions suivre. Comme aujourd'hui, il a refusé de me répondre.

Aigron hocha la tête et attendit que Beaujeu continue.

— A vrai dire, je ne crois pas que La Salle le sache lui-même, conclut le capitaine.

Aigron regarda son confrère enlaidi par une tache de naissance rouge foncé sur sa joue gauche qui rappelait les Îles britanniques, et par des dents de devant – celles qu'il lui restait du moins – salies par le vin. Puis il répondit :

— Je suis d'accord avec vous, capitaine : La Salle bluffe. Il a beau prétendre être arrivé par voie de terre jusqu'à l'embouchure du fleuve, je ne pense pas qu'il ait la moindre chance de la retrouver depuis la mer. C'est bien plus facile de se diriger sur la terre que sur l'eau.

— Dès l'instant où nous entrerons dans le golfe, ajouta Beaujeu, les choses deviendront extrêmement dangereuses, car nous encourrons la peine de mort de la part des Espagnols.

Depuis une centaine d'années, la Couronne espagnole avait en effet décrété que tout vaisseau étranger découvert dans le golfe du Mexique serait saisi et son équipage tué. Cela expliquait l'absence de cartes de navigation. Seuls les Espagnols en possédaient et ils n'étaient pas disposés à les montrer à un autre pays.

— La Salle doit perdre la tête, avança Aigron.

Beaujeu acquiesça et tira une nouvelle bouffée. Comme La Salle était alors alité à cause des fièvres, il était difficile de discuter avec Aigron sur ce point.

— Il ne nous reste donc plus qu'à nous préparer à assurer nous-mêmes la sécurité de nos vaisseaux et de nos marins, conclut Beaujeu.

— Je vous suis.

Il saisit ensuite une flasque de cognac pour porter un toast à leur alliance sournoise.

La Salle, mal en point, ne se souciait guère de ce que le sort de son expédition fût déjà compromis : selon les fables qu'il avait servies à son roi, le succès devait couronner son entreprise.

En fait, pour obtenir de Louis XIV les fonds nécessaires à son aventure, il avait étayé son discours sur trois affirmations mensongères : selon la première, les sauvages de ces terres nouvelles accepteraient de se convertir au christianisme ; la vérité était tout autre car, à l'exception des quelques poches isolées où les jésuites s'étaient introduits, les Indiens avaient résisté à toutes les tentatives d'assurer leur salut. La Salle s'était ensuite déclaré capable de lever une armée de quinze mille sauvages pour parer à toute attaque des Espagnols qui, pour l'instant, revendiquaient ce territoire ; tout aussi faux, puisque les tribus indiennes d'Amérique étaient dispersées et se battaient entre elles. Enfin il avait soutenu que rien n'était plus facile que de remonter jusqu'à l'embouchure du grand fleuve ; en vérité, La Salle ne connaissait le fleuve que pour l'avoir atteint par la terre : le retrouver en partant de la mer s'avérait une tout autre affaire. Mais il se cramponnait à l'espoir de repérer la boue brunâtre qui colorait les eaux du fleuve à l'endroit où elles se mêlaient à l'eau salée du golfe. Aussi aisé que de repérer une épingle dans une meule de foin de la taille de la Belgique !

On était en décembre 1684, soit deux mois après leur arrivée à Hispaniola.

— Je sens que mes forces reviennent, annonça La Salle à Tonty assis sur une chaise auprès de son lit.

Fils d'un financier napolitain, ami le plus proche et conseiller de La Salle, Tonty avait servi dans l'armée française jusqu'à ce que l'explosion d'une grenade lui eût arraché la main, laquelle avait été remplacée par un crochet métallique rudimentaire.

Pourtant il s'en fallait de beaucoup que La Salle fût vraiment rétabli, mais il craignait que, si l'expédition ne prenait pas la mer immédiatement, elle ne quittât jamais l'île. Des pirates espagnols avaient déjà capturé le *Saint François*, le ketch de trente tonneaux chargé de ravitailler la colonie en viande fraîche et en légumes et, en outre, les matelots français n'avaient cessé, au cours de ces deux mois passés à Haïti, de boire et de faire la fête. Pour couronner le tout, la mésentente régnait entre eux et les colons emmenés pour s'implanter dans le Nouveau Monde (déjà réduits d'un tiers par les maladies et la désertion). Sans oublier la révolte qui couvait parmi les capitaines : La Salle avait appris qu'ils se rencontraient fréquemment et il redoutait le pire.

L'avenir de l'expédition s'annonçait mal et la situation s'envenimait d'heure en heure.

— Nous appareillerons demain matin, murmura La Salle. Impossible d'attendre un jour de plus.

— Mon ami, dit Tonty, si tel est votre désir, j'alerte le capitaine Beaujeu.

Tonty quitta la maison située sur la colline de Port-de-Paix et descendit jusqu'au port. Le vent du nord avait fait chuter la température de trente à quinze degrés. Tonty s'arrêta au bout de la rue pavée pour regarder les trois navires mouillés dans la baie : au large le *Joly,* près du rivage, la *Belle*, une frégate armée de six canons, et enfin *L'Aimable*, à proximité du quai. Le soleil disparaissait derrière les nuages et les eaux de la baie prenaient une coloration noire. Tonty embarqua sur un des canots de *L'Aimable* pour effectuer le bref trajet qui le séparait du vaisseau.

Bien que prévenu par la vigie de l'arrivée de Tonty, le capitaine Aigron resta délibérément dans sa cabine jusqu'à ce qu'on eût conduit Tonty au lieu de l'attendre sur le pont en signe de respect.

— Monsieur Tonty, annonça le matelot après avoir frappé à la porte du capitaine.

— Vous pouvez entrer, répondit calmement Aigron.

Le marin ouvrit la porte puis s'écarta pour laisser passer Tonty. La cabine du capitaine de *L'Aimable*, située à l'arrière dans l'arrondi du pont supérieur et de dimensions fort convenables, était meublée avec un luxe inconnu dans le reste du vaisseau. Plusieurs lampes en cuivre fonctionnant à l'huile de baleine l'éclairaient, montées sur des pivots qui suivaient les mouvements du navire : une auprès de la couchette, une autre proche de la table où Aigron était assis et une troisième à côté d'une étagère d'angle où étaient rangées les cartes marines. Sur le plancher, un tapis persan, jadis superbe mais maintenant mangé aux mites et usé jusqu'à la corde. Sur la droite, la couchette d'Aigron : guère plus large qu'une tablette en bois, elle avait des bords surélevés destinés à contrecarrer le roulis, des draps de toile et deux oreillers de plume. Sur l'un d'eux la mascotte du navire, un vieux chat au pelage jaune et brun poussiéreux, qui avait abandonné une oreille à un rat lors d'un combat dans les profondeurs de la cale, se prélassait; il feula en voyant Tonty.

— Monsieur Tonty, dit Aigron sans se lever, qu'est-ce qui vous amène ici ?

— La Salle vous donne l'ordre de préparer *L'Aimable* à appareiller demain matin, répondit Tonty avec mesure.

Il n'aimait pas beaucoup Aigron et c'était réciproque.

— Le capitaine Beaujeu et moi sommes convenus, rétorqua Aigron d'un ton hautain, avant de lever l'ancre, de consulter les cartes de monsieur La Salle, car nous n'avons pas la moindre idée de l'emplacement du fleuve. Et surtout, il nous faut une route précise avant d'appareiller.

— Je vois, murmura Tonty. C'est donc Beaujeu et vous qui en avez décidé ainsi ?

— Oui, parfaitement, déclara Aigron avec vigueur.

— Vous ne me laissez guère le choix, conclut Tonty avant de saisir Aigron par le cou avec son crochet de fer.

Le maintenant solidement, il le traîna le long de la coursive jusqu'à l'échelle, puis sur le pont d'où il cria au matelot le plus proche :

— Qui est le second ?

Un grand gaillard efflanqué s'avança.

— C'est moi, monsieur Tonty.

— Briquez-moi ce bateau de la proue jusqu'à la poupe. Nous levons l'ancre au matin sous les ordres de La Salle. C'est compris ?

— Oui, Monsieur.

Aigron voulut parler, mais Tonty pressa plus fort sur sa pomme d'Adam.

— Le capitaine Aigron m'accompagne à terre, précisa Tonty en entraînant le capitaine vers l'échelle de coupée au pied de laquelle était amarré le canot. La Salle sera de retour dans quelques heures. Nous lèverons l'ancre à la première heure.

— A vos ordres, Monsieur, répondit le second.

Une fois embarqué, Tonty força le capitaine à s'asseoir sur un banc et fit signe au matelot de pousser au large. Il ne relâcha sa pression que quand l'embarcation fut à mi-chemin du quai.

Fixant le capitaine droit dans les yeux, il lui lança d'une voix sourde :

— Soit vous prenez le commandement de la *Belle*, soit je vous flanque à l'eau tout de suite. Que choisissez-vous ?

— La *Belle*, s'il vous plaît, monsieur Tonty, murmura Aigron. (Le crochet lui avait écrasé le larynx et il pouvait à peine parler.)

Le canot arrivait à quai.

— Bravez encore une fois les ordres de La Salle, reprit Tonty, et c'est mon sabre d'abordage qui caressera votre cou.

Aigron acquiesça d'un petit signe de tête.

Là-dessus, Tonty débarqua et s'éloigna sans se retourner. Son ami La Salle rêvait de conquérir un continent pour son roi.

Mais les rêves ne se réalisent pas toujours.

Ces deux dernières semaines, La Salle avait vécu un véritable enfer. La fièvre l'avait repris et, en même temps, son indécision et son sentiment d'isolement. Quand les trois vaisseaux eurent doublé Cuba pour pénétrer dans le golfe du Mexique, la menace de mort lancée par les Espagnols aggrava encore la situation. En mer, le moindre signe de mauvaise volonté, la moindre vexation imaginaire prennent des proportions démesurées et l'expédition de La Salle n'échappait pas à la règle. Les marins adressaient à peine la parole aux colons : La Salle et les capitaines en étaient arrivés à communiquer par des intermédiaires.

Ce fut juste à temps, le 1er janvier 1685, que les sondages annoncèrent la proximité de la terre.

Dans la cabine de *L'Aimable*, La Salle, Tonty et leur fidèle guide indien Nika se consultèrent à voix basse. La réussite de l'expédition dépendait de leur décision. Mais ils la prendraient sous la contrainte des événements, ce qui donne rarement de bons résultats.

— Qu'en penses-tu, Nika ? demanda La Salle au guide peu bavard.

— Nous touchons au but, observa Nika, mais il faut attendre d'apercevoir les traînées brunes des eaux boueuses du grand fleuve.

La Salle épongea avec un mouchoir brodé son front couvert de sueur. Dehors il faisait à peine une dizaine de degrés, mais il n'arrêtait pas de transpirer.

— Tonty ?

— Je suis d'avis de continuer cap au nord jusqu'à ce que nous arrivions en vue de la terre. Nous débarquerons alors un groupe d'éclaireurs, suggéra Tonty avec logique. Cela devrait nous donner une idée de l'endroit où nous nous trouvons.

— C'est exactement ce que je pense, approuva La Salle.

Trois heures plus tard, la vigie du nid-de-pie repéra le vague contour d'une terre. La Salle débarqua pour explorer les lieux. L'endroit ne ressemblait pas aux souvenirs qu'il en gardait mais il pouvait y avoir à cela de bonnes raisons : d'abord la végétation, plus rare en janvier dans ce terrain marécageux qu'au printemps, saison de leur premier repérage ; ensuite, l'approche par voie d'eau qui change la perspective et rend plus difficile l'identification des points de repère.

A moins de toucher terre près du cap des Passes et d'apercevoir les coulées boueuses, le rivage pourrait sembler le même de la péninsule de Floride jusqu'à la rivière Rouge. Quelle que fût la décision prise par La Salle, on pourrait suivre une direction ou l'autre. Le canot s'arrêta à l'embouchure d'un petit affluent. Des cyprès aux branchages entremêlés dans les sous-bois masquaient presque le soleil. Des mulets jaillissaient de l'eau. La Salle chassa une mouche noire qui rôdait autour de sa tête puis plongea la main dans l'eau et la goûta.

— Douce et fraîche, observa-t-il. Nous sommes près des rivières légendaires de la Floride du Nord.

— Je ne pense pas, Maître. Je crois que nous sommes proches du Mississippi, déclara Nika.

— Cela ne ressemble pas à ce dont je me souviens, objecta Tonty.

Un accès de fièvre secoua le corps de La Salle ; il frissonna comme un chien qui émerge d'un cours d'eau glacé. Il vit des étoiles et entendit des voix. Une vision l'envahit.

— Je suis certain que le fleuve est par là, dit-il en tendant le bras. Retournons sur *L'Aimable*. Nous ferons route vers l'ouest. Si nous suivons le rivage, nous devrions voir les eaux boueuses.

L'esprit fiévreux de La Salle était convaincu qu'ils étaient proches de la péninsule de Floride. En fait, ils avaient touché terre à quelques milles à l'ouest du Mississippi. S'ils avaient opté pour l'est, ils auraient aperçu les eaux brunâtres à l'heure du déjeuner.

Une autre mauvaise décision condamnerait l'expédition à l'échec.

— La Salle n'a aucune idée de l'endroit où nous nous trouvons, observa Beaujeu.

— Confier la navigation à un non-marin est bien imprudent, ajouta Aigron.

— Regagnez votre bord, fit Beaujeu en hochant la tête. Obéissons si nous ne voulons pas être accusés de mutinerie.

— Pourtant se mutiner serait peut-être une sage décision, conclut Aigron en se levant pour regagner la *Belle*. Ces maudits colons dévorent les rations de mes matelots. Si nous ne débarquons pas quelques chasseurs, nous risquons tous de mourir de faim.

Le lendemain matin, les trois vaisseaux levèrent l'ancre, cap à l'ouest. La petite *Belle* suivait la côte tandis que *L'Aimable* voguait à quelques encablures. Quant au *Joly,* il restait au large, prêt à les défendre avec ses trente-six canons au cas où un vaisseau espagnol se montrerait dans les parages. Une semaine s'écoula et le Père des eaux ne faisait que s'éloigner. Lorsque l'expédition arriva devant le Texas, les vivres commençaient à manquer et le moral était au plus bas. La situation empirait.

— Ces îles qui protègent l'embouchure devraient se trouver plus au large, fit remarquer La Salle.

— C'est donc au-delà que nous avons planté le drapeau français ? demanda Tonty.

— Je le crois, répondit La Salle.

Nika ruminait en silence. L'endroit ne lui rappelait rien : les oiseaux n'étaient pas les mêmes et les animaux qu'il apercevait ressemblaient plus à ceux des Grandes Plaines. Mais, personne ne lui ayant demandé son avis, l'Indien garda le silence.

— Même si ces lagons ne constituent pas l'embouchure du Mississippi, il doit s'agir de l'un de ses affluents, déclara La Salle. Nous allons jeter l'ancre, envoyer des chasseurs et ériger un fort pour assurer notre protection. Ensuite nous explorerons la région. J'ai bonne impression.

Cette impression lui était dictée par la fièvre qui le consumait, mais il n'y avait personne pour le contredire.

La *Belle* avait franchi la barre. *L'Aimable* et le *Joly* restèrent au large.

— Monsieur, dit Aigron, je dois élever une protestation. L'eau est peu profonde et les courants sont capricieux.

C'était le premier face-à-face entre les deux hommes depuis des mois.

— La *Belle* a passé la barre, fit remarquer La Salle.

— Elle est plus petite, et son tirant d'eau faible, affirma Aigron. *L'Aimable*, lui, jauge trois cents tonneaux.

— Je vous ordonne de prendre le commandement de *L'Aimable* et de l'amener dans le lagon, dit La Salle, faute de quoi vous vous rendrez coupable de mutinerie.

Aigron se tourna vers Tonty, menaçant, à quelques pas de lui.

— Je vais rédiger des ordres, mais ils me dégageront de toute responsabilité, poursuivit Aigron, et vous devrez les signer. Ensuite, je transporterai mes affaires personnelles de l'autre côté de la barre, à bord du *Joly*.

— J'accepte ces conditions, répondit La Salle d'un ton las.

Aigron se tourna vers son second.

— Donnez l'ordre aux matelots de sonder le fond et de déposer un cordon de bouées délimitant le chenal. Nous entrerons dans le lagon demain à marée haute.

La Salle se leva.

— Je vous confie le commandement de ce vaisseau. Faites porter nos affaires à terre. Tonty, Nika et moi resterons sur le rivage ce soir.

— A vos ordres, monsieur La Salle, répondit Aigron.

La Salle, ses deux fidèles compagnons et quelques colons et matelots passèrent la nuit à terre. Le 20 février 1685, le temps s'annonçait dégagé, quoique troublé parfois par quelques rafales de vent. La Salle était fatigué. A deux reprises, des Indiens d'une tribu voisine s'étaient approchés ; ils semblaient pacifiques mais parlaient un dialecte que ni La Salle ni Nika ne parvenaient à comprendre. On ignorait tout de leurs intentions.

La Salle chargea quelques hommes d'abattre un arbre et de construire un canoë pour explorer les fonds, puis il constata que *L'Aimable* levait l'ancre. Au même instant, un matelot surgit hors d'haleine :

— Les sauvages ont emmené nos hommes!

La Salle regarda la *Belle ;* bien que censée remorquer *L'Aimable* à travers la passe, elle n'avait pas quitté le large. Le pilote comptait-il faire appareiller *L'Aimable* malgré ses ordres ? La Salle n'avait pas le temps de s'en assurer et se précipita vers le campement indien avec Tonty et Nika. Jetant un coup d'œil par-dessus son épaule, il découvrit que *L'Aimable* avait hissé les voiles.

Le pilote Duhout et le capitaine Aigron, puisant leur courage dans le cognac plus que dans le vin et aidés par le vent qui gonflait les voiles, se rapprochaient. Sur les voiliers d'autrefois, le pilote se tournait vers l'arrière et regardait l'horizon derrière lui car les mâts, les gréements et les provisions entassées sur le pont gênaient la vue vers l'avant.

— Un quart à bâbord, cria Duhout à Aigron qui manœuvra la barre.

— Un huitième à tribord.

L'Aimable avançait et Aigron lui fit franchir les premiers hauts-fonds. Se guidant sur les bouées, il commença à passer le récif. Dans quelques minutes, il serait dans le lagon.

— Une hache et une douzaine d'aiguilles, proposa La Salle en échange de ses hommes.

Nika traduisit du mieux qu'il put puis attendit de s'assurer qu'on le comprenait.

Le chef indien ayant acquiescé et ordonné qu'on relâchât les hommes, La Salle et Tonty purent sortir de la tente pour observer la progression de L'Aimable.

— S'ils gardent ce cap, ils vont s'échouer, déclara La Salle.

— Je crains que vous n'ayez raison, répondit Tonty, mais nous ne pouvons rien y faire.

La Salle terminait les négociations lorsqu'il entendit le coup de canon signifiant un appel de détresse : *L'Aimable* s'était échoué.

*

* *

Le frottement du bois contre un récif ressemble aux hurlements d'un bébé.

Dans la cale inférieure, les provisions commençaient à prendre l'eau. Si on ne les mettait pas rapidement au sec, elles seraient perdues.

— Il a un vilain trou dans la coque, rapporta Aigron à Duhout.

— Sauvons d'abord le vin et le cognac, décida Duhout.

Pendant ce temps, La Salle regagnait aussi vite qu'il le pouvait la côte avec ses hommes libérés. Au détour d'un chemin qui escaladait une petite élévation de terrain, il découvrit un triste spectacle : *L'Aimable* déchiré par le récif et perdant sa cargaison, sous un ciel – nouvelle circonstance aggravante – où s'accumulaient d'énormes nuages noirs menaçants.

Il ne restait plus maintenant qu'à prier la chance de tourner, mais celle-ci les fuyait. L'équipage passa le reste de la journée à sauver ce qu'il pouvait de la cargaison en l'entassant dans de petites embarcations pour les transborder à terre. A la tombée de la nuit, ils dressèrent le camp.

Le lendemain, s'il plaisait à Dieu, ils reviendraient chercher le reste.

Cette nuit-là, le vent forcit ; les vagues se déchaînèrent, battant *L'Aimable* immobilisé comme un champion de boxe martèle un punching-ball, et démantelèrent complètement le navire. Le jour se leva sous un ciel aux reflets rouges. La Salle, silencieux, regardait les lames déferler, l'une après l'autre, sur les quelques sections de la coque de *L'Aimable* qui émergeaient de l'eau.

L'inventaire des pertes fut navrant : avaient disparu la quasi-totalité des provisions, tous les médicaments, quatre canons et leurs boulets, quatre cents grenades et les armes légères destinées à assurer la protection des colons, les stocks de fer, de plomb, la forge et les outils, ainsi que les bagages, les affaires personnelles et divers objets de moindre importance.

La perte de *L'Aimable* sonnait le glas de l'expédition, mais La Salle ne le réalisait pas encore.

Muni de ce qu'on avait pu sauver, La Salle s'avança dans les terres et construisit un fort qu'il baptisa Fort Saint-Louis en l'honneur du roi de France. Il lui servirait aussi de base pour explorer la région et, avec la poignée de matelots et de colons qui lui étaient encore fidèles, il reprit sa quête de l'introuvable Père des eaux.

Mais le sort lui réservait de bien tristes surprises.

Avec l'autorisation de La Salle, le capitaine Beaujeu embarqua à bord du *Joly* tous les colons qui voulaient repartir ; en mars 1685, il rentrait en France. L'année suivante n'apporta à La Salle qu'épreuves et déceptions. Ses incursions à l'intérieur des terres lui firent comprendre qu'il était à des centaines de milles du delta du Mississippi. Il regagna alors Fort Saint-Louis pour apprendre que la *Belle* s'était échouée et avait coulé. Avec elle, les derniers colons et soldats perdaient l'ultime lien qui les rattachait encore à la France, visiteurs prisonniers d'un Nouveau Monde sauvage et cruel.

— Je vais partir pour le Canada avec quelques hommes, annonça La Salle à Tonty. Vous resterez ici pour contrôler la situation.

— Plus de mille quatre cents lieues à pied, s'inquiéta Tonty. Vous en sentez-vous vraiment capable ?

— C'est notre dernière chance, se contenta de répondre La Salle. Sans provisions, nous mourrons tous. J'ai bien atteint le Mississippi autrefois.

Tonty hocha la tête. Il y avait des années de cela ; La Salle était alors plus jeune et en meilleure santé.

— Combien d'hommes vous faut-il ? s'informa Tonty.

— Moins d'une douzaine. Pour avancer rapidement.

— Je prends des dispositions tout de suite, répondit Tonty toujours loyal.

La Salle partit en mars 1687. Une vieille blessure allait bientôt s'envenimer.

Ceux qui restaient tenaient Duhout, qui pilotait *L'Aimable* lors de son échouage, pour responsable de l'échec de l'expédition. Que La Salle lui permît de l'accompagner au Canada choqua ; en vérité, les colons qui garderaient Fort Saint-Louis ne voulaient plus voir Duhout dont le comportement devenait de plus en plus bizarre. Aussi La Salle avait-il choisi de l'emmener pour les en débarrasser.

Duhout était en train de sombrer dans la folie : atteint de paranoïa, il entendait des voix maléfiques qui flottaient dans le vent et se persuada rapidement que La Salle complotait de le vendre aux Indiens comme esclave, puis de le tuer une fois atteinte la rivière de la Trinité. Duhout prit donc les devants et abattit La Salle, abandonnant son corps auprès du fleuve.

L'homme parti conquérir un continent pour son roi mourut seul après avoir perdu toute illusion. On n'a toujours pas retrouvé sa tombe.

Quelques mois après la mort de La Salle, les Indiens attaquèrent Fort Saint-Louis. Affaiblis par la maladie, incapable de résister, les colons furent massacrés. De ces Français qui rêvaient de s'installer au Nouveau Monde mais qui n'y rencontrèrent qu'un climat hostile aggravé par l'éloignement et la discorde, seule une douzaine d'entre eux survécut.

La Salle, visionnaire vaincu, comme tant d'autres explorateurs, par sa vanité conserve pourtant une place enviable dans l'histoire de l'Amérique. Seuls Lewis et Clark ont couvert plus de territoire que l'aristocrate français.

II

Hors d'atteinte

1998 – 1999

Je me demande encore ce qui a bien pu me pousser à rechercher *L'Aimable*. Certes, l'épave présentait un intérêt historique indéniable, mais aucun élément dramatique ne s'y rattachait. D'ailleurs, la NUMA ne s'était jamais occupée d'un navire perdu depuis trois cents ans. Quoi qu'il en soit, comme une truite affamée par la diète hivernale, je mordis à l'hameçon ; rassemblant une équipe, je commençai à étudier les archives concernant la fatale expédition de La Salle.

Tout partit de la rencontre du président de la NUMA, Wayne Gronquist, avec le directeur du département de recherche archéologique sous-marine de la Commission des antiquités du Texas, Barto Arnold, qui avait réalisé un magnifique exploit : il avait récupéré le *Joly*, le plus petit des vaisseaux de La Salle qui s'était échoué en 1685 dans la baie de Matagorda où on l'avait abandonné. Arnold et son équipe construisirent un bâtardeau autour de l'épave et en retirèrent des centaines d'objets.

Arnold avait procédé en 1978 à un relevé magnétique du secteur en prévision de recherches plus poussées sur les innombrables cibles qu'il avait repérées. La Commission des Antiquités du Texas disposait des fonds nécessaires et s'adressa à la NUMA. Barnum avait raison : le monde voit chaque minute naître une bonne poire car, dans un moment de distraction, je succombai et proposai de financer les recherches et l'expédition sans imaginer un instant ce que cela me coûterait en temps et en argent.

La World Geoscience Inc., de Houston, fut chargée de repérer les anomalies magnétiques – en faisant appel à une technologie dont Arnold n'avait pu disposer vingt ans plus tôt – que nous tenterions d'identifier ensuite en entreprenant des fouilles.

Le bon et solide Ralph Wilbanks, ingénieur hydrographe apprécié et administrateur de la NUMA, conduisit les recherches avec le spécialiste de l'archéologie sous-marine, Wes Hall, ceux-là mêmes qui découvrirent en 1995 le sous-marin confédéré *Hunley*.

On rassembla et analysa les données historiques sous le contrôle de l'éminent historien Gary McKee. Douglas Wheeler, autre administrateur de la NUMA et chasseur d'épaves acharné, finança généreusement la première campagne.

Les journaux de Henry Joutel fournissaient un compte rendu détaillé du naufrage de *L'Aimable*. Minet, le chef navigateur de La Salle, avait dressé à l'époque des cartes décrivant avec précision la passe de Cavallo comme elle se présentait en 1685 et qui situait l'épave sur le bord oriental de l'ancien chenal. Seul inconvénient, Minet semblait avoir eu du mal à mesurer les distances au-dessus de l'eau, les surestimant – erreur au demeurant fréquente. Mais nous n'allions pas pour autant dédaigner ce témoignage oculaire qui nous donnait de telles précisions.

La zone des recherches s'étendait sur 4,80 milles nautiques du nord au sud et 2 d'ouest en est, ce qui recouvrait largement le site présumé de l'épave. En tirant des diapositives des cartes de Minet à l'échelle et en les superposant à des cartes modernes et à des photographies aériennes, nous constatâmes que, en plus de trois cents ans, le dessin de la côte avait considérablement changé : la pointe méridionale de l'île de Matagorda a été ramenée par l'érosion de quelque trois cents mètres alors que les effets n'ont pas été aussi extrêmes sur la péninsule de Matagorda. Si le chenal dessiné par Minet semble trop large, il serait logique de supposer qu'il a simplement surestimé la distance puisque la plupart des cartes de 1750 et de 1965 ne varient pas de plus d'une centaine de mètres.

Le plus décevant, c'étaient les modifications du chenal survenues au cours des trente-cinq dernières années : en 1965, le Génie américain avait en effet creusé un nouveau chenal de navigation sur la péninsule de Matagorda jusqu'à la voie inter-côtière à quelques kilomètres au nord-est de la passe de Cavallo ; il bouleversa la dynamique de l'écoulement d'eau vers l'extérieur de la baie et transforma la passe de façon spectaculaire, ce qui ne permettait plus d'utiles comparaisons entre les cartes modernes et celles d'autrefois.

Si nous étions arrivés avant 1965, notre tâche aurait été bien simplifiée. Après le creusement du nouveau chenal, l'ancien passage, avec un tirant d'eau d'une dizaine de mètres, commença à s'ensabler en enterrant profondément la plupart des épaves de notre zone de recherches, ce qui en rendait l'accès d'autant plus difficile.

En février 1998, Ralph et Wes commencèrent les premières recherches en utilisant le fidèle Parker de vingt-cinq pieds : Ralph l'avait baptisé *Diversity* mais, comme on pouvait s'y attendre, les autres membres de l'équipe l'avaient surnommé *Perversity*. On ne faisait pas plus pratique pour traquer les épaves, mais le moins qu'on puisse dire, c'est qu'il n'offrait pas le confort d'un yacht. Le lecteur me pardonnera d'énumérer rapidement le matériel technique que le navire transportait : deux magnétomètres de type césium, un magnétomètre à protons, un système de navigation GPS différentiel, un système de navigation côtière NAVSTAR, un système d'acquisition de données et un système de dragage...

L'équipe était basée à Port O'Connor, une ville du Texas à la population accueillante et chaleureuse ; à part cela, pas grand-chose : une station-service, un motel agréable, le restaurant mexicain de Josie – dirigé par la merveilleuse Elosia Newsome – et cinq cent soixante baraques où l'on vend des appâts. Comparée à Port O'Connor, Mayberry fait figure de métropole et, bien que peu versé dans l'art de sonder l'âme d'autrui, je continue à m'interroger sur les raisons qui ont poussé Ralph à y acheter une maison. Peut-être à cause de la très haute estime qu'on lui porte ici et parce que son installation en ville a été une bénédiction.

Le *Diversity* quitta le port en février. Chaque anomalie décelée durant les reconnaissances aériennes fut repérée depuis la surface de l'eau en suivant les instructions du matériel informatique qui fonctionnait en liaison avec le système GPS. Dès l'instant où le magnétomètre confirmait la présence de la cible, on la matérialisait par une bouée. Ensuite, les plongeurs venaient examiner le fond : si la cible était enterrée, ils utilisaient un magnétomètre à protons portatif pour repérer l'emplacement exact dont ils mesuraient ensuite la profondeur avec une fine sonde métallique ou un gicleur d'eau. Une fois précisées les dimensions et la profondeur, on descendait la drague et, en soufflant le sable, on creusait un cratère. Puis quand on avait découvert des objets ou une épave, on entreprenait de les dater : par exemple une chaudière indiquait une épave du dix-neuvième ou du vingtième siècle ; de même avec les vestiges des roues à aubes d'un vieux vapeur. On dénicha des cabestans, des hélices en bronze, des treuils, diverses pièces mécaniques et des ancres avec leur chaîne – trouvailles fascinantes certes, mais qui n'étaient pas celles que nous espérions.

Puis se révéla une épave que l'on désigna sous le nom de Cible 4. Suivant la procédure habituelle, on récupéra deux objets pour les examiner : deux armes à feu, profondément incrustées de coquillages, un pistolet à pierre et un mousquet.

Nous sentîmes grandir l'espoir d'avoir retrouvé *L'Aimable* quand Ralph les envoya au laboratoire de l'université du Texas pour être conservés et identifiés, espoir hélas ! brisé par le verdict des rayons X : ces objets dataient de la fin du dix-huitième ou du début du dix-neuvième siècle. Quelle que fût leur importance historique, ils ne venaient pas de *L'Aimable*.

Ainsi s'acheva la phase 1.

J'avais pris contact avec la Commission des Antiquités et l'université du Texas et leur avais proposé de recruter des étudiants en archéologie qui, dans le cadre d'un projet universitaire, récupéreraient les objets découverts sur l'épave. Bien que j'aie offert de financer ce programme, je n'ai pas encore reçu de réponse à l'heure où j'écris ces lignes.

En septembre de la même année, Ralph repartit pour la phase 2 qui se prolongea pendant presque tout l'automne et une partie de l'hiver. Les intempéries causaient d'innombrables retards. J'imagine les joyeux moments qu'ils ont dû passer à Port O'Connor en attendant durant des jours et des semaines que le temps s'améliore. On m'a rapporté qu'un de leurs passe-temps consistait à compter les vers de la boutique d'appâts la plus proche !

Je pris l'avion pour San Antonio et parcourus sans encombre les trois cents et quelques kilomètres jusqu'à Port O'Connor afin de participer à l'étape suivante. Je retrouvai Ralph au motel et nous allâmes dîner chez Josie où l'on sert des repas « à se faire éclater la sous-ventrière ».

Nous partîmes le lendemain avec une mer assez calme et un ciel dégagé. J'embarquai sur le *Diversity* avec l'impression, comme toujours, de revenir chez moi. J'entretiens avec ce bateau robuste, stable et propulsé à travers les vagues par un puissant moteur Yamaha de 250 chevaux, des rapports partagés entre l'amour et la haine : je me cogne sans cesse les jarrets contre les saillies, les bords tranchants et les protubérances pointues et mon sang macule le moindre recoin du pont immaculé. Ralph a toujours de la bière et du soda bien frais à offrir, ainsi qu'un assortiment d'étranges petits biscuits apéritifs dont personne n'a jamais entendu parler, telles les crêpes épicées à l'essence de magnolia et les croquettes au jambon de Carl.

Wes Hall était retenu par un autre chantier sur la côte Est ; Mel Bell et Steve Howard, charmants et très efficaces, constituaient donc l'équipe de plongeurs. Plusieurs cibles furent repérées et nous creusâmes à travers la vase pour voir ce dont il s'agissait. Toujours pas d'*Aimable*.

Les notables de Port O'Connor organisèrent un barbecue en notre honneur. Au cours de cette agréable soirée appréciée par tout le monde, j'écoutai avec intérêt énumérer les sommes respectables que l'on allait réunir pour financer la récupération et la remise en état des objets qui seraient ensuite exposés dans un établissement de la ville. J'attends encore... Nous reçûmes cependant diverses aides sous forme de contacts qui nous permirent de disposer d'un matériel supplémentaire qui se révéla précieux.

La Cible 2 semblait bien correspondre à *L'Aimable* : mêmes indices au magnétomètre et présence sous près de quatre mètres de sable d'une épave, ancienne à n'en pas douter. On ne pouvait pas encore la dégager car la drague montée à bord du *Diversity* ne permettait pas de creuser un cratère de quatre mètres. En mon absence – je dus rentrer, appelé par d'autres obligations – Ralph bénéficia de la généreuse assistance de Steve Hoyt et de Bill Pierson de la Commission historique du Texas venus avec leur bateau, l'*Anomaly*, un navire de prospection de la Marine à système de propulsion inversée, capable de creuser plus profondément. Des conditions météorologiques médiocres entravant la progression, on décida d'interrompre les opérations jusqu'à ce que le temps s'améliore.

La phase 3 commença en juin 1999 ; une véritable flotte mit le cap, par une mer plutôt calme, sur la Cible 2. L'expédition comptait, outre Ralph et l'équipage du *Diversity*, l'équipe de la Commission historique du Texas avec son *Anomaly* et un nouvel arrivant, le *Chip XI,* long de soixante-cinq pieds, propriété de l'Ocean Corporation de Houston, une école de plongeurs professionnels. Ce navire était parfaitement équipé pour pénétrer la couche de vase et inspecter la cible. Jerry Ford, inspecteur en chef des plongées pour l'Ocean Corporation, amenait aussi avec lui un groupe d'étudiants passionnés et prêts à consacrer leurs heures de loisir à ce projet.

La cible 2 fut dégagée en partie dans les jours qui suivirent : il s'agissait bien d'une très ancienne épave. On récupéra un canon, puis on en découvrit un autre. On m'alerta aussitôt par téléphone en me demandant de fournir les fonds nécessaires pour le repêcher. Je m'empressai de donner mon accord et la Commission historique du Texas autorisa la remontée. Mais, pendant ce temps, le ciel s'était de nouveau fâché et on dut suspendre les opérations pendant trois semaines, jusqu'à ce que les eaux redeviennent claires. Malheureusement, le cratère abritant le canon s'était empli de sable.

Dès que les conditions climatiques le permirent, le *Diversity* et l'*Anomaly* revinrent sur le site du naufrage ; ils creusèrent une autre grande excavation qui révéla pour la seconde fois le canon. On l'extirpa alors avec des ballons de relevage de son trou profond de quatre mètres pour le déposer sur le fond.

Le lendemain, le commandant Kevin Walker nous offrit aimablement l'assistance des garde-côtes de Port O'Connor : il arriva sur le site à bord d'un ravitailleur porte-bouées de cinquante-cinq pieds. On mit en marche le treuil utilisé pour soulever les bouées et, pour la première fois depuis plus de deux cents ans, le canon retrouva la lumière du soleil. On le déposa sur le pont avant de le transporter, avec son boulet, à la base des garde-côtes où il fut plongé dans un bassin peu profond afin de le conserver provisoirement jusqu'à son transfert à l'université du Texas.

James Jobling, du laboratoire de l'environnement, finit par identifier une pièce de vingt-quatre de la Marine britannique qu'il data de la fin du dix-septième ou du début du dix-huitième siècle. Quelques mois plus tard, Jobling m'appelait : ni lui ni le laboratoire n'avait reçu le chèque de 3 000 dollars couvrant les frais de conservation du canon. Je vérifiai auprès de Wayne Gronquist qui m'assura que les notables de Port O' Connor allaient régler. Trois mois s'écoulèrent encore sans que Jobling reçoive quoi que ce fût ; je lui envoyai donc un chèque. Je contactai alors Steve Hoyt à la Commission historique du Texas. Bien que l'État ait toujours le dernier mot en ce qui concerne ce choix, je demandai poliment qu'on exposât le canon n'importe où ailleurs qu'à Port O'Connor puisque la municipalité s'était défilée au moment de régler la facture. Aux dernières nouvelles, il se trouvait toujours au laboratoire.

ENCORE MANQUÉ.
Mais pas complètement.

Quand le légendaire pirate Jean Laffite fut chassé de Galveston en 1821, il se lança dans quelques opérations de piraterie qui provoquèrent la colère non seulement des Américains mais aussi des Britanniques. Des unités navales des deux pays le poursuivirent le long de la côte du Texas en le traquant sans merci. Sa flotte de vaisseaux pirates atteignait la passe de Cavallo quand elle fut prise en chasse par cinq frégates britanniques et cinq sloops américains bien armés, la mettant dans une situation désespérée. Laffite, oubliant toute prudence, profita d'une violente tempête pour donner l'ordre à ses vaisseaux de franchir la barre à l'entrée de la passe et de pénétrer à l'intérieur du chenal. Grâce à cette décision courageuse et à une chance insolente, Laffite atteignit la baie de Matagorda sans avoir perdu un seul navire. Les frégates britanniques tentèrent de le suivre, mais deux s'échouèrent et firent naufrage.

A ce qu'on raconte, Laffite mit à profit ce bref répit pour partager le butin entre ses équipages, brûler ses vaisseaux et disparaître. Le bruit courut qu'il s'était installé en Caroline du Sud où il avait épousé Emma Mortimer qui ne le connaissait que sous le nom de Jean Lafflin, riche marchand. Après quelques années passées dans le Sud, son épouse et lui s'installèrent à Saint-Louis où, toujours selon la rumeur, il fabriquait de la poudre à canon. Sur son lit de mort, il avoua à sa femme sa véritable identité ; il fut enterré à Alton, Illinois, aux environs de 1854.

La Cible 2 où l'on avait trouvé les fusils à pierre et la Cible 4, le canon britannique, intriguaient tout le monde. Aurait-on découvert les frégates britanniques naufragées ? Il s'agissait sans aucun doute dans les deux cas de vaisseaux de guerre d'autrefois. Peut-être les archéologues texans parviendront-ils à les identifier.

Nous restait la Cible 8, de toutes les anomalies, la plus insaisissable, la plus attirante et la plus séduisante. Sa signature magnétique, 560 gamma, correspondait à une épave contenant entre trois et cinq tonnes de métaux ferreux. Ralph entreprit quatre balayages sous-marins avec le magnétomètre manuel à protons. Chaque passage situait la masse magnétique dans la même zone. On inspecta alors le site avec une sonde radiocommandée de vingt-six pieds mais, au bout de plusieurs tentatives, celle-ci se coinça dans le sable et on dut l'abandonner.

Cet emplacement se trouve également à peu près à la latitude de *L'Aimable* et à une profondeur bien supérieure à celle des autres épaves repérées par Ralph, ce qui indique un vaisseau ancien, sans doute du dix-septième siècle. C'est l'épave la plus prometteuse mais la plus difficile à atteindre ; la dégager aux fins d'identification exigerait d'importants travaux de fouille.

Découvrir la tombe de Toutankhamon fut un jeu d'enfant comparé aux efforts que nous déployâmes pour retrouver le navire amiral de La Salle, *L'Aimable*. Ce furent les fouilles les plus éprouvantes jamais entreprises par la NUMA, plus ardues que la recherche, au milieu d'un cimetière plein de tombes anonymes, d'un corps en particulier. Ralph Wilbanks n'a pas ménagé ses efforts et il a accumulé un trésor de trouvailles sous-marines qu'on n'est pas près d'égaler.

Ses longues fouilles aboutirent à l'identification de soixante-six cibles. Chaque anomalie magnétique du secteur entier de la passe de Cavallo, y compris les cibles localisées sur le rivage, a été examinée et repérée au GPS. On en a identifié dix-huit comme étant des épaves ou des sites éventuels d'épaves. On a daté dix d'entre elles du vingtième siècle, cinq du dix-neuvième, deux du dix-huitième et une seule, la Cible 8, pourrait bien être une épave du dix-septième siècle. S'il s'agit bien de *L'Aimable*, elle nous nargue et nous met au défi de tendre la main pour la toucher.

Il ne nous reste plus maintenant qu'à revenir creuser un trou plus vaste.

Deuxième partie

Le vapeur *New Orleans*

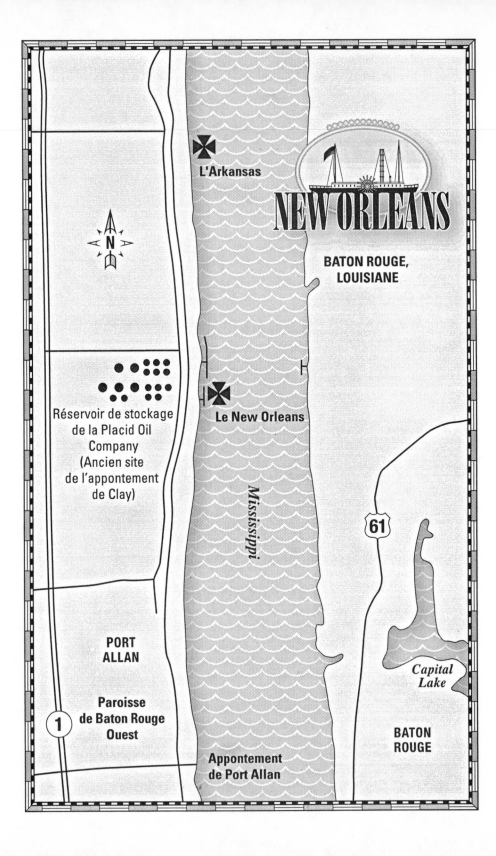

I

Penelore

1811 – 1814

— Bonté divine ! s'exclama Nicholas Roosevelt.

Une comète géante fonçait à travers l'espace suivant une orbite elliptique – d'un diamètre estimé à six cent quarante kilomètres et une queue gazeuse de près de cent soixante millions de kilomètres – qui la ramenait vers le Soleil. L'astre suivait une course lente et régulière qui devait prendre plus de trois mille ans. On l'avait vue la dernière fois lors du règne de Ramsès II. On était le 25 octobre 1811 à 22 heures 38.

Roosevelt mesurait environ un mètre soixante-huit et pesait aux alentours de soixante-dix kilos. Ses cheveux d'un brun parfaitement uni évoquaient une souche de noyer bien verni, et ses yeux verts piquetés de points dorés pétillaient quand il se passionnait. Bref, rien n'aurait vraiment distingué Roosevelt de ses semblables s'il n'y avait eu ce quelque chose de vague et d'indescriptible dans son comportement, un appétit de vivre qui suintait de lui comme la sève d'un arbre. Qu'on appelle cela assurance, suffisance ou vanité, Roosevelt en avait à revendre.

Lydia Roosevelt debout sur le pont, robe à crinoline et chapeau de paille blanc orné de fleurs sauvages qui ne convenaient guère au décor peu raffiné du *New Orleans*, regardait le ciel. Avec ses traits accentués – grands yeux, lèvres pulpeuses et nez un peu trop fort –, son buste généreux, ses hanches larges mais sans graisse superflue, ses jambes solides et galbées, elle débordait de vie, évoquant plus un tournesol épanoui qu'une délicate rose miniature. Agée de vingt ans et mariée depuis cinq ans, Lydia, enceinte de huit mois, attendait son second enfant. Nicholas avait quarante-trois ans et leur fille aînée Rosetta, trois.

Pendant près d'une heure, l'équipage du *New Orleans,* stupéfait, regarda la comète foncer sans bruit dans l'espace et suivit l'impressionnante trajectoire qui traversait le ciel d'est en ouest comme un point d'exclamation tracé par Dieu. Même Tiger, le terre-neuve des Roosevelt, restait étrangement silencieux.

— Que d'événements insolites ces derniers temps, commenta Lydia après la disparition de l'astre derrière l'horizon. Une aurore boréale, des rivières qui sortent de leur lit, des écureuils, des pigeons, et maintenant ceci.

Au printemps, cette année-là, les inondations avaient en effet dépassé la cote habituelle et laissé après la décrue des miasmes qui avaient ravagé le pays. Peu après, une aurore boréale s'était manifestée à une latitude exceptionnelle et était restée visible des mois. Plus étrange encore, la fuite vers le sud, le jour où le *New Orleans* quittait Pittsburgh, de milliers d'écureuils ; le spectacle de cette vague ondulante de fourrures cherchant à tout prix à échapper à un danger avait provoqué un certain malaise chez tous ceux qui se trouvaient à bord.

Quelques jours plus tard, l'équipage fut témoin d'un autre incident bizarre : alors que les passagers du *New Orleans* dormaient, des pigeons voyageurs, une nuée s'étendant sur quelque quatre cents kilomètres du lac Erié jusqu'en Virginie, survolèrent le fleuve du nord vers le sud. Le lendemain matin, chacun en se réveillant découvrit le pont du *New Orleans* criblé de fiente et un ciel au-dessus d'eux encore assombri.

— Que dites-vous de cela ? demanda Roosevelt à Andrew Jack, le pilote.

— Ces migrations durent parfois plusieurs jours.

Lydia descendit la coursive et s'arrêta devant la porte.

— Je n'aime pas ce bruit, dit-elle. On dirait le battement de petits tambours.

— Quand nous aurons progressé de quelques milles vers l'aval, nous sortirons de leur route et ce sera fini, la rassura Jack.

Le soir même, le *New Orleans* était amarré le long de la rive, et Roosevelt surveillait le travail des matelots qui récuraient le vapeur de la proue à la poupe. Il tenait en effet à ce que son bateau se présente sous son meilleur jour car, le lendemain, il devait s'arrêter à Henderson, dans le Kentucky, pour rendre visite à des amis.

Cette succession d'événements bizarres n'avait en rien entamé l'enthousiasme de Nicholas Roosevelt qui débordait toujours d'optimisme.

Le *New Orleans* devait se rendre de Pittsburgh à La Nouvelle-Orléans, un trajet jamais tenté encore par un vapeur. Ce voyage s'inscrivait dans le cadre d'un coup soigneusement monté par Roosevelt et ses associés qui désiraient s'assurer l'exclusivité de la navigation des vapeurs vers l'ouest. A cette époque, la législation sur les vapeurs en était encore à ses balbutiements. Dans l'État de New York, la société de Robert Fulton avait réussi à obtenir, du moins pour un temps, le monopole extrêmement lucratif de la navigation à vapeur sur l'Hudson. Fulton, avec ses associés Robert Livingston et Nicholas Roosevelt, voulait maintenant faire de même sur le Mississippi. On avait préparé ce voyage avec grand soin. Première obligation, arriver à bon port car si le navire coulait, aucun investisseur ne risquerait même un dollar, et deuxièmement, y arriver vite pour démontrer aux investisseurs que la vapeur était plus économique que les roues à aubes.

Robert Fulton, l'inventeur du premier navire à vapeur fonctionnel du monde, avait conçu le *New Orleans*, et Robert Livingston, un riche homme d'affaires new-yorkais, confident de Thomas Jefferson, assuré le financement de l'entreprise. Quant à Roosevelt qui ne manquait pas non plus de relations – il était un ami proche de John Adams –, il descendait du colon hollandais qui avait acheté l'île de Manhattan aux indigènes. L'année précédente, Nicholas et Lydia avaient effectué un voyage de reconnaissance sur une péniche, en s'arrêtant au passage pour rencontrer des gens influents.

On n'avait donc rien laissé au hasard. Pourtant on ne peut pas tout prévoir...

Le *New Orleans,* trente-cinq mètres de long sur six mètres de large, était en pin jaune – les délais qu'ils s'étaient fixés avaient imposé cette essence, la seule disponible alors, à Roosevelt qui ne l'aurait pas choisie – et arborait un ventre arrondi comme celui d'une truite.

La partie médiane du pont était découverte – elle abritait le moteur à vapeur de cent soixante chevaux, les chaudières de cuivre ainsi que le balancier qui actionnait le couple des deux roues à aubes latérales –, ce qui donnait au navire un air inachevé. Deux mâts aux voiles ferlées se dressaient de chaque côté de la fosse des machines. Le mât arrière arborait le pavillon des États-Unis, dix-huit bandes bleues, blanches ou rouges et dix-sept étoiles. De chaque côté étaient installées deux cabines rectangulaires, celle des hommes à l'avant, avec un fourneau, et celle des femmes à l'arrière au-dessus de laquelle on avait posé une table et des chaises protégées par une tente. A la poupe s'entassaient tant bien que mal des rondins de bois qui diminuaient chaque jour en nombre. Bref, le *New Orleans* était un bateau sans élégance mais fonctionnel.

Le matin qui suivit le passage de la comète, le *New Orleans* continua de descendre le fleuve. A dix heures, le navire se trouvait à quatre-vingts kilomètres de Cincinnati et voguait à une vitesse de quinze kilomètres à l'heure. Trois jours après le départ de Pittsburgh, l'équipage avait trouvé ses marques. Grand – plus d'un mètre quatre-vingt-dix dans ses bottes de travail –, maigre et avec de longs pieds fins, Andrew Jack, le pilote du vapeur flambant neuf, ressemblait un peu à une cigogne. Il avait des pommettes saillantes, une mâchoire bien dessinée, et des cheveux roux partagés par une raie sur la droite. Des sourcils broussailleux surmontaient des yeux gris pâle qui semblaient regarder au loin. Il avait vingt-trois ans.

Nicholas Baker régnait sur l'entrepont. Brun, un peu plus d'un mètre soixante-dix, soixante-dix kilos, un visage carré aux traits peu marqués, Baker n'aurait dégagé aucun charme, n'eussent été son large sourire et son regard chaleureux ; assisté de six matelots cajuns et kaintucks, il surveillait les machines et les feux de la chaudière en maintenant la pression de la vapeur à 60 livres.

Le *New Orleans* disposait d'un équipage expérimenté.

Arborant une peinture bleu ciel peu commune, le navire suivit la boucle du fleuve Ohio et déboucha au-dessus de Cincinnati. La pile de bois dont la base mesurait maintenant moins d'un mètre vingt de côté, suffirait à peine à atteindre les quais puisque le *New Orleans* consommait six cordes par jour. (Une corde équivaut à un tas d'un mètre vingt de hauteur et de largeur, et long de deux mètres quarante.) Avec son approvisionnement en bois, le vapeur ressemblait à une péniche en route vers la scierie.

— Balaie-moi toutes ces écorces, ordonna Roosevelt à un des matelots cajun, et mets-moi de l'ordre sur le pont arrière.

— Bien, Monsieur.

— Notre bateau est aujourd'hui le plus célèbre des territoires de l'Ouest et je veux qu'il se présente sous son meilleur jour, ajouta Roosevelt en se dirigeant vers l'avant.

Au même instant, la note perçante du sifflet à vapeur déchira l'air.

— Cincinnati droit devant ! cria Jack par la porte de la timonerie.

Le *New Orleans* était à peine à quai que la foule se pressait pour regarder de près cet étrange vaisseau. Nicholas Roosevelt, en pleine forme et ne pensant plus aux étranges événements du voyage, déploya un véritable talent de bateleur pour faire visiter le vapeur aux curieux.

— Venez, venez tous ! criait-il. Venez voir de près l'avenir du voyage.

Le chef mécanicien Baker expliquait le fonctionnement de la machine à vapeur pendant que le capitaine Jack depuis la timonerie faisait une démonstration de pilotage. Roosevelt autorisa même ses hôtes à visiter les cabines et la salle à manger. Malgré l'intervention d'un rabat-joie qui prétendait que le navire n'avancerait jamais à contre-courant, la visite se solda par un succès. Quand elle prit fin, la nuit tombait et il commençait à faire froid.

La bise âpre qui soufflait de l'est glaçait Lydia fatiguée par sa grossesse ; elle se reposait dans la salle à manger, les jambes protégées par une couverture et les pieds posés sur une chaise. Après avoir renvoyé le dernier visiteur, Nicholas se rendit auprès de sa femme.

— A cause de cette foule, nous n'avons pas pu allumer le fourneau, nous devrons nous contenter de sandwichs au rosbif froid pour notre dîner, le prévint-elle.

Nicholas acquiesça d'un air las.

— Mais, reprit Lydia, le cuisinier a quand même réussi à se rendre à terre pour acheter du lait ; tu pourras en boire un verre.

Nicholas ouvrit le couvercle de sa montre de gousset en or : les chiffres romains du cadran indiquaient presque 19 heures.

— Il faut que j'aille à terre chercher du tabac à pipe. Les magasins ne vont pas tarder à fermer. As-tu besoin de quelque chose?

— Je mangerais volontiers des cornichons.

— C'est le bébé, ma chérie? s'enquit Roosevelt.

— Mais oui, répondit Lydia, on dirait qu'il adore le vinaigre!

— Je reviens tout de suite.

— Je t'attendrai avec ton sandwich! lui cria Lydia.

Nicholas sauta sur le quai puis remonta en courant la rue pavée. Cincinnati était une ville frontière chichement éclairée par les chandelles et les lampes à pétrole des boutiques dont la moitié étaient déjà fermées. Nicholas entra dans le premier commerce encore ouvert, fit ses emplettes et repartit vers le navire.

Roosevelt ne tenait plus sur ses jambes : l'excitation des derniers jours s'ajoutant au fait qu'il n'avait pas encore dîné le poussait au bord de l'épuisement. Il marchait la tête baissée et faillit heurter un passant.

— La fin est proche! cria celui-là.

Nicholas releva la tête et examina l'étranger : en haillons, il avait grandement besoin d'un bain. Ses cheveux pendaient en mèches crasseuses presque jusqu'au milieu de son dos et son visage, hâlé, laissait supposer une vie en plein air. Il chiquait probablement car ses dents, rares, étaient jaunies. Mais ce furent ses yeux qui attirèrent l'attention de Roosevelt : ils brûlaient d'un feu intense qui frisait la folie.

— Écartez-vous, mon brave, dit Roosevelt.

— Des écureuils, des oiseaux, une comète flamboyante, murmura l'individu. Combien de preuves supplémentaires faudra-t-il? Repens-toi! Repens-toi!

Nicholas passa son chemin et poursuivit sa route.

— Des catastrophes se préparent ! lui cria l'homme. Prends garde !

Secoué par cette rencontre bizarre, Roosevelt regagna le *New Orleans*, dévora son sandwich accompagné d'un verre de lait, puis alla se coucher. Il s'écoula des heures avant que de trouver quelque apaisement dans le sommeil. Il devrait attendre près de deux mois avant de comprendre ce que cet étranger avait voulu dire.

Deux jours plus tard, le *New Orleans* quittait Cincinnati à destination de Louisville dans le Kentucky. A cette époque, l'Ohio, avec ses nombreux tourbillons et ses rapides, demeurait indompté. Mais Jack avait souvent tenu la barre dans cette partie du fleuve et il guidait le vapeur qui se faufilait, tel un kayak, au milieu des rochers menaçants, poussé par le courant impétueux à une vitesse deux fois supérieure à celle dont il était capable.

Dans la cabine des dames, Lydia tricotait paisiblement alors que ses servantes, nerveuses, se cramponnaient pour éviter d'être ballottées par les remous. Elles accueillirent avec un soupir de soulagement la rentrée dans des eaux plus calmes.

— Nous voici arrivés, fit Jack quand le *New Orleans* atteignit Louisville sous une pâle lune de septembre.

Il lâcha la soupape de la vapeur et un hurlement strident déchira l'air. Tirés de leur lit par ce bruit insolite, les citoyens de Louisville, en chemise de nuit et chandelle à la main, se précipitèrent pour contempler le monstre qui venait de surgir au milieu de la nuit.

— On dirait que vous avez réveillé toute la ville, observa Baker.

— Monsieur Roosevelt aime soigner ses entrées, déclara Jack.

Le lendemain, Roosevelt, Jack et le maire de Louisville se tenaient devant les chutes de l'Ohio juste en aval de la ville.

— J'ai observé votre navire, déclara le maire, et je suis d'accord avec monsieur Jack pour dire que son tirant d'eau est trop fort pour lui permettre de passer les chutes sans dommage. A votre place, j'attendrais que l'eau monte.

— A quel moment ? demanda Roosevelt.

— Dans la première semaine de décembre, répondit le maire.

— Quand les pluies d'hiver et la neige auront grossi le fleuve ? suggéra Jack.

— Précisément.

— Soit dans deux mois pratiquement, commenta Roosevelt. Que ferons-nous d'ici là ?

— L'équipage du *New Orleans* sera notre invité, proposa le maire.

Invitation acceptée.

Dès le début du voyage, une idylle s'était nouée entre Maggie Markum, la femme de chambre de madame Roosevelt, et Nicholas Baker. A bord, les amoureux devaient se contenter de quelques baisers volés et d'étreintes furtives, mais leur promenade quotidienne leur permettait davantage. De toute façon, leur amour éperdu n'avait pas échappé aux autres passagers.

Autre événement qui marqua le séjour du *New Orleans* à Louisville, la première naissance sur un vapeur affecté à la navigation fluviale : Henry Latrobe Roosevelt vint au monde au lever du jour.

On employa ces quelques semaines en corvées de nettoyage et d'entretien. On rafraîchit la peinture bleu clair du *New Orleans* et on astiqua les cuivres. On déferla les voiles qui n'avaient encore jamais servi pour s'assurer qu'elles ne présentaient ni accroc ni dégât causé par les mites, puis on les replia autour des mâts. Andrew Jack vérifia ses calculs puis lança un bâton au milieu des rapides pour en surveiller la dérive. On était à la fin novembre et une brise frisquette soufflait.

— C'est faisable, diagnostiqua-t-il enfin, mais il faudra mettre toute la vapeur pour pouvoir manœuvrer la barre.

Nicholas Roosevelt acquiesça d'autant plus qu'il venait de recevoir une lettre de ses associés de l'Ohio Steamboat Navigation Company exprimant les inquiétudes que leur inspirait ce retard, à savoir la perte du monopole. Le *New Orleans* devait donc absolument repartir. Une fois les rapides passés, la navigation ne poserait plus aucun problème.

C'était du moins ce que croyait Roosevelt.

Il se trouvait dans la salle à manger devant un civet de chevreuil ; il en mangea une bouchée puis, s'étant essuyé les lèvres, but une gorgée de café brûlant.

— La rivière atteindra son plus haut niveau dans deux heures environ, déclara-t-il. Un matelot va vous conduire en chariot, le bébé et toi, au-delà des rapides où nous nous retrouverons.

— Est-ce pour notre sécurité ? demanda Lydia.

— Oui, répondit Nicholas.

— Le bateau pourrait-il chavirer ? interrogea Lydia.

— Le risque est faible, avoua Nicholas, mais il existe.

— Dans ce cas, tu serais tué et je me retrouverais seule avec un bébé.

— Ça n'arrivera pas, affirma Nicholas.

— Je le sais, déclara Lydia d'un ton qui n'admettait aucune contradiction. Nous partons avec toi. Ce sera tous les trois ou personne.

Ainsi en avait-elle décidé. Le *New Orleans* appareilla en début d'après-midi.

— Je vais remonter le courant sur environ un mille, expliqua Jack, puis faire demi-tour afin de pousser les machines à fond.

Le *New Orleans* s'engagea donc dans le courant, et Roosevelt se planta devant la porte de la timonerie. Jack, le visage tendu, paraissait soucieux. Un filet de sueur ruisselait sur son cou malgré une température à peine positive.

A bord régnait un calme étrange : les matelots s'étaient enfermés dans la cabine avant et les femmes, blotties dans la leur à l'arrière, étaient alignées le long des hublots pour mieux voir. Bébé Roosevelt, couché dans son moïse calé contre une cloison, dormait à poings fermés.

— Maintenant! s'écria Jack. Je vire de bord!

Il fit pivoter la barre et le *New Orleans,* décrivant lentement un arc, se retrouva dans le sens du courant. Jack donna alors un coup de sifflet, sonna la cloche pour demander toute la vapeur et prononça une prière.

Au sommet du rocher qui affleurait sur le côté sud des rapides, Milo Pfieffer et son meilleur ami Simon Grants déversaient de la peinture rouge d'un seau volé à la quincaillerie. Le mince filet d'eau teintée s'élargit à l'approche des rapides, puis s'étala dans les chutes pour finir par colorer d'un rose léger le courant dans toute sa largeur et sur plus d'un mille.

— Bon, fit Milo, va surveiller maintenant.

— Qu'est-ce qui se passe? s'inquiéta Simon en entendant un bruit en amont.

— Balance la peinture, cria Milo, il arrive du monde.

Simon s'empressa de cacher leur larcin puis se tourna vers le petit groupe qui s'approchait lentement des rapides. Une trentaine de notables de Louisville avait en effet quitté le quai avant le *New Orleans* pour assister au franchissement des rapides par le vapeur ou... à la dislocation du bateau téméraire.

— Qu'y a-t-il? demanda Simon.

— Un vapeur va tenter de franchir les rapides, expliqua quelqu'un.

Milo courut en amont jusqu'au moment où il aperçut le *New Orleans* qui fonçait dans le courant. Il s'arrêta, pétrifié. Le bleu de la coque se confondait avec celui des eaux du fleuve. De la cheminée jaillissaient des gerbes d'étincelles et une épaisse fumée qui traînaient vers l'arrière comme un signal d'alarme emballé. Les deux roues à aubes battaient le courant en projetant des rideaux d'eau. Pas âme qui vive sur le pont à l'exception d'un grand chien noir juché sur la proue et qui humait l'air : Milo pensa à un vaisseau fantôme. Soudain on entendit le hurlement du sifflet à vapeur et le *New Orleans* s'engouffra, sous les yeux de Milo, dans le chenal au milieu des rapides.

— La roue gauche, cria Jack, à tribord toute! (Le *New Orleans* fit un bond de côté.) Toute la vapeur sur les deux roues, ajouta-t-il une seconde plus tard.

Des torrents d'écume déferlaient par les hublots ouverts de la cabine arrière; les visages de Lydia et de Maggie ruisselaient. De chaque côté du bateau ce n'étaient que rochers et eaux tourbillonnantes. Les deux femmes se cramponnaient de leur mieux tandis que le *New Orleans* virait brutalement de gauche à droite. Dans la timonerie, Nicholas Roosevelt observait le courant.

— Ça a l'air d'aller! cria-t-il en tentant de dominer le rugissement de l'eau.

Le chef-mécanicien Baker passa la tête dans l'abri:

— Il y en a encore pour longtemps?

— Deux minutes, dit Jack, peut-être trois.

— Bon, fit Baker, mais si ça dure beaucoup plus longtemps, je vais faire sauter une chaudière.

— A vingt mètres devant, des rochers, il faut les éviter, prévint Jack.

— Quelle manœuvre? hurla Roosevelt.

— A gauche toute, demi à droite, demi à gauche, puis à droite toute en serrant cette berge du fleuve jusqu'à ce qu'on soit dégagés, expliqua Jack.

— Et voilà! cria Milo tandis que le *New Orleans* s'alignait pour franchir les derniers rapides.

— Ils feraient mieux de virer sur la gauche, ajouta Simon.

Le maire de Louisville arriva, essoufflé par son escalade. S'arrêtant pour reprendre son souffle, il tira de la poche de son gilet un mégot de cigare qu'il coinça entre ses lèvres avant de parler.

— Incroyable, s'exclama-t-il. Ils vont peut-être passeraprès tout.

Dans la timonerie, malgré la tension palpable, l'humeur était à l'optimisme. On avait déjà négocié quatre-vingts pour cent des rapides et il ne restait qu'une petite succession d'affleurements rocheux à la sortie de la passe. Ensuite, ils seraient en eaux calmes.

— On y est presque, dit Jack.

— Le fleuve se rétrécit un peu droit devant, observa Roosevelt.

— Et le courant devient plus fort, ajouta Jack. Il va falloir que je barre sur les rochers à droite puis que je laisse le courant faire pivoter l'avant. Une fois que le bateau sera redressé, on mettra toute la vapeur. De cette façon, on devrait déboucher de l'autre côté.

— On devrait? demanda Roosevelt.

— On va, répondit Jack.

Dans la cabine arrière, Lydia Roosevelt, Maggie Markum et Hilda Gottshak, la grosse cuisinière allemande, étaient blotties le long des hublots à tribord. Henry, le bébé, s'était réveillé et Lydia le tenait dans ses bras.

— On dirait qu'on va droit dans la falaise, dit Lydia en serrant son bébé contre elle.

— Je prie le Ciel que le reste de ce voyage se passe sans encombre, murmura Gottshak en se cramponnant à sa Bible.

— Prie aussi pour que les machines tiennent, lui recommanda Lydia.

Au même instant, le courant entraîna l'avant du navire et le fit pivoter.

— Beau travail, apprécia Nicholas tandis qu'ils passaient les derniers rapides. Maxwell va vous apporter une goutte de cognac.

— D'ici jusqu'au Mississippi, il n'y aura plus de problème.

— Dans combien de temps arriverons-nous à Henderson ? demanda Roosevelt.

— A moins d'anicroches, nous y serons demain après-midi, répondit Jack.

— Doucement, fit Lucy Blackwell, sinon tu vas lui faire peur.

Lucy, la meilleure amie de Lydia Roosevelt, avait épousé l'artiste John James Audubon, qui connaîtrait la célébrité grâce à ses croquis, ses dessins et ses peintures d'oiseaux. Lydia Roosevelt était la fille de Benjamin Latrobe, ingénieur général des Etats-Unis, dont Nicholas fréquentait déjà la famille bien avant la naissance de Lydia qu'il avait vue grandir. Leur différence d'âge, plus de vingt ans, n'empêchait pas Lydia d'être une femme heureuse.

— Un perroquet de Caroline, précisa Lucy.

– Magnifique, reconnut Lydia.

A huit cents mètres de là, dans le magasin d'Audubon à Henderson, Kentucky, Nicholas s'était assis devant un échiquier. Il jeta un coup d'œil à Audubon, puis joua son coup.

— Nous sommes à deux cent cinquante kilomètres en aval de Louisville, dit Roosevelt. Jusque-là, tout se passe bien.

Audubon examina l'échiquier. Il prit sur la table une blague à tabac en daim, bourra soigneusement sa pipe et l'alluma avec une chandelle.

— A partir d'ici, ajouta Audubon, le fleuve s'élargit et le courant est moins rapide.

— Alors tu penses que nous arriverons sans problème à La Nouvelle-Orléans ? demanda Roosevelt.

— Bien sûr ! Je suis bien allé jusqu'au golfe du Mexique en canoë ! (Roosevelt hocha la tête et regarda Audubon avancer sa pièce.) J'y ai peint un pélican avec un poisson dans le bec.

Le 16 décembre, le *New Orleans* quitta Henderson et poursuivit sa descente du fleuve.

Installé dans sa tente en peau de buffle non loin de l'actuelle East Prairie, dans le Missouri, un chef indien sioux tira sur un long calumet et le tendit à son visiteur shawnee.

— Est-il vrai, demanda le chef sioux, que le général Harrison a vaincu les Shawnee à Tippecanoe ?

— Oui, répondit le messager shawnee. Les Blancs ont attaqué après la lune des moissons. Le chef Tecumseh a regroupé ses braves, mais les hommes blancs ont attaqué et incendié la Ville du Prophète. La tribu s'est retirée de l'Indiana.

Le Sioux reprit la pipe qu'on lui tendait et tira une nouvelle bouffée.

— Hier, j'ai eu une vision : l'homme blanc a dompté le pouvoir de la Terre pour réaliser ses desseins maléfiques. Il a rallié les animaux à sa cause et contrôle le passage de la comète dans les cieux.

— Une des raisons de ma venue, expliqua le Shawnee, c'est que mes braves ont aperçu un Penelore sur le fleuve un peu plus haut. Il pourrait essayer d'aller jusqu'au Père des eaux.

— Un bateau de feu ? demanda le chef sioux. Cela doit avoir un rapport avec l'étoile qui brûle.

Le Shawnee souffla une bouffée de fumée avant de répondre. Le tabac des Sioux, très fort, l'étourdissait.

— De la fumée s'échappe du milieu du bateau comme d'un millier de tipis. Et il rugit comme un ours blessé.

— Où as-tu vu ce monstre pour la dernière fois ? demanda le Sioux.

— Quand je suis parti, répondit le Shawnee, il se trouvait encore dans la ville près des rapides.

— Dès l'instant où il s'aventurera sur ma rivière, déclara le chef sioux, nous l'abattrons.

Là-dessus, le chef se laissa tomber sur un tas de peaux de buffle et ferma les yeux pour demander la solution aux esprits. Le Shawnee écarta le pan de la tente et sortit dans la vive lumière qui se reflétait sur les premières neiges.

Dans les entrailles du sous-sol de New Madrid, dans le Missouri, tout se détraquait : les couches constituant les premières centaines de mètres cubes de couverture frémissaient comme un lion enragé. De la terre en fusion, soumise aux formidables températures souterraines, se mêlait à l'eau provenant de milliers de petites rivières et de douzaines d'affluents du Mississippi. Ce liquide noir et surchauffé agissait comme un lubrifiant sur les plaques telluriques maintenues en place par une énorme pression. Déjà la terre avait donné des signes de la fureur qu'elle allait déchaîner. Les oiseaux et les animaux avaient senti le danger. Une gigantesque éructation de la Terre menaçait et elle n'allait pas tarder.

Le *New Orleans* voguait droit vers le théâtre d'une éruption imminente.

Le courant de l'Ohio s'accélérait à l'approche du Mississippi et le *New Orleans* avançait à bonne allure ; il arriverait plus tôt que prévu au confluent. A bord, régnait la bonne humeur : les matelots vaquaient à leurs tâches avec entrain ; Maggie Markum avait fini le ménage des cabines et étendait des draps sur une corde à linge tendue entre les cloisons. Andrew Jack, ayant laissé la barre à Nicholas, faisait une petite sieste avant de regagner la timonerie pour négocier le passage quand Roosevelt annoncerait le confluent.

Hilda Gottshak mettait la dernière main à une douzaine de pâtés pour le déjeuner.

— Qu'y a-t-il, Tiger? demanda Lydia au terre-neuve qui s'était mis à geindre.

Lydia l'examina; aucune blessure apparente n'expliquant cette plainte continue, Lydia décida d'attendre qu'il se calme de lui-même.

Dans un coin de la timonerie, Roosevelt calculait les bénéfices qu'engendrerait le *New Orleans*. Dès le début, il avait envisagé de faire naviguer le vapeur de Natchez, dans le Mississippi, jusqu'à La Nouvelle-Orléans, trajet qui assurerait au bateau une cargaison de balles de coton et un flot régulier de passagers. Roosevelt et son associé, Robert Fulton, pensaient rembourser en dix-huit mois les frais de construction. Rien au cours de ce voyage n'avait amené Roosevelt à changer d'opinion. Repliant ses cartes, il les rangea dans sa sacoche de cuir.

L'odeur des pâtés aiguisait l'appétit de Roosevelt qui décida de demander à Helga, dès que Jack aurait repris la barre, un en-cas pour patienter jusqu'au déjeuner.

Convaincu d'avoir surmonté le pire, il avait retrouvé tout son appétit.

Jack relaya Roosevelt à la barre dès que les flots puissants du Mississippi furent en vue. Il amorçait un large virage pour fendre les eaux boueuses déferlant du nord quand, presque simultanément, le petit Roosevelt s'éveilla en pleurant et Tiger se mit à hurler comme s'il avait la queue prise dans un piège. En outre, le courant, plus violent que d'habitude, fit soudain tanguer le bateau. Jack sortit de la timonerie pour examiner le ciel : un vol de passereaux s'éparpillait dans tous les sens comme si leur chef ne savait plus la direction à suivre. Sur la rive, les arbres se mirent à trembler comme s'ils réagissaient à une bourrasque invisible.

Bien qu'il ne fût pas encore midi, le ciel s'éclairait à l'ouest d'étranges reflets orange.

— Je n'aime pas cela, cria Jack, il y a...

Il ne termina jamais sa phrase.

Bien au-dessous de la surface du sol, dans des profondeurs inaccessibles au soleil et à la fraîcheur d'une petite brise, la température atteignait deux cent cinquante degrés. Un flot de terre en fusion large d'une trentaine de mètres se précipitait vers une faille qui venait de s'ouvrir et dans laquelle il s'infiltra; le liquide visqueux se comporta comme de la vaseline sur du verre : les plaques telluriques qui à cet endroit se maintenaient à grand-peine en place glissèrent, la terre s'entrouvrit et le magma en jaillit.

— Bonté divine, qu'est-ce qui..., commença Nicholas Roosevelt.

Debout dans la cuisine, il essayait de persuader Helga de lui donner un morceau de fromage quand il vit par le hublot un geyser d'eau brunâtre gicler à vingt-cinq mètres dans les airs puis décrire un arc au-dessus du pont du *New Orleans* sous une pluie de poissons, tortues, salamandres et serpents. Puis un sourd grondement ébranla la coque.

Dans la timonerie, Jack s'efforçait de maintenir le cap du vapeur.

La rive frémissait sous une succession de vagues comme celles qu'on imprime à un dessus-de-lit quand on le secoue. Les arbres de la berge s'agitaient en tout sens jusqu'au moment où leurs branches s'emmêlaient avant de se rompre comme des gressins pris dans un étau ; transformées en véritables armes, elles s'abattaient sur l'eau, telle une volée de flèches. Des fissures sillonnaient le sol et des torrents d'eau s'y déversaient. Puis, quelques secondes plus tard, la terre se mit à vomir des torrents d'argile, de boue et d'eau.

— Le fleuve est sorti de son lit, cria Jack au chef-mécanicien Baker qui entrait dans la timonerie.

Du fond de ce qui avait été jadis le lit du fleuve, les troncs noircis d'arbres en décomposition et enfoncés dans la boue jaillissaient maintenant dans les airs, répandant autour d'eux des relents de chairs putréfiées. Baker regarda une famille d'ours noirs qui s'était réfugiée sur les branches d'un peuplier pour tenter d'échapper au désastre. Soudain l'arbre se brisa comme si une bombe avait explosé à ses pieds : les ours dégringolèrent sur le sol et se mirent à courir vers l'ouest aussi vite qu'ils le pouvaient.

— C'est soit un tremblement de terre, s'écria Roosevelt en déboulant dans la timonerie, soit la fin du monde.

— Je penche pour la première solution, déclara Jack. Cela ressemble à celui que j'ai vu il y a quelques années en Californie espagnole.

— Combien de temps a-t-il duré ? demanda Roosevelt.

— Il était de faible amplitude et n'a duré qu'une dizaine de minutes.

— Je vais voir comment réagit ma femme, dit Roosevelt en tournant les talons.

— Pouvez-vous suggérer à miss Markum de venir ici ? demanda Baker.

— Bien sûr.

Sur ces entrefaites, une secousse ébranla la terre et le fleuve se mit à reculer du sud vers le nord.

— Si nous sortons de là vivants, voulez-vous m'épouser ? demanda Baker à Maggie qui, blême de peur, venait de passer la tête à l'intérieur de la timonerie.

Cramponnée à la taille de Baker, elle accepta sans hésiter.

Enfin, le magma liquide se trouva coincé entre les plaques et le vacarme s'arrêta : la première secousse était terminée, mais ne serait pas la seule.

Jack fit tourner à fond la barre tandis que le Mississippi retrouvait sa direction initiale du nord vers le sud. En regardant par le hublot de la timonerie, il constata que le navire traversait un champ cultivé. A quinze mètres à droite de la coque, on apercevait le toit d'une vaste grange rouge. Quelques vaches laitières et un cheval s'y étaient réfugiés pour éviter le déferlement des eaux. Aucune trace de ferme.

Quand Roosevelt revint dans la timonerie, Jack fixait un point à droite de l'étrave : devant eux une faille engloutissait presque tout le débit du fleuve. On apercevait la terre de l'autre côté de la brèche, et des flaques d'eau ainsi que des hectares de boue là où se trouvait jadis le lit du fleuve.

Le *New Orleans* se trouvait à moins de cent mètres du gouffre qui menaçait de l'aspirer. Baker, pour l'instant, parvenait à freiner cette course à l'abîme en renversant la vapeur et, peu à peu, le *New Orleans* commençait à reculer. Vingt minutes plus tard, il avait remonté le courant sur plus d'un mille. Jack examina ce paysage surnaturel ; il finit par découvrir un affluent qui s'était creusé un passage à travers un coude du fleuve. Il laissa le navire glisser dans le courant, jusqu'à ce qu'il retrouve le chenal habituel.

Tapis dans les buissons de Wolf Island, les guerriers indiens étaient pétrifiés. Ils avaient échoué leurs canoës sur l'île avant le premier frémissement du tremblement de terre. Le paroxysme du séisme ne fit que renforcer leur détermination : le Penelore avait ravagé leur territoire, il fallait le tuer. Tendant l'oreille, le chef perçut un faible bruit inconnu venant de l'amont. Il fit signe à ses braves d'embarquer pour lancer l'assaut.

Lydia se précipita vers la timonerie et passa la tête par la porte.

— Le bébé s'est mis à pleurer et Tiger hurle à la mort.

— Une autre secousse arrive, en conclut Roosevelt (puis se tournant vers Jack :) restez dans le chenal pour vous donner le plus de marge possible.

— On approche d'une île, dit Jack en montrant quelque chose à l'avant.

Roosevelt examina *Le Navigateur*, le recueil de cartes du fleuve rédigé par Zadoc Cramer.

— Le tremblement de terre a tout modifié, dit-il, mais il me semble qu'il s'agit de Wolf Island.

— De quel côté est le meilleur passage ? demanda Jack.

— A gauche, il y a plus de fond.

— Alors, allons-y.

— Dans combien de temps la prochaine secousse ? demanda Roosevelt à Lydia.

— A en juger par les hurlements de Tiger, bientôt.

Un épouvantable vacarme parvint aux oreilles des guerriers sioux cachés sur Wolf Island, mêlant aux crissements métalliques le sifflement de la vapeur et le martèlement du balancier. Le monstre grossissait en se rapprochant. Même s'il était bleu comme le ciel, son affreux nez pointu, son tronc flanqué de deux roues à aubes et les deux tubes noirs d'où jaillissaient les feux de l'enfer démentaient une origine céleste.

Quelques hommes blancs arpentaient le pont : les sinistres maîtres de cette créature maléfique.

Ils commenceraient par tuer les hommes blancs, puis ils pousseraient le monstre à terre et y mettraient le feu. Quand le Penelore arriva à vingt mètres en amont, les guerriers obéissant au signal de leur chef se levèrent comme un seul homme et, poussant leur cri de guerre, se précipitèrent vers le chenal.

Les eaux du Mississippi, en pénétrant sous terre, favorisèrent le choc des plaques telluriques ; un spasme ébranla la terre ; cette nouvelle secousse allait durer plus longtemps.

A l'instant précis où les Sioux lançaient leur attaque, le sol, comme criblé par un millier de lances, libéra des jets d'eau brûlante hauts d'une trentaine mètres, et des cratères, plus larges, crachèrent des arbres déchiquetés et des morceaux de charbon.

— Des Indiens ! cria Roosevelt. Ils viennent de l'île !

Jack aperçut les guerriers coiffés de plumes et armés qui fonçaient vers la rivière en portant des canoës. Mais la pointe sud de l'île se déroba brutalement sous leurs pieds. Ébouillantés par les geysers brûlants, ils cherchèrent un soulagement dans l'eau froide. Les rescapés, une vingtaine, lancèrent quelques embarcations et se mirent à pagayer de toute la force que leur donnait leur détermination à détruire ce monstre responsable, selon eux, de la tempête.

Ils se rapprochaient du *New Orleans*.

— Mettez toute la vapeur ! cria Roosevelt à Baker. Ils veulent nous scalper.

Une course de vitesse s'engagea entre le *New Orleans* poussé au maximum par Baker et ses chauffeurs qui alimentaient frénétiquement la chaudière, et les Indiens.

Un des canoës ralentit pour permettre à ses occupants de tirer une volée de flèches sur le navire, dont certaines se fichèrent dans la cabine arrière. Sans se soucier de cette menace, Tiger planté à la poupe aboyait contre les assaillants.

Le premier canoë n'était plus maintenant qu'à six mètres derrière. Roosevelt et trois de ses hommes chargèrent leur mousquet à pierre pour être prêts à tirer à bout portant quand ils le jugeraient bon.

Mais l'abordage n'eut jamais lieu. Baker avait poussé la pression jusqu'à frôler la ligne rouge et le *New Orleans* commença à s'éloigner, sa cheminée déversant des torrents de fumée noire. Constatant le dépit des Indiens qu'il avait réussi à distancer, il lança des coups de sifflet stridents en écho aux aboiements du chien.

Le Penelore disparut bientôt dans le coude suivant, ne laissant aux Sioux aucune chance de rattraper le monstre.

Une fois vaincus ces dangers imprévus, Jack considéra la scène émergeant d'une brume violacée sous un soleil de cuivre fumant qui s'étendait devant lui : les talus qui bordaient le grand fleuve s'écroulaient comme des châteaux de sable après un raz de marée, et d'énormes blocs de tourbe dérivaient parmi des arbres abattus et des pans de maisons.

— Le chenal se déplace, annonça Roosevelt sans se démonter. Je mettrais maintenant la barre à tribord.

Le *New Orleans* parcourut encore un certain nombre de milles avant la fin des secousses. Certainement protégé par une bonne étoile, il se tira de tous ces périls avec le minimum de dégâts.

Sur le Mississippi, on peut transpirer même en plein mois de janvier. Surtout quand on porte un uniforme de lainage hérité de la guerre d'Indépendance et qu'on trimbale un tuba. Cletus Fayette et les autres membres du trio improvisé – un tambour et un violoniste – se précipitaient vers le rivage.

Natchez connaissait les péripéties du *New Orleans* depuis trois jours ; Titus Baird, le maire, avait aussitôt préparé une réception à la hauteur des mérites des valeureux voyageurs : accompagné du petit orchestre, il remettrait d'abord les clés de la ville à Roosevelt ; suivraient les inévitables discours dont il avait chargé deux conseillers municipaux ; ensuite des jeunes filles offriraient des fleurs aux courageuses femmes du bateau. Le tout couronné dans la soirée par un banquet.

— Nous allons passer au moins une semaine à Natchez, fit Nicholas en découvrant la centaine de citoyens qui, de la colline, guettaient l'arrivée du vapeur.

— Je vais en profiter pour arrêter les feux ; les chaudières ont besoin de refroidir.

— Très bien, approuva Roosevelt, nous devrions avoir suffisamment de vapeur pour arriver à quai.

Nicholas remonta sur le pont et examina le paysage. Le souvenir de la forêt vierge du cours supérieur de l'Ohio, des rapides près de Louisville et du terrible cataclysme ne le quittait pas un instant. Tous avaient fait preuve d'un grand courage. Ces épreuves avaient encore renforcé son couple et la détermination du chef-mécanicien à épouser Maggie Markum dès leur arrivée à La Nouvelle-Orléans ; elles avaient en outre poussé Andrew Jack à manifester un sens de l'humour qu'on ne lui connaissait pas.

Le *New Orleans* franchit le dernier coude du fleuve et se trouva face à la ville de Natchez.

Baird, le maire, fit alors signe à l'orchestre de jouer. Les musiciens entamèrent le seul air qu'ils connaissaient, une interprétation assez personnelle de *God Save the Queen*, puis recommencèrent encore et encore car, Dieu sait pourquoi, le bateau n'approchait pas.

Baird vit le navire amorcer son virage pour se diriger vers le quai puis commencer à dériver, entraîné par le courant.

— Je n'ai plus assez de vapeur, annonça Jack.

Nicholas Roosevelt ne put s'empêcher d'éclater de rire. Le vapeur venait de parcourir un millier de milles et de triompher de maintes tribulations pour faire fiasco, à quelques encablures du salut, faute de vapeur. Tellement burlesque qu'il ne restait plus que l'humour. Baker s'engouffra dans la timonerie ; après une toilette rapide il avait déjà enfilé une chemise blanche propre et dissimulait mal une grimace.

— Je m'en occupe, dit-il avec calme.

Cletus Fayette avait la tête qui tournait : impossible de jouer indéfiniment du tuba sans faire une pause pour fumer un cigare ; il avait atteint ses limites.

— Monsieur le maire, cria-t-il, nous avons besoin de souffler.

— Très bien, Cletus, répondit Baird, mais faites vite. La cheminée recommence à fumer.

Un quart d'heure plus tard, le *New Orleans* accostait, libérant un équipage épuisé ; salués par le comité de réception, on les accompagna jusqu'à l'hôtel local où on les accueillit en héros. La fin du voyage serait pour eux comme une promenade.

Du haut de la falaise aux arbres dénudés par l'hiver, Nicholas Baker découvrait la gigantesque boucle que décrivait le fleuve au nord avant de traverser la ville pour suivre son cours. Un fort vent d'ouest apportait l'odeur des champs d'Alabama qu'on était en train de défricher.

— J'ai rencontré un prédicateur en ville, déclara Baker avec entrain. Il pourra nous marier cet après-midi... enfin, si tu veux encore de moi.

— Bien sûr que oui, répondit Maggie Markum, mais pourquoi tant de précipitation ?

— Tout simplement parce que je ne veux pas attendre plus longtemps !

— As-tu prévenu les Roosevelt ?

— Non, avoua Baker. Je pensais que nous pourrions leur annoncer la nouvelle maintenant.

— Maintenant ?

— Mais oui, dit Jack, si tu désires qu'ils assistent au service.

A peine une heure plus tard, sur le pont du *New Orleans,* Nicholas Baker se tenait au côté de Nicholas Roosevelt et Lydia Roosevelt, qui tenait son bébé enveloppé dans du linge blanc tout propre, auprès de Maggie.

— Vous, Maggie Markum, prononça gravement le prédicateur, voulez-vous prendre Nicholas Baker pour époux devant Dieu?

Un oui sonore et un baiser conclurent l'affaire.

Le premier mariage célébré à bord d'un vapeur fut bref.

Quelques jours plus tard, on chargea la première cargaison de coton du *New Orleans.* Une fois les balles arrimées sur le pont et les provisions de bois pour la chaudière rangées dans la cale, il ne restait pas grand-chose à faire. Ils partirent pour La Nouvelle-Orléans le 7 janvier 1812.

Le 12 janvier 1812, le jour se levait dans un ciel dégagé quand Nicholas Roosevelt vint s'asseoir tout seul sur le toit de la cabine arrière. L'air était sec et seules de petites bouffées de vent faisaient onduler çà et là les eaux calmes du fleuve. Après tout ce qu'il avait traversé, il semblait bizarre que le *New Orleans* fît une entrée aussi paisible dans la ville qui lui avait donné son nom. Nicholas regarda à l'ouest. Un vol de pélicans, pas moins de trois douzaines, traversait le ciel d'ouest en est, vers le lac Pontchartrain, à quelques milles de là. La ville de La Nouvelle-Orléans n'était qu'à trois kilomètres.

— A quoi penses-tu? s'enquit Lydia en rejoignant son mari.

Nicholas sourit et resta un moment silencieux avant de répondre.

— Je me demandais ce que l'avenir réserve à ce rafiot.

— Chéri, le *New Orleans* a affronté le démon et il naviguera encore sur ce fleuve longtemps après notre disparition.

— Je l'espère.

— Tout ce dont il a triomphé, développa Lydia, permet de dire qu'il en faudra beaucoup pour le mettre hors service.

Sur ces entrefaites, Andrew Jack cria :

— La Nouvelle-Orléans!

Malheureusement, Lydia Roosevelt s'était trompée : trente mois plus tard, le *New Orleans* coulait. Il devait avant cela effectuer de nombreux allers et retours rentables entre Natchez et La Nouvelle-Orléans; il servit aussi un temps au transport des hommes et du ravitaillement pour l'armée d'Andrew Jackson. Lors de la bataille de La Nouvelle-Orléans, au soir du 14 juillet 1814, le navire se trouvait sur la rive Ouest du Mississippi, en face de Baton Rouge, Louisiane, en un lieu nommé Clay's Landing.

John Clay avait fait couper et entasser le bois – dix cordes au total, qui lui rapporteraient dix dollars – et, abrité sous un arbre, attendait l'accostage du *New Orleans* en observant le matelot qui lançait une amarre sur un des poteaux profondément enfoncés dans la boue du Mississippi et en sur-veillant la sortie du capitaine.

— John, cria le capitaine. Vous avez mon bois ?

— Coupé et empilé.

Clay s'éloigna de l'arbre sous lequel il avait trouvé refuge juste au moment où, à dix mètres de là, la foudre en frappait un autre. Il sentit ses cheveux se dresser sur sa tête sous l'effet de l'électricité statique et regagna précipitamment son abri.

— Je vais vous régler le bois, venez dans ma cabine, lui proposa le capitaine après avoir demandé à un matelot de profiter des dernières heures de jour pour effectuer le chargement.

Clay rangea ses dauphins d'or français dans une bourse de cuir dont il serra les cordons avec soin avant de la glisser dans sa ceinture.

— Un verre ? suggéra le capitaine.

— Il fait plutôt frisquet, reconnut Clay.

Ils trinquèrent donc puis regagnèrent le pont quelques instants plus tard.

— Tout votre bois sera à bord ce soir. Ainsi nous pourrons lever l'ancre tôt demain matin, déclara le capitaine après avoir regardé le ciel.

— Vous avez raison, approuva Clay. Avec toute cette pluie, le fleuve sera encombré de débris.

— Bonne nuit, lui souhaita le capitaine.

— Attention au courant, lança Clay, avertissement que le capitaine, déjà revenu dans sa cabine, n'entendit jamais.

Avant que le cours du Mississippi ne soit contrôlé par des digues et des déversoirs, le niveau de l'eau pouvait baisser rapidement de quelques mètres à la suite d'une grosse pluie. Quand les affluents gonflés se déversaient dans le fleuve et qu'il atteignait le niveau le plus haut, l'eau déferlait en aval en aspirant littéralement le fond du lit. Tout revenait à la normale en une demi-journée.

Le lendemain matin, aux premières lueurs de l'aube, le capitaine donna l'ordre de faire machine arrière pour s'éloigner du quai, mais le navire s'accrocha à une souche immergée. Quelques mouvements de va-et-vient et une voie d'eau s'ouvrait au fond de la coque.

Un passager décrivit ce triste événement dans la *Louisiana Gazette* du 26 juillet 1814 :

> *Le dimanche 10 juillet, nous avons quitté La Nouvelle-Orléans. Le mer-credi 13, arrivée à Baton Rouge où nous avons déchargé une partie de la cargaison. Le soir nous avons levé l'ancre en direction de l'appontement de monsieur Clay, à deux milles en amont sur l'autre rive, pour charger du bois comme d'habitude. Comme il faisait sombre et qu'il pleuvait, le capitaine a estimé plus prudent d'arrimer le bois avant la nuit... On s'apprêta à appareiller le matin de bonne heure, et au lever du jour on mit*

la machine en marche. Mais le navire tournait sur place, la vapeur ne parvenait pas à le faire avancer ; le niveau d'eau ayant baissé, durant la nuit, de seize à dix-huit pouces, le capitaine pensa qu'une souche coinçait son bateau et tenta, en vain, de le dégager en appuyant des espars contre la rive. Son hypothèse se confirma quand il découvrit une racine en sondant avec un aviron à quinze ou vingt pieds en arrière de la roue sur bâbord. Le capitaine fit alors jeter le bois par-dessus bord et lever une ancre à tribord au moyen du cabestan à vapeur, laquelle heurta la coque, ouvrant aussitôt une voie d'eau qui s'agrandit si rapidement que les passagers eurent tout juste le temps de récupérer leurs bagages avant de quitter le navire. Quand le New Orleans *coula, l'équipage, aidé de la berge par des témoins de la scène, était parvenu à sauver une grande partie de la cargaison.*

Ainsi s'acheva la saga du vapeur qui, le premier, sillonna les fleuves de l'ouest.

II

Où est-il passé ?

1986 – 1995

Je n'en suis pas certain, mais il me semble bien que ma première lecture concernant la navigation des vapeurs sur le Mississippi remonte au commentaire de *Tom Sawyer* que l'on m'avait demandé en cinquième. Mes parents avaient pris l'habitude, lorsqu'ils se rendaient en ville le samedi soir, de me laisser à la vieille bibliothèque publique de l'Alhambra et c'est là que mon imagination commença à s'enflammer et que je me mis à rêver de descendre le grand fleuve avec Tom, Huckelberry Finn et leurs copains.

Pour des raisons que je n'ai pas réussi à élucider, j'éprouve depuis une grande attirance pour le Sud, étrange pour quelqu'un qui n'a ni ancêtre, ni racine au sud de la ligne Mason-Dixon. Je suis né à Aurora dans l'Illinois et j'ai grandi en Californie du Sud. Mon père venait d'Allemagne et les grands-parents de ma mère, des fermiers de l'Iowa, s'étaient battus dans l'armée de l'Union.

Malgré tout, j'ajoute toujours de la chicorée dans mon café, j'adore la bouillie d'avoine, les biscuits au petit déjeuner et une tarte aux noix de pécan en dessert. Notre personnalité serait-elle forgée par ce que nous étions ou par ce que nous voulions être ? Il y a là matière à réflexion.

Rien n'évoque plus le Sud qu'un bateau à vapeur flanqué de ses roues à aubes se signalant d'un coup de sirène avant de déboucher du coude d'une rivière. Mais à l'exception de ceux qui promènent des passagers, les steamers vomissant une fumée noire, les roues à aubes battant les eaux boueuses, les ponts où s'entassent des balles de coton font désormais partie, à l'instar des locomotives à vapeur, des spiders et des marchepieds de voiture, du passé.

On trouve bien des vapeurs célèbres dans l'histoire américaine et on n'a pas oublié le *Natchez* et le *Robert E. Lee* s'illustrant dans une course mémorable, ni le *Clermont* de Robert Fulton, le précurseur des transports de passagers sur l'Hudson, pas plus que le *Yellowstone*, premier à remonter le Missouri ; il descendit ensuite le Mississippi jusqu'au golfe du Mexique pour évacuer le président Sam Houston et les membres du Congrès de la nouvelle république du Texas, fuyant devant les armées victorieuses de Santa Anna ; il abrita d'ailleurs la séance inaugurale du jeune État avant de déposer à La Nouvelle-Orléans son président blessé lors de la bataille de San Jacinto.

Tous mes efforts pour éclairer les derniers jours du *Yellowstone* restèrent vains : il aurait, dit-on, franchi les écluses de l'Ohio en 1838. Sans doute débaptisé et privé ainsi de son incroyable histoire, il a probablement été abandonné le long d'une quelconque berge.

Mais aucun romancier n'aurait pu imaginer la saga du *New Orleans,* sa descente de l'Ohio et du Mississippi, son franchissement des rapides, la façon dont il survécut au tremblement de terre de New Madrid et à l'hostilité des Indiens, la naissance d'un bébé à bord, la comète... autant d'événements inconcevables et pourtant, ainsi que sa fin, relatés par la chronique.

Durant l'été 1986, incapable de résister plus longtemps au désir de retrouver ce bateau légendaire, je commençai mon enquête par la lecture du témoignage, rapporté dans un journal local, d'un passager qui se trouvait à bord le matin où le *New Orleans* s'accrocha à une souche et coula ; il mentionnait le détail le plus important à mes yeux, à savoir l'endroit précis, pratiquement, du naufrage : l'appontement de Clay sur la rive ouest du Mississippi non loin de Baton Rouge. Le cœur battant d'optimisme – mon cerveau était lui trop habitué à l'échec pour se permettre la moindre assurance –, j'entrepris de retrouver cet appontement.

La tâche se révéla plus ardue qu'il n'y paraissait.

Entre-temps, le hasard avait mis entre mes mains le charmant livre de Mary Helen Samoset, *New Orleans*. Dans la correspondance suivie que j'entretins avec elle, je découvris que madame Samoset disposait d'une multitude d'informations concernant le navire.

J'appris que les propriétaires avaient récupéré la plupart des pièces métalliques ainsi que les machines, ces engins coûteux et compliqués pour l'époque. Pourtant, on les récupérait rarement car le coût élevé de la réparation des chaudières qu'exigeait leur usage prolongé en diminuait d'autant la valeur. C'est ainsi que tout le matériel, une ancre, un système de gouvernail, une barre et des pièces métalliques, entre autres, fut installé sur un nouveau bateau baptisé lui aussi *New Orleans*.

Plus grand-chose, donc, à détecter pour notre magnétomètre ; nous espérions pourtant qu'il resterait du fer en quantité décelable. En outre une partie de la coque était peut-être encore visible au-dessus de la boue, que notre sonar repérerait ainsi.

Que personne n'ait déjà recherché un bateau auquel s'attachaient tant de souvenirs historiques m'intriguait.

Par chance, je fus contacté par Keith Sliman qui, à l'époque, travaillait au magasin de plongée des Sept Mers à Baton Rouge, la capitale de la Louisiane. Keith consacra beaucoup de son temps à étudier les archives des transactions immobilières et découvrit la pièce manquante du puzzle. Ce ne fut pas facile. Même si on possédait à peu près tous les documents sur les titres de propriété concernant les deux rives du fleuve, la plupart des archives ne remontaient pas au-delà de 1814. Il apparut tout d'abord que la rive occidentale avait appartenu à un certain Dr Doussan et qu'on l'appelait maintenant l'Appontement du mouillage. Ce renseignement ne devint fructueux que lorsque Keith dénicha l'acte de vente par lequel John Clay cédait son terrain au Dr Doussan car une carte du lieu datée de 1820 y était jointe.

Grâce à Keith, nous avions le sentiment de toucher au but. Craig Dirgo et moi prîmes l'avion pour la Louisiane afin d'inspecter le rivage et tenter de situer l'emplacement exact de l'appontement de Clay.

On me demande souvent comment la NUMA organise ses chasses aux épaves. Nous déterminons d'abord qui d'entre nous sera disponible une fois délivrées les autorisations nécessaires et ensuite quelles seront les conditions météorologiques, la principale inconnue tenant à la liberté que me laisse l'écriture de mes livres.

L'affaire se présenta mal dès le début : le site de l'appontement de Clay, lieu du naufrage, était occupé par la Placid Oil Company ; d'un côté de la digue se trouvaient les réservoirs et les installations de pompage, de l'autre, le long de la berge et dans l'eau, les plates-formes de chargement, les pipelines et les péniches. Le tout en acier, soit réparties dans cet endroit des quantités de métal supérieures à celles qu'on trouve d'habitude dans un dépôt de ferraille de quarante hectares, et rendant quasi impossible à notre fidèle gradiomètre Schoenstedt la tâche de distinguer ce qui avait appartenu au *New Orleans*.

Bien que ne l'ayant pas prévu, nous décidâmes, Craig et moi, de procéder sur-le-champ à une inspection poussée.

Cette après-midi-là et une grande partie de la journée du lendemain, nous parcourûmes, suivant un quadrillage systématique, la propriété définie comme ayant été l'appontement de Clay. Ceci ne révéla que quelques pipelines enfouis, facilement reconnaissables au tracé étroit et rectiligne qu'ils donnent. Un examen minutieux du sol nous donna en revanche une idée assez précise de l'ampleur de la tâche qui nous attendait.

Comme le shérif Bergeron et ses collaborateurs avaient beaucoup contribué en 1981 à la découverte par Walt Schob et moi-même du site du cuirassé confédéré *Arkansas*, nous fîmes de nouveau appel à eux. Ils nous prêtèrent leur magnifique canot de recherche en aluminium assemblé par un détenu emprisonné pour meurtre. Un assistant du shérif nous servit de pilote.

Peu après le lever du soleil, nous débutâmes le balayage du site en commençant à deux cents mètres du bord et en nous rapprochant peu à peu de la berge. A neuf heures, il faisait déjà chaud sur un Mississippi plat comme un miroir et le seul souffle d'air dont nous pouvions profiter venait des mouvements du canot. Nous travaillâmes quelques heures sans percevoir de signal autre que quelques gamma – pas plus certainement que ceux que provoquerait un marteau enfoui dans la vase –, puis le magnétomètre se manifesta d'une façon étrangement persistante qui, sur le moment, nous parut sans signification.

Tandis que je surveillais le magnétomètre, Craig tuait le temps en parcourant le livre de bord du canot – lecture intéressante puisque la petite embarcation servait à l'origine à recueillir les corps flottant dans le fleuve, grâce à une méthode des plus simples : de l'arrière, les policiers jetaient un gros grappin attaché à une corde et le laissaient traîner dans l'eau jusqu'à ce qu'il accrochât quelque chose.

— Comment savez-vous si vous avez ferré un corps ou un gros poisson ? demanda Craig au shérif adjoint.

— Un corps imbibé d'eau est plus difficile à tirer, et ça ralentit fichtrement le moteur du hors-bord.

Craig examinait le crochet d'acier inoxydable qu'il tenait.

— A quoi ressemble un corps quand vous le repêchez ?

— Oh, répondit l'homme sans se démonter, ils sont quelquefois bien mûrs, et leur peau se détache comme celle d'une mandarine.

Avec une grimace, Craig replaça le crochet dans son étui et s'essuya les mains avec un chiffon.

— Parfois ils sont tellement gonflés qu'ils explosent comme un ballon de chair en arrivant à la surface, poursuivit le shérif d'un ton détaché. Mais, la plupart du temps, ils ont été mâchouillés par les poissons ou les tortues. Il arrive aussi que les canots passent au-dessus et que les pales de l'hélice les mettent en bouillie. Un jour, j'ai accroché une tête, une partie des épaules et le torse. Je ne sais absolument pas où est passé le reste du corps.

Craig contempla le grappin qu'il avait manipulé.

72

Je ne résistai pas :

— C'est l'heure du déjeuner : steak bien saignant et fromage coulant ou sandwich au thon?

— Un peu plus tard, déclina Craig en secouant la tête.

A seize heures, nous estimâmes la journée terminée. Près de la berge, les péniches d'acier, qui affolaient le magnétomètre, gênaient les mesures. Aucun signal magnétique n'avait révélé le *New Orleans* et, pour tout arranger, nous avions déjà épuisé nos provisions d'eau depuis deux heures.

Alors que nous regagnions la rampe où l'adjoint du shérif avait laissé la remorque, Craig me demanda si je transpirais.

— Non, répondis-je, surpris de constater que, bien que l'atmosphère rappelât celle d'un bain de vapeur, j'avais la peau sèche.

— J'ai cessé de transpirer il y a à peu près une demi-heure. Je ne pense pas que ce soit très bon.

— Nous sommes déshydratés.

— C'est exactement ce que je pense.

Nous aidâmes le shérif adjoint à charger le canot sur la remorque, puis nous montâmes dans la voiture surchauffée. La bouche comme tapissée de talc, le visage brûlé par le soleil et le regard vide d'hommes en train de mourir de soif dans le désert, nous étions prêts à demander de l'eau dans la première maison venue si le hasard ne nous avait pas conduits devant un magasin d'alimentation.

Craig fonça dans le parking. Nous sautâmes à terre avant même que la voiture soit complètement arrêtée. En 1989, on ne trouvait pas aussi facilement qu'aujourd'hui des bouteilles d'eau réfrigérées; seulement de l'eau distillée dans des bidons de quatre litres en plastique. Raflant les gobelets les plus grands possible, nous les remplîmes à ras bord au distributeur d'eau et les vidâmes en quelques secondes avant d'en reprendre une deuxième tournée. Nous étions presque totalement déshydratés.

— Eh, cria l'employé, vous ne pouvez pas faire ça!

Craig, dont la corpulence en général impressionnait, le foudroya du regard.

— Vous nous demanderez tout ce que vous voulez, mais quand on aura fini. On crève de soif.

L'homme n'insista pas, notre tenue dépenaillée l'incitant sans doute à renoncer à tout espoir de paiement de notre part. Quand nous fûmes enfin abreuvés, Craig lui tendit un billet de dix dollars.

— Gardez la monnaie. Vous pourrez ainsi offrir un verre aux prochains clients déshydratés.

Requinqués par une douche froide et la climatisation de nos chambres, nous nous retrouvâmes pour dîner et faire le bilan de la journée. La nature, mais aussi les hommes, avaient semé sur notre chemin tous les obstacles possibles. Nous ne nous attendions certes pas à réussir du premier coup – cela n'arrive pas souvent –, mais quand même, tant de difficultés pour dénicher un bateau qui, nous le savions, se cachait dans les limites d'un rectangle de la taille d'un terrain de football!

Le moment était venu de regagner l'écurie et de potasser un peu notre documentation.

Nous repartîmes du début en superposant les cartes récentes aux anciennes. L'édification de la digue rendait le tracé de la berge incertain. Le rivage avait reculé avec les années, mais de combien?

Un rapport du Génie de l'armée reçu quelques mois plus tard faillit stopper net notre élan : en 1971, les ingénieurs avaient, pour renforcer la digue, déposé au pied de l'ouvrage, juste en dessous de la surface de l'eau, un matelas en béton armé articulé par des charnières d'acier. Voilà qui expliquait le signal magnétique continu auprès de la rive ouest. Le matelas semblait avoir été déposé juste au-dessus de ce qui était jadis l'appontement de Clay et, ajouté aux péniches d'acier, quais et autres pipelines courant le long de la berge nous interdisaient de déceler le moindre vestige du *New Orleans*. Le cœur serré, je rangeai le résultat de nos recherches dans le dossier « Improbable » et pensai à d'autres épaves.

*

* *

Trois ans plus tard, lors d'un cocktail, je fus présenté à l'un de mes admirateurs – je m'en veux de ne pas me rappeler son nom, mais il est vrai que nous ne nous sommes jamais revus. Ce lecteur, un vieux monsieur au crâne chauve encadré d'une couronne de cheveux blancs, aux yeux très bleus derrière des lunettes sans monture, mentionna au cours de la conversation qu'il habitait dans la paroisse de Baton Rouge Ouest. Je lui parlai alors de notre travail sur l'*Arkansas* et le *New Orleans* et nous évoquâmes un moment l'histoire du Mississippi. Il me raconta que, au cours de l'une de ses fréquentes plongées dans le fleuve – exploit que renouvellent rarement la plupart des plongeurs locaux –, il avait été entraîné sur plus d'un mille par un courant sous-marin de quatre nœuds et qu'il s'était soudain retrouvé nez à nez dans des eaux boueuses avec un poisson-chat de cinq cents livres et de deux mètres quarante de long. Il me parla aussi d'un étrange phénomène : une fois atteints quatre-vingts pieds de profondeur, la visibilité dans l'eau, inférieure à un mètre, passe soudain à trente mètres.

A sa demande, je lui décrivis avec davantage de détails comment je m'y étais pris pour rechercher le *New Orleans* et pourquoi j'avais échoué.

— Vous n'avez pas cherché au bon endroit, m'affirma-t-il en souriant.

J'hésitai, me demandant où il voulait en venir.

— Nous avions pourtant repéré à cent mètres près l'appontement de Clay, protestai-je.

— Certes, mais pas dans la bonne direction.

— Où nous conseilleriez-vous de regarder?

Il se renversa dans son fauteuil, but une gorgée de scotch et me regarda par-dessus ses lunettes.

— Certainement pas en cherchant de bas en haut le long de la berge.

— Mais alors, où donc? m'exclamai-je.

— En plein dans le lit du fleuve. Depuis mon enfance, la rive ouest a reculé de deux à trois cents mètres. L'appontement de Clay doit se trouver maintenant au beau milieu du Mississippi.

— Alors, au-delà du matelas de béton, m'écriai-je après avoir digéré quelques secondes cette information.

— Bien au-delà.

Le *New Orleans* me faisait signe une nouvelle fois. Grâce à un inconnu rencontré au hasard d'un cocktail nous était accordée une seconde chance.

En août 1995 – pourquoi toujours en plein mois d'août? – nous explorâmes une épave au large de Galveston, celle, espérions-nous, de l'*Invincible* appartenant à la flotte de la république du Texas, mais nous ne parvînmes pas à l'identifier avec certitude. Ralph Wilbanks, Wes Hall, Craig Dirgo, mon fils Dirk Cussler et moi gagnâmes ensuite Baton Rouge avec le *Diversity* en remorquant derrière nous tout notre équipement. Il faut que j'avoue que nous laissâmes sur un casino flottant un joli paquet de notre argent si durement gagné : les flambeurs que nous sommes perdirent quelque trente dollars ; cela aurait pu être grave si Ralph, je crois, n'avait pas fini par gagner deux ou trois dollars. Détail intéressant, les législateurs de Louisiane interdisent aux casinos flottants de s'amarrer à quai – des barrières plantées dans l'eau leur sont réservées – et peuvent se targuer ainsi de protéger la respectabilité de l'État et prétendre que les ravages du jeu ne touchent pas le sol sacré de Louisiane.

Nous ne nous lançâmes pas plus avant sans interroger des anciens de la paroisse de Baton Rouge Ouest. Ils convinrent tous que, de leur vivant, le fleuve avait rongé la rive ouest, la faisant reculer de trois cents mètres. Le lendemain matin, une rampe dénichée sous le pont enjambant le Mississippi nous permit de mettre à l'eau le *Diversity*.

Nous balayâmes le secteur en partant presque du milieu du fleuve pour nous rapprocher peu à peu de la berge ouest, selon des couloirs très serrés et en utilisant et le magnétomètre et le sonar. La journée s'écoula lentement mais sans déshydratation, cette fois, grâce à l'énorme glacière de Ralph.

Six heures plus tard, nous avions parcouru trois fois la totalité du secteur : à l'exception de quelques faibles signaux, le magnétomètre n'avait rien enregistré qui méritât de s'y arrêter. Le sonar avait repéré une cible à peu près à la bonne distance de la rive, mais à deux cents bons mètres en aval de la limite sud de l'ancienne propriété de Clay.

Pressés par le temps et divers engagements, nous décidâmes de remettre les recherches à une date ultérieure. De toute façon, aucun de nous n'avait l'expérience requise pour plonger dans des eaux boueuses filant à quatre nœuds et nous estimâmes préférable de recruter des plongeurs locaux connaissant mieux que nous le milieu.

Notre optimisme renaissait mais, hélas ! une énorme drague du Génie militaire s'apprêtait à l'anéantir.

Elle descendait le fleuve sous nos yeux ; ses godets ramassaient la vase et la déposaient dans des péniches. Elle ne s'approcha pas à plus d'une bonne centaine de mètres de notre cible, mais nous étions en droit de craindre que son passage n'eût pas scellé le sort du *New Orleans*.

Ce découragement ne m'était pas inconnu : en arrivant sur le site où gisaient les vestiges du *Carondelet*, le célèbre cuirassé de l'Union, je ne pus que constater qu'une énorme drague était passée par là et avait réduit en pièces l'épave seulement quelques jours avant le début de nos recherches – et cent dix ans après que le navire eut coulé dans l'Ohio.

Il est fort probable que le célèbre *New Orleans* a disparu. Mais il a laissé un héritage fabuleux et, qui sait, peut-être que la cible que nous avions repérée est bien l'épave. Les chances sont infimes, mais l'espoir est éternel et un jour nous retournerons nous en assurer.

Troisième partie

Les cuirassés *Manassas* et *Louisiana*

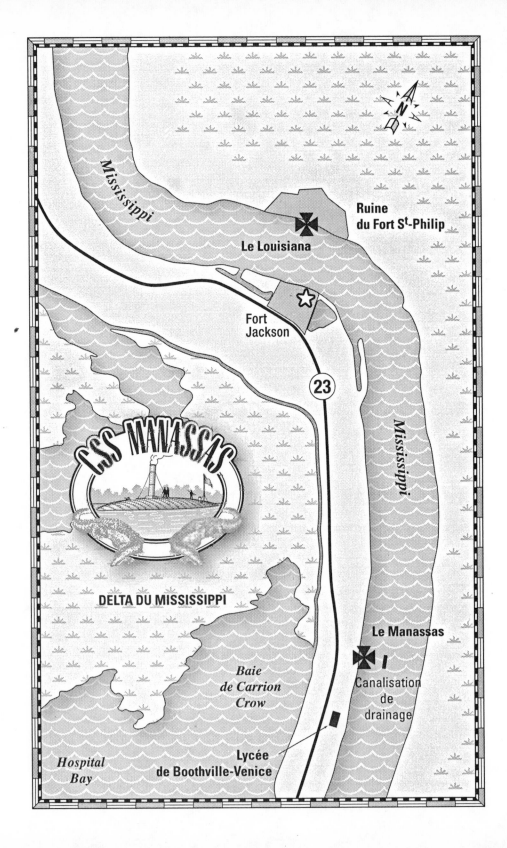

I

Une victime de la guerre de Sécession

1861 – 1862

— Maudit soit ce navire ! s'écria le lieutenant Alexander Warley. Il me donne l'impression de porter des œillères, comme un cheval.

Son bateau, le cuirassé confédéré *Manassas*, se trouvait à moins de cinquante mètres en aval de Fort Jackson, à quelque soixante-quinze milles au sud de La Nouvelle-Orléans. Par l'unique hublot de bâbord, Warley scrutait la brume de la nuit. Le fracas des machines s'ajoutant au sifflement des chaudières accentuait encore la tension de Warley. On n'avait pas encore procédé aux essais et sa construction ne serait achevée que dans quelques semaines. Et la nuit du 11 octobre 1861 avait beau être fraîche pour la saison, Warley transpirait.

Des six mètres de la hauteur totale du *Manassas,* un peu plus de quatre mètres plongeaient dans l'eau dont ne dépassaient que la coque convexe et les cheminées jumelles.

A cause de l'été indien, le Mississippi avait conservé une température douce plus longtemps que d'habitude. Sa coque baignant dans une eau tiède et ses chaudières réchauffaient le *Manassas* de l'extérieur comme de l'intérieur. Entraîné vers l'aval par le courant, Warley se demandait quel concours de circonstances les avait poussés, son équipage et lui, dans une situation pareille.

Beaucoup plus au sud, à l'entrée des Passes, là où le Mississippi se divise en trois bras, Henry French, commandant du *Preble*, une goélette à dix canons de l'Union, terminait son compte rendu dans le livre de bord et s'apprêtait à se coucher. Il attendit que l'encre séchât, referma le cahier et rangea encrier et plume d'oie dans son écritoire. S'étirant dans son fauteuil, il se leva pour éteindre sa lampe à l'huile de baleine, puis se ravisa. Laissant la lampe brûler, il sortit dans la coursive et monta sur le pont. Il salua le matelot de garde, tira de la poche de son gilet une blague en cuir et bourra sa pipe neuve.

Il craqua une allumette et attendit que la brise eût emporté l'âcre odeur du soufre pour l'approcher du fourneau et allumer sa pipe. Puis il contempla le voile de brume qui flottait sur l'eau. Il faisait nuit noire, il n'y avait pas de lune. Une faible lueur provenait des lanternes du *Richmond*, un navire amiral de vingt-deux canons, et de celles du *Joseph H. Toone*, la goélette de l'Union, amarrés bord à bord. La goélette déchargeait du charbon pour les chaudières du *Richmond* et French avait hâte que l'opération se terminât.

Aucun capitaine n'aime que la manœuvrabilité de son navire soit compromise et, à plus forte raison, à l'entrée d'une voie navigable, comme c'était le cas, et non au large comme il le préférait. Les fleuves sont bons pour les chalands et les péniches, pas pour les navires de guerre, se disait-il en aspirant une bouffée.

— Rien à signaler ? demanda-t-il au matelot de quart.

— Rien à signaler, capitaine. Le chargement des soutes empêche d'entendre ce qui se passe en amont, mais la nuit s'annonce calme malgré tout.

French tira sur sa pipe tout en lissant sa barbe.

— D'où êtes-vous, matelot ?

— Du Maine, capitaine. De Rockport.

— Alors, observa French, j'imagine que vous avez passé pas mal de temps sur l'eau.

— Oh oui, confirma le marin, ma famille pêche le poisson et le homard.

French termina sa pipe et en tapa le culot au-dessus de l'eau.

— Je redescends. Gardez l'œil ouvert, dit-il.

— A vos ordres, capitaine.

Au même instant, une succession de vagues venues du fond du golfe secoua le *Richmond* et le serra contre le *Toone*. Le bruit du clapotis contre les deux coques se propagea sur l'eau comme celui d'un coup de tonnerre lointain.

French regagna sa cabine. Il mouilla ses doigts et les pressa contre la mèche de la lampe. Il grimpa dans sa couchette, s'y installa confortablement et ne tarda pas à s'endormir.

Le lieutenant Warley se mit à tousser puis frictionna ses yeux irrités. Les deux cheminées ne parvenaient pas à évacuer la fumée des chaudières, problème supplémentaire s'ajoutant à tous ceux que Warley avait déjà remarqués sur le *Manassas*, le premier cuirassé d'Amérique du Nord qui se lancerait dans la bataille : premièrement, il manquait de puissance, ce qui n'avait rien d'étonnant ; les maigres ressources de la flotte confédérée avaient obligé à installer en guise de machines jumelées – l'une à haute pression, l'autre à basse pression –, du matériel déjà usé. Les confédérés ne disposaient en effet ni de fonderies, ni des grands arsenaux modernes de l'Union.

La coque du *Manassas* provenait d'un brise-glace de Nouvelle-Angleterre, l'*Enoch Train,* qui avait fini sa carrière comme remorqueur fluvial. Des hommes d'affaires, des Louisianais, l'avaient acheté puis confié à un chantier naval rudimentaire d'Algiers en face de La Nouvelle-Orléans : on avait scié les mâts et les superstructures, rallongé et élargi la coque puis prolongé la proue avec du bois massif. Ensuite, on avait installé de vieilles machines et l'équipement nécessaire. On avait construit un bouclier métallique convexe renforcé par du bois pour faire office de pont supérieur. A l'arrière, on avait découpé une ouverture arrondie protégée par des volets et un trou pour la cheminée. Pour couronner ce bricolage, les charpentiers avaient fixé un éperon de fonte à la proue, juste au-dessus de la ligne de flottaison.

Il devait son nom de *Manassas* au lieu où l'armée confédérée venait de remporter une victoire.

Ses propriétaires avaient alors demandé au gouvernement confédéré une lettre de marque les autorisant à couler les vaisseaux de l'Union et à s'emparer de leurs cargaisons comme prises de guerre.

Leurs rêves de grandeur patriotique ne durèrent pas. On avait chargé le commandant George Hollins de constituer une flotte de navires de guerre susceptible d'affronter celle dont l'amiral David Farragut devait prendre la tête. Ayant besoin de tous les navires qu'il pourrait armer, Hollins envoya Warley avec une équipe du *McRae* réquisitionner le *Manassas* au service de la Confédération.

Les débardeurs qui se trouvaient sur le cuirassé défièrent les marins de la Confédération en criant qu'ils massacreraient quiconque tenterait l'abordage. Warley, revolver au poing, les prit au mot. Matés, les débardeurs abandonnèrent le navire avec un de ses propriétaires qui, les larmes aux yeux, les escorta à terre. On apprit plus tard que le gouvernement confédéré leur avait versé une compensation de 100 000 dollars !

De son côté, Warley maudissait le jour où on l'avait chargé de cette mission, et il maudissait le *Manassas*, ce bateau ingouvernable. Pour réussir à maîtriser la direction, Warley devait dépasser d'au moins quelques milles à l'heure la vitesse du courant et pour l'instant, il avait déjà du mal à se traîner vers l'aval.

— Appelez-moi le chef mécanicien, ordonna-t-il à un matelot qui s'exécuta aussitôt. (Warley avait la réputation d'être à cheval sur la discipline et le ton de sa voix trahissait une fort méchante humeur.)

— Le capitaine veut vous voir, cria-t-il en essayant de dominer le vacarme.

— J'y vais, dit William Hardy en abandonnant l'arbre de l'hélice qu'il était en train de graisser.

Il s'essuya les mains sur un chiffon déjà graisseux, rajusta son uniforme et se donna un coup de peigne avant de se présenter devant Warley.

— Vous vouliez me voir, capitaine, dit Hardy en saluant.

— Quelle est la pression de la vapeur? demanda Warley.

— Environ neuf livres, capitaine, répondit Hardy.

Le *Manassas* pouvait supporter trois fois plus avant de faire sauter ses chaudières.

— Pourquoi si peu? J'ai des problèmes pour gouverner.

— A cause du combustible, expliqua Hardy. Nous disposons d'un peu de bois sec et d'un demi-chargement de charbon – mais si je les brûle, ils nous feront défaut pour la bataille.

— Donc, conclut Warley en s'essuyant le nez que la fumée faisait couler, nous brûlons en ce moment du bois vert.

— Sauf ordre contraire de votre part, répondit Hardy sans se démonter.

Warley hocha la tête, sachant qu'il tenait en Hardy un bon élément et l'un des meilleurs officiers du *Manassas*.

— Vous avez fait le bon choix, William, approuva-t-il. Espérons seulement que notre prochaine sortie se fera avec un plein chargement de bon combustible.

— Ce serait une bénédiction, capitaine. Mais pour l'instant vous avez encore quinze bonnes minutes de bois vert.

— Nous ferons avec, dit Warley en congédiant Hardy.

Confiant la barre à Charles Austin, son second, Warley se dirigea vers l'unique canon du *Manassas* qui pointait ses neuf pouces vers l'aval et, aspirant l'air à pleins poumons, scruta l'obscurité.

Les Yankees patrouillaient dans les parages et, bois sec ou non, il était temps de rendre visite à ces rebelles.

Tandis que le *Manassas* descendait le courant, la brume s'épaississait autour de la flotte de l'Union au mouillage; elle était bien armée : le *Richmond* disposait de vingt-six canons, la goélette *Prebel* de sept canons de trente-deux, de deux pièces de huit pouces et d'un canon de douze, le *Vincennes* de quatre canons de trente-deux, de deux Dahlgren de neuf pouces à canon lisse et de quatre petits canons de huit pouces, et le vapeur *Water Witch,* de seulement quatre canons. En raison de l'heure tardive, le calme régnait sur leurs ponts.

— Nous attaquons le bois sec. Vous devriez sentir une amélioration, déclara le chef mécanicien Hardy en passant la tête dans la timonerie.

— En effet, j'ai senti qu'on prenait de la vitesse il y a déjà quelques minutes, confirma Charles Austin qui tenait la barre.

— Bien, dit Hardy. N'ayez crainte... quand nous attaquerons, j'ai encore un petit tour dans mon sac.

— Je vous préviendrai, lança Austin.

Le *Manassas* avait pris la tête d'une petite force confédérée : juste derrière et à bâbord suivait le remorqueur *Ivy* venu les rejoindre quelques jours plus tôt avec son nouveau Whitworth, un canon de fabrication britannique efficace et bien conçu – mais pesant très lourd sur les finances de la marine confédérée. Ces derniers jours, l'*Ivy* avait harcelé les navires de l'Union qui faisaient le blocus en les arrosant d'obus à une distance de plus de six kilomètres.

Le *Calhoun*, le *Jackson* et le *Tuscarora* quittèrent aussi Fort Jackson pour participer à l'offensive : le *Calhoun,* un navire vieillissant équipé de machines à balancier, avait pour consigne de rester à l'écart de la mêlée et de ne tirer que de loin ; le *Jackson,* bien que plus récent, fermerait la marche car le bruit de ses machines et de ses roues à aubes risquait d'alerter l'ennemi ; le *Tuscarora,* quant à lui, remorquait un radeau incendiaire grâce auquel les confédérés espéraient mettre le feu à la flotte de l'Union.

Le *Manassas* se rapprochait de l'ennemi et Austin écarquillait les yeux pour percer la brume.

Le *Frolic*, une goélette sudiste chargée de coton à destination de Londres et dont l'Union s'était emparée lors de sa tentative de forcer le blocus, n'avait à son bord que les quelques hommes nécessaires à son entretien jusqu'à sa reconversion en navire de l'Union...

Le pacha du *Frolic*, un New-Yorkais peu bavard du nom de Sean Riley, avait du mal à dormir. Peu satisfait de son emploi du temps monotone, il s'agitait sur sa couchette ; il décida finalement de monter sur le pont principal où, espérait-il, l'air frais lui apporterait le sommeil. Emportant avec lui une légère couverture de laine, il se dirigea vers l'arrière et s'installa.

Un pic-vert, pensa-t-il en entendant un tapotement. Mais des résonances résolument métalliques – sans doute le *Richmond* ancré non loin de là – l'intriguèrent et il monta dans les gréements pour en avoir le cœur net.

— J'ai aperçu un vague contour droit devant, dit Warley à Austin en regagnant la timonerie. Un vaisseau confédéré peut-être. Tout ce que je sais c'est qu'il se trouve légèrement à bâbord.

Austin régla le cap puis scruta l'obscurité par le petit hublot.

— Au nom du Ciel, qu'est-ce que c'est? balbutia Riley.

Une énorme masse noire jaillie de la nuit approchait rapidement. Sans le vacarme qu'elle faisait et la cheminée ronde qui pointait, on aurait pu croire à une baleine égarée remontant du Golfe du Mexique. Tel un chasseur traquant sa proie, la chose avançait sur le *Richmond*.

Il était trois heures quarante du matin.

Riley actionna la cloche du *Frolic* et cria par-dessus l'eau :

— Ohé du *Richmond*, un bateau! Il descend le fleuve!

Mais, dans le fracas des soutes qu'on chargeait, personne à bord du *Richmond* ne l'entendit.

Riley se précipita alors dans la timonerie à la recherche d'une fusée.

— Ennemi droit devant! cria Austin par l'écoutille à Hardy.

— C'est le moment, les gars, lança Hardy à ses chauffeurs.

Devant la porte ouverte du foyer, les soutiers se relayaient pour lancer dans les flammes des barils de goudron, de térébenthine, de suif et de soufre. Presque aussitôt, l'aiguille du manomètre se mit à grimper et à la barre, Austin sentit le *Manassas* foncer en avant.

Du *Preble*, un aspirant remarqua la ruée du *Manassas* et se précipita pour alerter le capitaine French. Quelques instants plus tard, celui-ci déboula sur le pont en caleçon long. Le cuirassé confédéré n'était qu'à vingt mètres du *Richmond :* pas le temps de donner l'alarme.

Le carburant qu'on enfournait dans la chaudière, s'il augmentait la vitesse du *Manassas* faisait aussi monter la température de la cale : les hommes ruisselaient de sueur et leur tête tournait. L'un d'entre eux se mit alors à entonner *Dixie,* imité aussitôt par le reste de l'équipage.

Ce fut bientôt le comble de l'agitation : les marins chantaient à pleins poumons, les navires de l'Union donnaient l'alarme à grands coups de sirène et les vibrations de l'arbre d'hélice transmises par le pont engourdissaient les pieds d'Austin. Par le petit hublot, il examina le navire qui approchait.

Ils étaient à dix mètres du *Richmond* quand la fusée de Riley troua l'obscurité.

— Feu! cria Warley au chef canonnier.

Le boulet traversa le *Joseph H. Toone* de part en part. La cloche du

Richmond sonna l'appel aux armes. Les mains crispées sur la barre, Austin, sans hésiter un instant ni dévier de son cap, pointa le *Manassas* droit dans le flanc du *Toone*. L'éperon de fonte remplit son office et s'enfonça dans le flanc de la frégate – aussi facilement qu'un couteau dans le ventre d'un poisson –, entre deux épaisses membrures à soixante centimètres au-dessous de la ligne de flottaison. L'eau s'engouffra par une brèche de quinze centimètres.

Mais le coup n'était pas fatal.

Austin découvrit des traces rouges sur sa main et réalisa que, lors du choc, sa tête avait heurté une cloison et qu'il s'était ouvert le front ; il tamponna la blessure avec son mouchoir et attendrait pour la panser que le *Manassas* ait asséné un nouveau coup au vaisseau de l'Union.

— En arrière toute ! cria-t-il à Hardy.

Dans la chambre des machines du *Manassas*, une fuite s'était déclarée sur l'un des condensateurs et un épais nuage de vapeur avait empli la cale, brûlant grièvement un homme d'équipage. Hardy détourna la vapeur par un des hublots de bâbord – procédé utilisé pour repousser des ennemis à l'abordage en les aspergeant d'eau bouillante et de vapeur. Puis, nouant un chiffon autour du tuyau défectueux, il poussa les commandes en arrière toute.

Mais le *Manassas* refusait d'obéir, s'exposant ainsi aux bordées de plein fouet qu'ordonneraient les officiers de l'Union dès que leurs équipages seraient rassemblés. Austin, sceptique quant à la résistance des plaques du blindage, tourna la barre à tribord toute pour dégager le gouvernail.

Un long frisson secoua le navire et les hélices commencèrent à trouver une prise.

— Sortez-nous de là ! cria Warley à Austin qui n'avait pas encore réalisé que l'éperon était coincé dans la coque du *Toone*.

Du *Toone*, un matelot braquait sur le *Manassas* un revolver chargé à la poudre noire ; il s'apprêtait à tirer quand un jet d'eau bouillante le frappa en plein visage. Poussant un hurlement de douleur, il passa par-dessus le bastingage et tomba dans le fleuve au moment même où l'arbre d'hélice du *Manassas* ralentissait avant de repartir dans l'autre sens. Les quatre pales de bronze se mirent à fouetter l'eau boueuse.

Les chevilles métalliques qui accrochaient l'éperon aux entrailles du *Toone* couinèrent comme un cochon qu'on égorge ; il fallait que quelque chose cédât mais certainement pas les couches entremêlées du bois dur constituant l'étrave : le *Manassas* se dégagea par le côté.

C'est alors que, tel un chapelet de pétards, les boulons sautèrent les uns après les autres avant de s'incruster dans les flancs du *Toone*. Brusquement, l'éperon du *Manassas* se dégagea, l'obligeant, à cause de sa barre tournée à fond, à obéir au seul gouvernail ; une fois libéré, le cuirassé confédéré éperonna le *Toone* par le travers. Le *Richmond* et le *Toone* étaient mouillés perpendiculairement au courant, leurs ancres jetées en amont, ce qui leur donnait une certaine marge de sécurité en cas d'attaque, leurs canons étant braqués vers l'ennemi.

Le *Manassas* se glissa sous l'une des aussières dont l'épais cordage frappa la partie arrondie du pont et se tendit. Mais la vase du Mississippi, depuis près d'un siècle, enserrait dans une gangue dure comme du ciment l'épave d'une goélette française dans laquelle se coinça le grappin du Toone.

— Tirez-nous de là, demanda pour la seconde fois Warley à Austin qui ignorait toujours que l'éperon était coincé dans la coque du *Toone*.

— Je fais machine arrière, répondit-il. On reviendra l'attaquer plus tard.

Sa manœuvre à peine entamée, l'intérieur du *Manassas* s'emplit aussitôt de fumée.

— Je n'ai plus de tirage, cria Hardy, et un des condensateurs a lâché. Nous ne marchons plus maintenant que sur une seule machine.

Austin recula pour estimer les dégâts.

L'attaque du *Richmond* par le *Manassas* déclencha la réaction immédiate du reste de la flottille confédérée : les remorqueurs *Watson* et *Tuscarora* se précipitèrent, cherchant une cible pour leurs cinq radeaux incendiaires. Là-dessus, les canons du *Richmond* ouvrirent le feu à l'aveuglette, faisant pleuvoir des boulets un peu partout.

Le *Manassas* recula de quelques encablures dans la brume et Warley reprit la barre. Il remarqua presque aussitôt que le navire ne répondait que mollement à la barre.

— Quelque chose ne va pas ! cria-t-il à Austin.

Sur ces entrefaites, Harry passa la tête par l'écoutille de la salle des machines. Il avait le visage couvert de suie et les yeux rouges. Dans une main, il tenait une hache.

— Je vois à travers le pont, annonça-t-il. La cheminée est toujours attachée mais elle pend.

Cramponnés l'un à l'autre sur le pont glissant, Austin et Harry firent tomber la cheminée dans l'eau à coups de hache.

— Capitaine, déclara Harry revenu dans la timonerie, nous avons perdu l'éperon et une machine. A part notre unique canon, nous sommes absolument sans défense.

— Nous nous battrons un autre jour, admit lentement Warley avant de redresser son navire désemparé vers l'amont.

Tout compte fait, la bataille à la Tête des Passes ne fut guère déterminante : la marine de l'Union subit des dégâts, certes, mais on les répara aussitôt et le blocus ne fut pas levé. Les exploits de la flotte confédérée regonflèrent cependant le moral des citoyens de La Nouvelle-Orléans qui acclamèrent le *Manassas* que l'on remorquait jusqu'au chantier naval. Simple bateau corsaire lors de son premier engagement, il fut officiellement inscrit dans les effectifs de la marine confédérée ; son chef mécanicien, Hardy, obtint de l'avancement et Charles Austin sa nomination officielle au grade de capitaine.

Les réparations du *Manassas* – qui durèrent des mois – modifièrent beaucoup son aspect : les deux étroites cheminées furent remplacées par une seule de grand diamètre.

Pour les stratèges de l'Union, contrôler le Mississippi rendrait la victoire possible. Artère vitale, le fleuve constituait le lien assurant l'unité de la frontière occidentale de la Confédération. En 1861, Abraham Lincoln avait ainsi résumé la situation : « Le Mississippi est l'épine dorsale de la rébellion. C'est la clé de tous nos problèmes. »

La ville la plus importante en était La Nouvelle-Orléans : un foyer de révolte et d'agitation en même temps qu'un centre en plein développement de constructions navales et de manufactures d'armes. En 1861, l'Union comptait cinq chantiers de marine et une douzaine de docks ; en ce qui concernait les constructions navales, la Confédération ne la surclassait qu'à Norfolk en Virginie. La Nouvelle-Orléans disposait d'inventeurs et de preneurs de risques qui testèrent dans le lac Pontchartrain les premiers sous-marins confédérés et mirent au point de nouvelles torpilles. En outre, un grand nombre des négociants en coton qui finançaient la rébellion habitaient la ville et c'était dans son port que les briseurs de blocus acheminant le coton jusqu'à Londres chargeaient leurs cargaisons.

Situés à quelque cent vingt-cinq kilomètres en aval près de la Tête des Passes, le Fort St. Philip sur la rive est du fleuve et le Fort Jackson sur la rive ouest assuraient les premières défenses de la ville. Considéré comme le plus redoutable des deux, le Fort St. Philip avait été construit en briques et rochers recouverts de gazon par les Espagnols ; ses cinquante-deux canons étaient braqués sur le fleuve. Le Fort Jackson avait été érigé par l'Union avant la guerre et était armé de soixante-quinze pièces d'artillerie.

Pour piéger tout vaisseau de l'Union s'aventurant en amont, on avait mis en place une seconde barrière : une lourde chaîne tendue entre les deux forts et prenant appui sur les coques de six goélettes sacrifiées.

La Confédération bénéficiait, semblait-il, d'un formidable système de défense.

— Ship Island, annonça doucement David Farragut.

Il replia sa lunette de cuivre et la glissa dans la poche de sa tunique d'uniforme. Farragut était l'un des rares officiers généraux de la marine de l'Union; sa tenue coupée avec soin à ses mesures – ce qui n'était pas courant – le proclamait fièrement et les étoiles de ses épaulettes le confirmaient. Grâce à son port et à ses épaules carrées, il réussissait à tricher sur sa taille. Tout chez lui reflétait le sentiment de son importance et rayonnait pour en faire sentir les effets autour de lui. Farragut aimait commander; il décidait sans hésiter et acceptait le destin. La flotte qu'il commandait avait quitté Hampton Roads en Virginie le 2 février. Neuf jours plus tard, elle s'arrêtait à Key West et neuf navires la rejoignirent ensuite dans le golfe du Mexique à l'embouchure du Mississippi.

— Faites jeter l'ancre et rassembler la flottille, ordonna Farragut à son second.

Personne n'ignorait que la flotte de Farragut se préparait à remonter le cours du Mississippi. Le 1er avril, des espions rebelles signalèrent que tous les navires, sauf deux, avaient franchi la barre et se trouvaient maintenant sur le fleuve. A La Nouvelle-Orléans, on travaillait sans relâche pour achever les cuirassés confédérés le *Louisiana* et le *Mississippi*.

Le *Louisiana* était un grand vaisseau de quatre-vingts mètres de long sur dix-neuf mètres de large; son armement se composait de deux canons de sept pouces, de trois pièces de neuf pouces, de quatre canons de huit pouces et de sept pièces de trente-deux. Le *Mississippi* n'avait rien à lui envier : long de soixante-dix mètres sur sept mètres de large, il devait transporter une batterie de vingt canons de divers calibres.

Malheureusement, il s'en fallait de beaucoup qu'ils fussent prêts à prendre la mer.

Du haut des remparts de Fort Jackson, Delbert Antoine, le regard tourné vers l'ouest, contemplait le ciel rougeoyant du soleil couchant. Pour un natif de Louisiane, ce spectacle avait quelque chose d'étrange, et il fit part de ses sentiments à son compagnon, Preston Kimble. On était le 18 avril.

— Le ciel est si rouge, dit Antoine, qu'on dirait du sang.

Kimble se pencha par-dessus le parapet pour cracher dans la douve.

— Si nos canons ne coulent pas les Yankees, déclara Kimble, l'alligator que j'aperçois dans le fossé les dévorera.

Kimble et Antoine, ralliés à la cause depuis le début, portaient les premiers uniformes gris de la Confédération qui donnaient maintenant des signes d'usure. Le regard d'Antoine parcourut le fort : en forme de pentagone, il dressait à près de huit mètres au-dessus de l'eau les briques rouges de ses murs de six mètres d'épaisseur.

A proximité des seize grosses pièces braquées sur l'eau, on avait renforcé la brique avec de lourdes dalles de granit. Au centre du fort un casernement en diagonale pouvait protéger cinq cents hommes des bombardements. Mais la robustesse de cette imposante construction ne rassurait pas Antoine.

— Ils arrivent, dit-il, je le sens.

— On les fera sauter dans l'eau, assura Kimble, comme des canards dans un étang.

Antoine hocha la tête : son ami se vantait et, s'il n'avait pas peur, c'est qu'il était tout bonnement stupide... ou fou.

A quelques milles en aval de Fort Jackson, dans un coude du fleuve, Franklin Dodd vérifiait les cordages qui retenaient sa péniche attachée aux arbres. Il faisait nuit et un vent âpre soufflait, ce qui ne gênait en rien les grenouilles qui, par milliers, coassaient à qui mieux mieux, exaspérant Dodd.

— Saleté de grenouilles, rouspéta-t-il.

— Elles la boucleront quand on commencera à tirer, remarqua Mark Hallet, son artilleur.

Les matelots de l'Union ne se bousculaient pas pour servir sur les mortiers flottants destinés à entamer la résistance des forts avant que Farragut et ses navires remontent le fleuve. La tâche était simple : charger leur canon puis garder la bouche ouverte pour éviter d'avoir le tympan percé, et, sitôt le coup parti, recommencer la manœuvre. A la fin de la guerre, la plupart d'entre eux avaient perdu l'ouïe.

Au petit matin du 19 avril, les mortiers flottants ouvrirent le feu. La première salve frappa la base de Fort Jackson. Le tir de barrage dura cinq jours et cinq nuits. Dès le lendemain, la moitié des confédérés souffraient de tremblements incoercibles.

Hallet chargea le mortier. Depuis quelques jours, il sentait dans sa tête une pression dont il n'arrivait pas à se débarrasser. Bâiller le soulageait un peu mais brièvement. Dodd lui toucha le bras pour attirer son attention : il remuait les lèvres, mais Hallet n'entendait pas ; essuyant avec un chiffon la poudre sur son visage noirci, il colla son oreille contre la bouche de Dodd. Il sentit son haleine et cela n'avait rien d'agréable.

— Il paraît que Farragut lance son attaque ce soir, cria Dodd.

Hallet accueillit la nouvelle en souriant ; pourtant les tremblements qui agitaient son corps depuis deux jours et qu'il n'arrivait pas à maîtriser l'inquiétaient. Seul le fait d'osciller sur ses talons le calmait un peu. Aussi se balança-t-il en attendant la déflagration avant de se précipiter pour déverser une nouvelle charge de poudre.

Sur le *Manassas*, le lieutenant Warley savait que l'Union arrivait. Les fédéraux, d'après lui, commenceraient par envoyer deux bateaux en amont pour tenter de briser la chaîne qui barrait le fleuve. Malheureusement, le *Manassas* n'en avait pas encore dépassé le milieu.

Au cours des mois précédents, rien n'avait fait changer l'opinion de Warley au sujet de son bateau. Au contraire. Le navire manquait de puissance et d'armement ; de plus il manœuvrait mal. Malgré cela, Warley éperonnerait le premier navire ennemi qu'il repérerait ; il ne devrait guère compter que sur lui-même car ni le *Louisiana* ni le *Mississippi* n'étaient encore tout à fait opérationnels. On les avait remorqués depuis La Nouvelle-Orléans et ancrés devant les forts pour servir de batteries flottantes.

Deux torpilleurs de l'Union, le *Pinola* et l'*Itasca,* avaient été chargés de faire sauter l'obstacle posé par les confédérés. Quelques hommes de l'*Itasca* montés sur un petit canot ramèrent jusqu'à la chaîne et y attachèrent une charge qui n'explosa pas. Heureusement, un torpilleur s'empêtra dans la chaîne et, en tentant de se dégager, la rompit, ouvrant ainsi un passage assez large pour que s'y engouffre la flotte de l'Union.

La route du Mississippi était ouverte, mais la flotte de l'Union devait affronter un feu meurtrier.

Le 23 avril, le *Manassas* et son ravitailleur, le *Phoenix,* arrivèrent en vue des forts. Tandis que Warley se mettait en position, les mortiers flottants continuaient leur déluge de boulets. Fort Jackson avait été le plus durement touché. Warley distinguait à travers le rideau de fumée des pans du mur extérieur grêlés d'éclats de boulets. Cependant, le drapeau confédéré flottait toujours en haut du mât.

Sur ces entrefaites, une des pièces du Fort Jackson riposta.

On était maintenant le 24 avril. L'amiral Farragut roula ses cartes et dévisagea les hommes réunis autour de la table dans sa cabine à bord du vaisseau-amiral *Hartford.*

— Pas d'autres questions ? demanda Farragut. (Hochements de tête.) Alors, ajouta-t-il calmement, à mon signal nous y allons !

Les marins regagnèrent leur poste dans un silence inhabituel.

Juste après deux heures du matin, on hissa deux lanternes rouges en haut du mât d'artimon du *Hartford.* Le point de non-retour était maintenant atteint.

Le *Manassas* était amarré juste devant le Fort St. Philip ; sa nouvelle cheminée ne résolvait pas tous les problèmes. Le mécanicien du bord venait de signaler un condensateur récalcitrant que Warley fit changer avant la bataille. Le pilote vérifiait la pression de la vapeur tandis que Warley arpentait le pont.

— Les servants des pièces sont-ils prêts ? cria-t-il au lieutenant Reed.

— Oui, capitaine, dit Reed. J'ai vérifié il y a une demi-heure suivant vos instructions.

— Le chauffeur et les soutiers ?

— Tout le monde est en place. Le condensateur est réparé – on a de la pression, précisa Reed.

— Les sabords sont prêts pour déverser la vapeur et l'eau bouillante ? poursuivit Warley.

— Les attaquants auront une mauvaise surprise, assura Reed.

Là-dessus, le pilote vint les interrompre.

— Capitaine, nous avons de la vapeur dans la chaudière et la pression nécessaire pour l'hélice, annonça-t-il.

— Alors, ordonna Warley, larguez les amarres.

*
* *

Le tir de barrage des mortiers flottants se renforçait. Delbert Antoine scrutait l'obscurité pour repérer la flotte de l'Union. Il régnait dans l'air une lourde odeur de poudre et de poussière de brique. Mais il faisait frais, comme dans l'intérieur d'une tombe.

— Je crois que je vois quelque chose, cria Preston Kimble qui était plus près de l'eau.

Tel un sinistre fantôme drapé dans un linceul noir, le vague contour du *Hartford* se dessina peu à peu sur le fleuve. Kimble saisit son pistolet et tira une balle vers l'apparition dans une tentative dérisoire.

A cet instant précis, les batteries de Fort Jackson ouvrirent le feu dans un grondement de tonnerre.

La bataille commença à trois heures quarante.

Le lieutenant Warley ouvrit le panneau de l'écoutille du *Manassas* et scruta la nuit : des obus de mortier décrivaient des arcs dans le ciel, suivis de l'éclair de leur fusée qui se consumait, puis ralentissaient après avoir atteint leur apogée. Ensuite, comme dans un feu d'artifice bien réglé, ils accéléraient et plongeaient sur les forts confédérés, offrant un spectacle fantastique. Des nuages de fumée flottaient au-dessus de l'eau, roulaient puis se gonflaient comme des vagues sur l'océan.

Dans la chambre des machines du *Manassas*, le chef mécanicien Dearing, transféré du *Tuscarora*, entretenait un feu d'enfer de sa composition. Dearing savait que le cuirassé confédéré aurait besoin du maximum de vapeur et il poussait les chaudières jusqu'à la limite au moment même où un navire de l'Union surgissait de l'obscurité.

— Droit sur le Yankee ! cria Warley au pilote qui changea de cap ;

91

malheureusement, le cuirassé confédéré *Resolute*, qui battait en retraite, vint croiser sa route par le travers. Le *Manassas* le heurta à hauteur de la timonerie.

— Machine arrière! cria Warley.

Le navire de l'Union ralentit et tira une bordée sur le *Manassas* empêtré dans le *Resolute* avant de continuer à remonter le fleuve. Warley, une fois dégagé du *Resolute*, ordonna de mettre le cap au milieu du courant où il venait de repérer un bateau à aubes de l'Union.

Dans les ténèbres, se précisèrent les contours d'un navire familier.

— C'est le *Mississippi*! cria Warley.

Dans une guerre qui dressait des frères les uns contre les autres, l'heure n'était pas aux sentiments. Warley avait en effet servi sur le *Mississippi* avant de démissionner de la marine de l'Union; pourtant, il n'hésiterait pas à le couler.

De la plage avant du *Mississippi*, le peintre William Waud repéra le navire menaçant qui approchait. Il le dépeindrait plus tard comme une baleine couleur de plomb dont seule la cheminée qui se dressait dans l'air pouvait faire deviner qu'il s'agissait d'un bateau. Waud cria au lieutenant George W. Dewey, qui s'illustrerait par la suite en anéantissant la flotte espagnole dans la baie de Manille :

— Il y a un drôle de client à bâbord devant!

Dewey changea de cap pour tenter d'éperonner le navire confédéré, mais ses roues à aubes luttaient contre le courant et son pilote avait du mal à manœuvrer. Il fit tirer ses canons mais les projectiles effleurèrent seulement l'arrière du *Manassas*.

— Frappez la timonerie! cria Warley au pilote.

Le *Manassas,* ayant le courant pour lui, mais gêné par l'obscurité, arriva sur le travers du *Mississippi*.

— Feu! ordonna Warley.

L'unique canon à la proue cracha son obus qui se logea dans une cabine en fond de cale. Le *Mississippi* riposta et Dewey vit le *Manassas* reculer dans l'obscurité.

Cette remontée de la marine de l'Union plongeait la flotte confédérée dans l'inquiétude et la colère : quelques semaines supplémentaires de préparatifs lui auraient permis d'enrayer cette percée dans sa défense : la plupart de ces cuirassés avaient été échoués sur les bords du fleuve par leur capitaine et désertés par les équipages qui s'enfuyaient dans les marais.

De son amarrage, le puissant *Louisiana,* handicapé par une finition sommaire et une propulsion défectueuse, faisait feu de toutes ses pièces; en vain, car le dessin de ses sabords, mal conçu, limitait son champ de tir. Un navire de l'Union arriva à sa hauteur et tira une bordée dans sa coque.

A bord du *Manassas*, la situation n'était guère plus brillante : des nuages de fumée illuminés par les éclairs jaillissant de la gueule des canons déferlaient sur les eaux bouillonnantes du *Mississippi* sous une pluie de plomb ; les flammes des navires incendiés éclairaient une scène macabre. Une lune orange s'était levée, mais restait dissimulée derrière la fumée suffocante.

Dominant le vacarme des machines, les cris des canonniers de l'Union, qui continuaient à tirer comme à l'exercice, avaient beau parvenir jusqu'à ses oreilles, Warley refusait de reculer.

— Bâbord toute ! cria-t-il à son pilote.

Le commandant F.A. Poe du *Pensacola*, un navire de l'Union, vit le *Manassas* avancer. Ordonnant un changement de cap pour éviter d'être éperonné, il attendit la dernière seconde pour commander le tir : les projectiles explosèrent à l'arrière du *Manassas*, ratant de quelques centimètres le hublot de la timonerie.

Le plus gros de la flotte de l'Union était maintenant passé et Warley, décidé à attaquer les mortiers flottants en aval pour les empêcher de canonner les forts confédérés, donna l'ordre de descendre le courant. Malheureusement, les batteries du Fort St. Philip prirent le *Manassas* pour un navire de l'Union en perdition et ouvrirent le feu sur leur allié.

— Sortez-nous de là ! Remontez le courant ! cria Warley au pilote.

Le *Manassas*, qui déjà manquait de puissance, s'efforçait désespérément d'avancer à contre-courant quand Warley crut avoir trouvé le salut : un navire de l'Union qu'il prit pour le *Hartford*, le navire amiral de Farragut, apparut dans la pénombre ; Warley fit route dans sa direction. Il ne s'agissait que du *Brooklyn*, une cible non négligeable certes, mais pas celle que Warley espérait. Le *Brooklyn*, empêtré dans des segments de la chaîne de barrage, essayait d'autant plus de s'en libérer qu'il était coincé sous le feu des canons de Fort Jackson qui, une fois réglée leur distance de tir, le réduiraient en cendres.

— Résine dans la chaudière ! cria Warley avant de donner l'ordre, dès qu'il sentit l'augmentation de la puissance, d'éperonner le *Brooklyn*.

Si, avant la bataille, la marine de l'Union n'avait pas fait poser un blindage de chaîne sur ses navires, le *Manassas* aurait coulé le *Brooklyn* ; le coup fut dévié et ne causa que des avaries insignifiantes. Warley fut contraint de faire machine arrière.

La bataille faisait rage depuis des heures et, à l'est, le ciel commençait à s'éclaircir.

Apercevant le *McRae*, engagé dans une lutte solitaire avec plusieurs unités de l'Union, Warley porta le *Manassas* à son secours et donna la chasse aux navires ennemis. L'épuisement de l'équipage qui comptait en outre de nombreux blessés et tous les coups essuyés par le *Manassas* n'entamèrent en rien la résolution de Warley qui ordonna au pilote de remonter le fleuve jusqu'à Quarantine Point où attendait le gros de la flotte de Farragut.

— Nous perdons de la pression ! cria Dearing de la timonerie.

— Nous avançons à peine, ajouta le pilote qui voyait diminuer la distance qui les séparait des navires de l'Union.

Warley garda un moment le silence : il s'était bien battu, mais ses machines le trahissaient ; son navire était à l'agonie, il devait l'admettre ; non loin de lui, un matelot blessé gémissait. Face à lui s'avançait un ennemi qu'il ne réussirait pas à dominer.

— Échouez-vous sur la rive, ordonna-t-il avec calme, et préparez les hommes à débarquer.

Warley escalada la berge et regarda, à la lueur du soleil levant, le *Mississippi,* arrivé à la hauteur de son navire, marteler le cuirassé abandonné de toute la puissance de ses canons. Un obus explosa contre la poupe juste au-dessous de la ligne de flottaison ; l'eau s'engouffra aussitôt dans les cales, faisant se dresser le *Manassas* qui, porté par le courant, s'éloigna de la rive. Les canonniers du *Mississippi* rechargèrent et une nouvelle bordée, dans un hurlement déchirant, fit éclater la coque du *Manassas*.

Le lieutenant Reed, du *McRae,* fit une dernière tentative : empruntant un petit canot, il rama jusqu'au *Manassas* et grimpa à bord où il constata que Warley et son équipage avaient entamé à coups de hache les conduits de vapeur, rendant ainsi le navire inutilisable. Contraint d'abandonner, Reed regagna le *McRae*.

Le capitaine David Porter, futur brillant amiral, commandant des mortiers flottants, repéra le *Manassas ;* il lui prêta un instant des intentions belliqueuses mais comprit rapidement que le *Manassas* ne constituerait jamais plus une menace.

« Le navire crachait de la fumée par tous ses hublots, raconta-t-il, et commençait à couler. Ses conduites tordues, criblées d'éclats de projectiles et sa coque en piteux état démontraient qu'il avait servi de cible à l'escadre. Cherchant à le sauver, à titre de témoignage, je venais à peine de l'arrimer à la berge en passant une aussière autour de sa coque qu'il explosa ; crachant des flammes par l'avant, tel un monstre mythique, il plongea et disparut sous les eaux. »

Le *Manassas,* malgré une brève carrière, ouvrit la voie aux croiseurs actuels. Premier cuirassé à livrer bataille, il fut bientôt suivi du *Monitor* et du *Merrimac*. Grâce à lui, la guerre navale a changé à tout jamais.

II

Impossible de trouver meilleur marché

1981 – 1996

En 1981, quelques semaines après la décevante conclusion de l'expédition du *Hunley*, j'étais assis à mon bureau et regardais une photo de l'équipe de la NUMA prise, pour satisfaire à la tradition, avant un retour au bercail. Je l'examinai attentivement : le visage de ces gens dévoués et travailleurs évoquait pour moi de chaleureux souvenirs. Et puis, Dieu sait pourquoi, je me mis à compter ceux qui me fixaient droit dans les yeux. Ils étaient dix-sept, sans me compter. Dix-sept ! Fallait-il vraiment mobiliser autant de personnes pour retrouver une épave gisant dans moins de dix mètres d'eau ? Trois auraient suffi à obtenir les mêmes résultats, pensai-je.

Le fait est – et notre gouvernement l'a prouvé à maintes reprises – que, au-delà d'un certain nombre, on finit par se gêner. La bureaucratie engendre la bureaucratie : organiser l'hébergement d'une grande équipe de recherche nécessite l'appui de plusieurs personnes. A peine le petit déjeuner avalé, une expédition normale a besoin d'au moins quatre voitures de location pour assurer la navette de l'équipement et du personnel entre le quai et le navire. Sans oublier les moyens de transport indispensables aux plus jeunes d'entre nous qui veulent faire la fête en ville une fois la nuit tombée.

J'étais de plus en plus convaincu qu'un effectif réduit était plus efficace et c'est dans cet esprit que j'entamai les préparatifs de la prochaine expédition sur le Mississippi ; j'avais l'intention de rechercher les navires coulés lors de la bataille menée par l'amiral David Farragut devant les forts et de sa conquête de La Nouvelle-Orléans en 1861.

Cette fois, nous serions deux.

Walter Schob, un vieux pilier de la NUMA, décida de m'accompagner. Notre matériel se limiterait à notre gradiomètre Schonstedt pour détecter les métaux ferreux et à un télémètre de golfeur. Walt quitta sa maison de Palmdale, en Californie, et me retrouva à l'aéroport de Denver comme prévu. Ce qui l'était moins, c'était la chaise roulante dans laquelle je me présentai à la porte d'embarquement, ma cheville droite dans le plâtre.

La veille – je faisais un jogging dans les bois non loin de chez moi – je m'étais tordu la cheville. C'était très probablement une fracture car j'avais entendu l'os se casser. Regagnant tant bien que mal ma maison, je constatai l'absence de ma femme, partie faire des courses. Je n'avais pas le choix et me rendis en voiture chez mon médecin en n'utilisant que mon pied gauche pour freiner ou accélérer.

D'après les orthopédistes qui l'ont examinée vingt ans plus tard, ma cheville n'avait pas été bien soignée : on aurait dû poser des vis sur l'os ou, comme on le fait de nos jours, réduire la fracture. Je souffre maintenant d'arthrite aussi, si vous voulez mon conseil, ne vous avisez jamais de devenir vieux !

La compagnie aérienne m'attribua un siège au premier rang, ce qui me permit d'allonger ma jambe. Détail amusant, mon voisin avait lui aussi la cheville cassée ; fracture plus sérieuse que la mienne car son plâtre montait presque jusqu'au genou, alors que le mien s'arrêtait à mi-mollet.

Je n'oublierai jamais ce vol, à cause du sens de l'humour assez pervers de Walt : il avait posé son sac de voyage à ses pieds, contre la cloison. A l'hôtesse qui lui demanda de le glisser sous son siège ou de le ranger dans le compartiment à bagages il répondit :

— Non, merci, il est très bien là où il est.

L'hôtesse, avec ses cheveux roux et ses yeux bruns au regard pénétrant, n'était pas désagréable à regarder si on oubliait ses hanches tellement larges qu'elle avait du mal à se frayer un passage entre les sièges bordant l'allée. Elle lui lança un regard sévère.

— Je suis désolée, c'est le règlement. Il faut ranger ce sac.

Walt tourna vers elle un visage innocent.

— Aucun règlement ne stipule que je doive ranger un sac placé sous mes pieds contre la cloison.

— Rangez-le, monsieur, ou bien l'avion ne décollera pas.

— J'accéderai à votre demande si vous me citez le texte du règlement en question avec le numéro de l'article et du paragraphe.

Je précise que Walt est enquêteur sur les accidents d'avion. Si quelqu'un connaît les règlements, c'est bien lui.

— Eh bien, s'énerva-t-elle, vous ne me laissez pas le choix : je vais chercher le commandant.

Visiblement, cette jeune femme ne s'avouerait pas vaincue aussi facilement.

— Je serais enchanté de rencontrer notre commandant de bord, fit Walt avec un sourire poli, et j'aimerais, avant que nous décollions, connaître son expérience et ses heures de vol.

Ai-je précisé que Walt, colonel d'aviation à la retraite, a à son actif plusieurs milliers d'heures de pilotage sur avions de chasse?

Elle se précipita vers le cockpit et revint avec un pilote exaspéré et pressé de faire décoller son avion. Entre-temps, Walt avait rangé son sac et s'était plongé dans la lecture d'un rapport sur une catastrophe aérienne.

— Alors, demanda un homme en uniforme, aux cheveux grisonnants et aux airs de grand-père bienveillant, nous avons un problème?

Je levai les yeux d'un air stupéfait.

— Un problème?

— Vous ne voulez pas ranger votre sac?

— Mais je l'ai fait.

— Pas vous, lui! lança l'hôtesse en désignant Walt du doigt.

Sans abandonner sa lecture, Walt rétorqua calmement :

— Il est rangé.

Je l'ai dit, c'est un pervers. Mais on ne peut pas en vouloir à Walt. On n'arrive pas à lui faire perdre son sang-froid. Je ne l'ai jamais vu en colère. Avec son charmant sourire et sa voix de crooner, il se met tout le monde dans la poche – la plupart du temps.

Nous atterrîmes à La Nouvelle-Orléans où nous louâmes un grand break d'un modèle qui n'existe plus aujourd'hui pour nous rendre à Venice, en Louisiane, à cent vingt-cinq kilomètres plus en aval; au-delà, la route s'engage au cœur du delta pour accéder, une trentaine de kilomètres plus loin, au golfe du Mexique.

Il n'y a pas grand-chose à voir à Venice : des pêcheurs, des marchands de bateaux, des accastilleurs et environ trois kilomètres de quai. Un énorme parking envahi de camionnettes nous intriguait; un hélicoptère qui se posait nous apporta bientôt une réponse : il portait l'écusson de la compagnie Petroleum Helicopter Inc. et débarqua une véritable armée de techniciens venant d'une plate-forme pétrolière; ils garaient là leurs véhicules durant leur temps de service.

Nous nous installâmes dans un motel, le seul qui existât à l'époque. A en juger par l'état des lieux, les ouvriers de la plate-forme avaient dû y passer de sacrées soirées. Un panneau de Plexiglas – ce souvenir continue de me faire rire – vissé au mur au-dessus de la télévision prévenait :

INTERDICTION DE CHARGER UNE BATTERIE OU DE PLUMER UN CANARD
DANS LA CHAMBRE.

Ma petite expédition démarrait bien.

Heureusement, il y avait à Buras un extraordinaire petit restaurant, « Chez Tom », qui avait fait des huîtres du golfe sa spécialité ; une fois ouvertes, elles étaient entassées derrière la bâtisse, dépassant presque, à l'époque, son toit pointu. Je garde encore un souvenir ému de la vinaigrette au piment que préparait la mère de Tom et qui mettait en valeur une huître mieux qu'aucun autre accompagnement, à tel point que je fis dîner Dirk Pitt, le héros de mon livre *Panique à la Maison Blanche*, chez Tom pour le reposer de sa chasse aux méchants à travers le delta.

Nous louâmes un petit canot d'aluminium de quinze pieds à John, un pêcheur cajun qui vivait dans une caravane auprès du fleuve avec sa femme et une flopée de gosses. Le premier jour, il nous traita, Walt et moi, avec une grande méfiance et n'ouvrit pas la bouche. Il me dénicha cependant un transat dans lequel je m'assis, le gradiomètre posé sur mes genoux et ma cheville plâtrée appuyée sur le bastingage, dépassant de l'étrave comme un éperon.

Le deuxième jour, John se montra un peu plus bavard. Le lendemain, il ouvrit carrément les vannes et nous raconta une kyrielle de plaisanteries et d'anecdotes cajuns. Je regrette de les avoir oubliées car certaines étaient vraiment drôles.

Nous croisions sur le Mississippi, traînant le gradiomètre dont je guettais le cadran. John, à l'arrière, tenait la barre tandis que Walt, assis au milieu, surveillait la berge avec son télémètre et nous faisait tracer des lignes à peu près droites ; à proximité du rivage, il guidait John au regard.

Le premier jour, nous nous concentrâmes sur le *Manassas*. La comparaison des cartes fluviales datant de la guerre de Sécession et des relevés modernes montrait des rives quasi inchangées en cent vingt ans ; seul le coude de la rive est devant le Fort St. Philip s'était comblé sur une cinquantaine de mètres. J'étais persuadé que le *Manassas* avait coulé près de la rive ouest : on racontait en effet que le cuirassé incendié avait dérivé devant les mortiers flottants, causant aux servants une vive inquiétude, et que l'amiral Porter avait tenté – malheureusement juste au moment où une explosion avait envoyé le *Manassas* par le fond – d'y fixer une aussière afin de sauver cette curiosité.

Walt, John et moi commençâmes nos relevés en partant de la rive est et en franchissant le fleuve à l'ouest de Venice jusqu'au coude en dessous de

Fort Jackson. J'avais élargi considérablement la zone de recherches car, ayant déjà constaté la fiabilité douteuse des rapports de l'époque, je ne voulais pas prendre le risque de manquer le *Manassas*.

Nous approchions lentement de la rive ouest en évitant les gros cargos qui se rendaient à La Nouvelle-Orléans ou en partaient. Ce secteur du fleuve ne cachait aucune épave, mais de temps à autre un objet moins gros qu'un baril métallique ou qu'une ancre signalé par un ou deux gamma. A la fin du parcours, nous longions, découragés, les rochers qui bordaient la rive ouest quand, tout à coup, au milieu de la dernière ligne droite, à quatre cents mètres environ plus haut que le lycée de Boothville, l'enregistreur se mit à couiner, son aiguille bloquée : nous passions au-dessus d'une anomalie de taille. La cible ne se trouvait pas dans le fleuve mais le long et, en partie, en dessous de la digue. En temps normal, une trentaine de centimètres d'eau recouvraient le secteur compris entre la jetée et la digue ; mais, à cette époque de l'année, le bas niveau du fleuve le laissait à découvert. Cela permit à Walt de sauter du canot et de promener le palpeur du gradiomètre le long de la base de la digue : je perçus sur l'enregistreur un signal prolongé.

Bien sûr, nous ne pouvions pas dire avec certitude qu'il s'agissait du *Manassas*, mais nous pouvions affirmer que c'était la seule cible importante dans le secteur où le navire était censé avoir coulé. Je marquai le site sur la carte en notant les repères sur l'autre côté de la digue, et notre journée s'arrêta là.

Le lendemain matin, nous traversâmes le fleuve et commençâmes à rechercher le cuirassé *Louisiane* juste au large du Fort St. Philip. Ce bateau monstrueux, l'un des plus grands construits dans le Sud, avec ses quatre-vingts mètres de long sur dix-neuf de large, et qui n'avait pu être terminé avant la bataille, avait été remorqué de La Nouvelle-Orléans et amarré à la berge un peu au-dessus du Fort St. Philip comme batterie flottante ; mais il n'apporta pas grand-chose à l'effort de la flotte de l'Union pour soutenir le feu roulant de l'artillerie et s'emparer de La Nouvelle-Orléans. Opérationnelles, ses machines auraient peut-être inversé l'issue du combat.

Quand les dés furent jetés, les confédérés mirent le feu à leur navire qui dériva jusqu'au fort d'où partit un tir nourri qui le déchiqueta. Dès la première heure de nos recherches, nous tombâmes sur une gigantesque anomalie : rien d'extraordinaire puisque, d'après le croquis qu'Alfred Waud, le célèbre peintre de la guerre de Sécession, publia dans le *Harper's Weekly,* le cuirassé avait explosé exactement à l'aplomb du Fort St. Philip. Sa masse repose sous l'actuel rivage dans une région marécageuse un peu en retrait du lit du fleuve et la vase s'est amassée autour d'elle. Chris Goodwin, une archéologue de La Nouvelle-Orléans, a procédé à un

99

examen détaillé du site et, à mon avis, a repéré exactement l'emplacement de l'épave.

Le troisième jour, nous fouillâmes le fleuve pour trouver deux autres navires qui avaient sombré au cours de la bataille, la canonnière confédérée *Governor Moore* et le *Varuna,* de l'Union, coulé par le *Moore :* celui-ci avait éperonné le *Varuna* puis tiré à travers sa propre étrave en ouvrant le feu par son sabord normal, et son canon avant aurait projeté son obus par-dessus son adversaire. Les deux bateaux s'étaient échoués à une centaine de mètres l'un de l'autre.

Nous repérâmes une cible importante au sud de la rive et près de l'endroit où avait accosté, pour éviter de couler, le *Varuna* avant de tomber sur le *Governor Moore*. L'épave était facile à identifier parce qu'une partie sortait de l'eau – les jeunes du pays l'utilisaient souvent comme plongeoir.

Walt et moi avions accompli tout ce qui pouvait l'être ; nous fîmes nos adieux à John et quittâmes à regret nos somptueux appartements pour regagner Baton Rouge où nous découvrîmes la dernière demeure du cuirassé confédéré l'*Arkansas*.

On me pardonnera, je l'espère, de ne pas donner les coordonnées exactes de nos cibles comme le ferait un archéologue professionnel. Toutefois, ce que j'ai indiqué suffit pour quiconque s'engage sur nos traces à retrouver les sites sans trop de mal.

Coût total de l'expédition ? 3 678,40 dollars. Qui dit mieux ?

Mais l'histoire du *Manassas* ne s'arrête pas là.

L'archéologue en chef du Génie militaire auquel je transmis mes archives passa un contrat avec l'université du Texas qui, l'année suivante, dépêcha Ervan Garrison et James Baker sur le site ; ils commencèrent leur travail avec un magnétomètre, un sonar latéral et un sondeur sédiments ; ma femme Barbara et moi assistions à l'opération. Les recherches confirmèrent la très forte anomalie que j'avais détectée ; elle couvrait un grand banc de sable qui s'était formé à cet endroit. Les données magnétométriques de plus de huit mille gamma et un fond fortement réfléchissant indiquaient qu'une masse identique à celle du *Manassas* était enfouie sous le sable là où les rapports de l'époque situaient le cuirassé. On retrouva aussi, juste en face du site et à moins de six mètres de profondeur, des canalisations d'acier de drague, trouvaille surprenante car Walt et moi n'avions enregistré aucune présence de métal ferreux loin de la berge.

Tout se déroulait donc de façon satisfaisante jusqu'au jour où Garrison et Baker remirent leur compte rendu à l'archéologue en chef du Génie. Il sauta au plafond et cria au scandale, refusant avec véhémence d'accepter un rapport qui, selon lui, ne prouvait rien.

Les braves universitaires – experts reconnus – étaient consternés. Une nouvelle lecture du rapport confirma ma première impression : je n'avais jamais eu entre les mains exposé plus complet ni plus concis. Je partageais tout à fait la stupeur de ses auteurs.

Le spécialiste local en archéologie sous-marine, dûment recruté pas son collègue du Génie pour procéder à un nouvel examen du site, mit un point final à notre défaite en proclamant à la télévision que l'anomalie magnétique ne provenait pas du *Manassas* mais de canalisations déversées là dans les années 1920.

Complètement insensé : notre cible se trouvait pratiquement sous la digue et non à six mètres de profondeur et dix mètres de la rive. Il s'agissait bien de canalisations mais d'où venaient-elles ? Le rejet par le Génie de l'étude magnétique réalisée par l'université me parut étrange. Ce mystère ne fut résolu que bien plus tard.

Je ne revins sur le site du *Manassas* que quinze ans plus tard. Ralph Wilbanks, Wes Hall, Craig Dirgo, Dirk Cussler et moi-même venions d'échouer dans la recherche de l'*Invincible*, un navire appartenant à la Marine de la république du Texas. Opérant à bord du *Diversity*, le bateau de Ralph, nous draguâmes un site au large de Galveston et repérâmes une épave sans pour autant l'identifier car nous n'avions pu en retirer aucun objet. Remorquant le *Diversity*, nous gagnâmes le delta du Mississippi.

Confiant dans les améliorations de la technologie magnétique et le professionnalisme de Ralph et Wes – bien supérieur à celui de Walt et au mien – je jugeai venu le moment de retourner sur le site du *Manassas*.

Nous mîmes à l'eau le *Diversity* à Venice et, Ralph tenant la barre, Wes et moi utilisant son magnétomètre dernier cri, nous commençâmes à examiner tranquillement la rive occidentale du Mississippi. Comme quinze ans auparavant, l'aiguille ne bougeait pas : il n'y avait donc pas d'épave en vue.

J'examinai avec soin le rivage en notant les repères sur l'autre berge ainsi que la cime d'un grand chêne non loin de là. Je remarquai aussi que le Génie avait déposé de gros rochers contre la berge.

Je m'apprêtais à prévenir mon équipe que nous allions pénétrer dans la zone quand Wes poussa un cri : le magnétomètre s'affolait.

— Que lis-tu ? demanda Ralph en faisant demi-tour.

— Onze mille gamma, murmura Wes, sidéré par une telle ampleur.

— Nous sommes entre les canalisations et le *Manassas*, expliquai-je.

Ralph remonta presque jusqu'à Fort Jackson avant de faire demi-tour et de procéder à un autre examen le long de la berge : près de la base de la digue, nouveau signal mais moins fort, puisque capté plus loin des canalisations immergées.

Aborder étant impossible – le fleuve, trop haut, recouvrait le banc de sable –, nous retournâmes à Venice d'où nous remorquâmes le *Diversity* jusqu'au site du *Manassas*. Le magnétomètre que nous promenâmes d'un bout à l'autre de la digue réagissait toujours mais moins fortement.

Après le dîner, nous nous reposions au bar de la marina de Venice quand un vieil homme de taille moyenne, visage hâlé et crinière de cheveux blancs peignée avec soin, nous offrit un verre. Il se présenta : retraité du Génie depuis quelques années, il vivait à Venice, juste à la sortie de la ville.

— C'est bien vous qui recherchez ce vieux cuirassé confédéré ? demanda-t-il.

— Tout juste, répondis-je.

— Je me souviens que des types le recherchaient, il y a pas mal de temps.

— C'était moi, il y a une quinzaine d'années.

— Vous vous êtes bien fait arnaquer par le rapport du Génie, pas vrai ?

— Arnaqué ? m'étonnai-je.

— Pour sûr ! Quand ils ont su que vous aviez découvert le *Manassas*, l'archéologue en chef et son patron ont ordonné de larguer par-dessus un tas de vieilles canalisations de drague. On peut dire qu'ils ont été secoués quand ces chercheurs du Texas ont dédaigné les bouts de tuyau pour se concentrer sur l'épave sous la digue.

— Vous voulez dire que ce largage a été fait après que nous avons repéré l'épave ? demandai-je, interloqué.

— Parfaitement.

— Mais pourquoi ?

— Le Génie projetait de renforcer la digue ouest. Or, si la commission archéologique de l'État avait appris l'existence d'une vieille épave, elle aurait décrété le site historique et interdit au Génie de balancer des tonnes de rochers par-dessus. C'est la raison pour laquelle on a flanqué au panier le rapport des Texans et commandé de nouvelles recherches qui concluraient à la présence non pas d'une épave, mais d'un tas de ferraille.

Tel un homme qui se réveille d'une anesthésie, je comprenais maintenant pourquoi on avait nié les conclusions d'un rapport pourtant très sérieux.

Le vieil homme et moi eûmes ce soir-là une longue conversation. Je ne devrais pas dire « le vieil homme » car nous avions à peu près le même âge. Je ne me souviens pas d'une soirée plus satisfaisante.

John Hunley et des Louisianais projettent aujourd'hui des fouilles sur le site pour vérifier la présence du *Manassas*. Si tel est le cas, on entreprendrait de le renflouer et de le restaurer en même temps que le sous-marin confédéré *Hunley*. Non seulement c'est le premier sous-marin construit en Amérique, mais c'est le premier à avoir vu le feu, devançant le combat entre le *Monitor* et le *Merrimack* de cinq mois.

Chaque année, l'archéologue en chef et moi échangions nos vœux. La dernière carte que je lui envoyai commençait par : « Espèce de salaud ! » et se poursuivait par un résumé laconique de l'histoire rapportée par le vieux retraité du Génie.

Je n'ai plus jamais eu de ses nouvelles.

Quatrième partie

U S.S. *Mississippi*

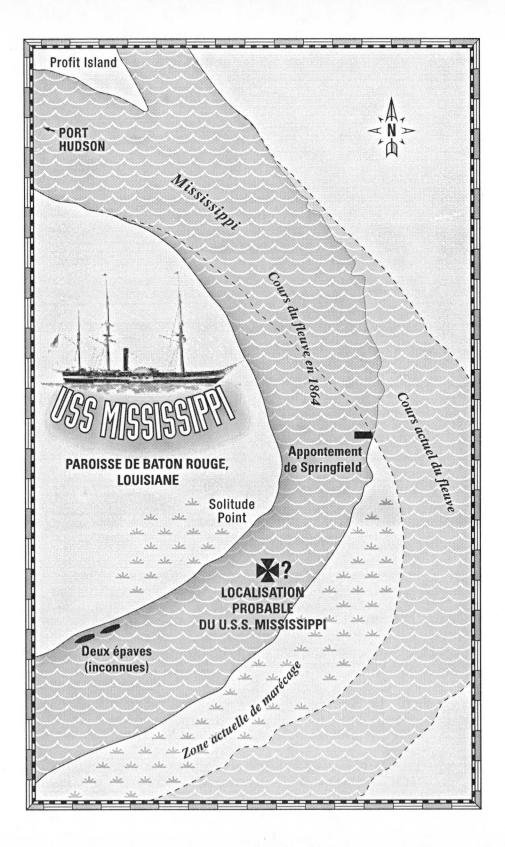

Profit Island

PORT
HUDSON

Mississippi

Cours du fleuve en 1864

Cours actuel du fleuve

USS MISSISSIPPI

PAROISSE DE BATON ROUGE,
LOUISIANE

Appontement
de Springfield

Solitude
Point

?

LOCALISATION
PROBABLE
DU U.S.S. MISSISSIPPI

Deux épaves
(inconnues)

Zone actuelle de marécage

I

Une fin superbe

1863

Des hauteurs de Port Hudson dominant de vingt-cinq mètres le Mississippi, les batteries confédérées avaient tenu toute cette journée du 14 mars 1863 sous le bombardement de la flotte fédérale, et la nuit tombait maintenant dans un calme étrange. A trente kilomètres en amont de la capitale de la Louisiane, Baton Rouge, un petit appontement était aménagé sur une falaise abrupte surplombant un coude de la rivière qui s'orientait brusquement vers l'ouest. Une plage étroite bordait le précipice, envahie de saules et de peupliers qui permettaient de mettre à couvert une batterie de deux canons.

Le major général Franklin Gardner contemplait dans le ciel obscur les étoiles qui se reflétaient dans le courant rapide du fleuve. New-Yorkais de naissance, il avait servi lors de la guerre du Mexique et combattu les Indiens sur la frontière. Il avait proposé ses services à la Confédération par amour pour sa femme, la fille d'Alexandre Mouton, gouverneur de Louisiane, et par affection pour les amis et voisins qu'il s'était faits après des années de résidence à Baton Rouge.

Port Hudson constituait un point stratégique important. Les confédérés avaient fortifié les falaises et effectué d'importants travaux de terrassement qui leur assuraient le contrôle de la rivière Rouge aussi bien que du Mississippi. Aussi longtemps qu'il tiendrait la rivière Rouge, troupes et provisions pourraient être acheminées du Texas par le Mexique jusqu'à la

Confédération. Gardner avait pour consigne de résister à tout prix aux assauts des troupes de l'Union commandées par le général Nathaniel Banks ; il s'en acquitterait quarante-huit jours durant jusqu'à sa capitulation la première semaine de juillet.

Agé d'une quarantaine d'années, mince, de taille moyenne et les cheveux roux clairsemés, Gardner scruta l'obscurité un moment.

— J'ai l'impression que Farragut arrivera avant l'aube, déclara-t-il en reposant ses jumelles.

Le lieutenant Wilfred Pratt de la Compagnie K, qui commandait la batterie voisine, la gueule du canon pointée vers le milieu du fleuve, acquiesça :

— Ça ne m'étonnerait pas que ces sournois de Yankees tentent leur chance au lever du jour, pendant qu'il fait encore sombre.

— La bataille devrait présenter beaucoup d'intérêt, murmura Gardner, après s'être assuré que ses dix-huit pièces étaient bien dissimulées et prêtes à l'action.

Ses sept mille hommes et lui-même seraient bientôt encerclés et assiégés par une armée de l'Union, tout comme leurs camarades de Vicksburg à cent quatre-vingts kilomètres en amont. Deux positions d'une importance vitale pour la Confédération car elles rendaient trop hasardeuse – et trop coûteuse en navires et en hommes – toute tentative par les canonnières et les transports de troupes de l'Union pour forcer le passage.

Gardner reprit ses jumelles.

— Quelle heure avez-vous ?

Le lieutenant Pratt tira de sa poche de gousset une montre au bout d'une chaîne en or, craqua une allumette et regarda le cadran.

— Vingt-deux heures cinquante-sept, Monsieur.

Il finissait à peine sa phrase que deux fusées rouges jaillirent dans le ciel nocturne, brisant le silence en éclatant au-dessus du fleuve. Le capitaine Whitfield Youngblood, du service des transmissions, avait en effet ordonné le lancement des roquettes car il venait de repérer le fanal rouge accroché au grand mât du *Hartford*, le navire amiral de Farragut qui passait devant son mouillage. Les Confédérés ne furent ni surpris ni déçus : leurs dix-huit gros canons se mirent à gronder et à cracher le feu dans un assourdissant crescendo de coups de tonnerre qui semblaient ne jamais devoir cesser.

Fascinés, Gardner et Pratt regardèrent la flotte de l'Union remonter lentement le fleuve, les coques noires se confondant avec les eaux sombres du Mississippi. Le vacarme s'intensifia lorsque les cent douze pièces de la flotte de l'Union, celles du cuirassé *Essex* et les mortiers flottants amarrés le long de la rive est ripostèrent. Les grands obus de mortier de treize pouces, tels des météores, s'élevaient pour retomber au milieu des fortifications confédérées. Le ciel devenait le théâtre d'un gigantesque feu d'artifice. Le sol tremblait et vibrait comme ébranlé par un séisme. Les flammes jaillissaient de la gueule des canons ; elles étaient à peine éteintes que les servants enfournaient de nouvelles charges pour déclencher la salve suivante.

Bientôt la fumée devint si épaisse que les artilleurs des deux camps ne se repérèrent que d'après les éclairs des canons ennemis. Les tireurs d'élite confédérés ajoutaient encore au fracas de la fusillade en cherchant à abattre les équipages des navires.

— Ça ne va pas être facile de dépasser le coude, annonça le pilote de Farragut. (George Alder scruta l'eau noire qui bouillonnait le long de la coque, puis lança un coup d'œil inquiet à la canonnière amarrée à bâbord.) Surtout attaché à l'*Albatross* et contre un courant de quatre nœuds.

— Le courant est le cadet de mes soucis. Je ne vous demande qu'une seule chose : maintenez-nous au milieu du fleuve.

L'amiral David Glasgow Farragut, Écossais courageux et toujours souriant, demeurait imperturbable, aussi inébranlable qu'un roc battu par le ressac. Il avait donné de lui cette image lors de la bataille de La Nouvelle-Orléans, et la donnerait encore à Mobile Bay – qui lui assurerait en outre la célébrité – en ignorant les mines confédérées qui avaient détruit l'une de ses vedettes et en ordonnant : « Au diable les torpilles ! En avant toute ! »

Contrairement au général Gardner, Farragut venait du Sud. Bien que né dans le Tennessee, élevé en Louisiane et habitant la Virginie, il était tout dévoué aux États-Unis. Après avoir installé sa famille dans le Nord, il avait rallié l'Union qui lui avait confié le commandement de l'escadre assurant le blocus du golfe.

Après sa grande victoire devant La Nouvelle-Orléans, il était bien décidé à faire remonter sa flotte jusqu'à Vicksburg pour apporter son aide au général Grant qui assiégeait la ville. Farragut se retourna et inspecta les navires qui s'alignaient derrière le *Hartford :* d'abord la frégate *Richmond,* la canonnière *Genesee* à son côté, puis la frégate *Monongahela* amarrée à la canonnière *Kineo*, et enfin la « vieille toupie », la frégate *Mississippi* ainsi surnommée affectueusement à cause de ses antiques roues à aubes.

Des balles sifflaient dans les gréements : les rebelles, gênés par la fumée, tiraient trop haut et ne causaient pas grands dommages à l'équipage du *Hartford*. Fort de ses quarante-deux pièces, le navire fonçait dans la fumée et était presque sorti du cœur de la mitraille lorsque le courant l'entraîna, braquant l'étrave vers les batteries de Port Hudson.

— Foutu courant ! s'exclama Alder. Je n'arrive pas à le contrer.

On cria au capitaine de l'*Albatross* de renverser la vapeur tandis que le chef mécanicien du *Hartford* forçait les machines pour foncer en avant toute. Les deux navires décrivirent lentement un angle de quatre-vingt-dix degrés et se retrouvèrent hors de portée des redoutables canons.

Farragut admit avec sagesse que le *Hartford* et l'*Albatross* avaient eu de la chance. Les confédérés n'avaient pas assez abaissé leurs canons pour endommager les navires de l'Union, mais ils ne répéteraient pas leur erreur quand les prochaines unités arriveraient à portée de tir.

— J'ai bien peur que le reste de la flotte ne connaisse de sérieux problèmes, dit-il avec appréhension en voyant débuter sur la rive ouest l'incendie d'une vieille maison, déclenché à coup sûr par les confédérés pour éclairer le fleuve et par là même la flotte de l'Union.

Le *Mississippi*, dernier navire du convoi et doyen des vapeurs de la marine, préoccupait beaucoup Farragut. Tel un ancien combattant endurci, il avait révélé sa valeur en passant devant les forts en aval de La Nouvelle-Orléans, mais quand, à son tour, il affronterait le feu, les artilleurs confédérés auraient eu le temps de donner à leur tir une précision redoutable, et il serait le navire le plus exposé de toute la flotte.

En presque deux cent cinquante années d'existence, la Marine américaine peut se prévaloir d'un nombre significatif de navires glorieux donc certains, comme le *Bonhomme Richard*, le *Monitor*, l'*Arizona* et l'*Enterprise,* sont devenus légendaires. Pourtant bien d'autres, à la carrière tout aussi remarquable, ont été négligés et oubliés par la quasi-totalité des historiens de marine : le U.S.S. *Mississippi* en fait partie.

Deuxième des vapeurs armés de la Marine destinés à la navigation en mer, le *Mississippi* fut mis en service le 22 décembre 1841, peu avant son navire-jumeau, le *Missouri*. Le commodore Matthew C. Perry en surveilla lui-même la construction et on lui donna le nom du puissant fleuve qui traversait le cœur du pays.

Le *Mississippi,* vapeur à aubes latérales, mesurait soixante-dix mètres de long sur douze de large, avec un tirant d'eau de six mètres. Sa batterie comprenait deux canons de dix pouces et huit de huit pouces. Il pouvait atteindre la vitesse honorable de huit nœuds et comptait un équipage de deux cent quatre-vingts hommes. Contrairement à son jumeau, le *Missouri,* qui ne navigua que deux ans avant d'être victime d'un incendie et d'exploser au large de Gibraltar en 1843, le *Mississippi* connut une longue et glorieuse carrière, même s'il finit par subir le même sort.

Il commença par prendre part aux recherches et aux expériences indispensables à l'évolution des navires de guerre à vapeur, puis il mit le cap sur les Antilles pour devenir le navire amiral de son constructeur, le commodore Perry. Arrivant ainsi à point nommé pour participer à la guerre contre le Mexique, il fut engagé dans des actions contre Tampico, Panuco,

Alarado et plusieurs autres ports où il assura le blocus des importations. Il joua également un rôle capital dans les opérations amphibies de Veracruz en débarquant du matériel militaire vital pour l'armée de Winfield Scott. Il fournit aussi les gros canons et leurs servants qui, poussant jusqu'à Mexico dont ils bombardèrent les fortifications, acculèrent la ville à la capitulation en quatre jours. Durant presque toute la guerre, le *Mississippi* entreprit une série de raids sur les villes côtières avant d'aider à la capture de l'importante cité de Tobasco.

Après la guerre, il croisa pendant deux ans avec la flotte américaine en Méditerranée puis regagna l'Amérique où se préparait la célèbre expédition au cours de laquelle le commodore Perry allait ouvrir le Japon au commerce occidental. Durant cette opération navale et diplomatique qui compte parmi les mieux étudiées et les plus admirées de l'histoire, Perry négocia un traité avec l'empereur, et la nation, d'abord farouchement opposée à toute influence extérieure, ouvrit ses ports au commerce international.

Le *Mississippi* regagna ensuite New York; plus tard, il devint le navire amiral du commodore Josiah Tatnall qui « passa au Sud » au début de la guerre de Sécession et qui commandait le *Merrimac/Virginia* lors de son long combat avec le *Monitor*.

De 1857 à 1860, le navire vieillissant soutint et protégea le développement du commerce américain en Chine et au Japon. Il se tenait aussi aux côtés des navires britanniques et français lors de l'attaque de Taku et il débarqua ses fusiliers marins à Shanghai quand le consul américain demanda l'assistance de Tatnall pour réprimer les émeutes dans la ville.

Le vieux vapeur regagna Boston où on le désarma; il fut réactivé pendant la guerre de Sécession sous le commandement de Melancthon Smith et contribua au blocus de Pensacola, en Floride. Après avoir capturé deux forceurs de blocus confédérés au large de Key West à la fin de 1861, il rejoignit les forces de l'amiral David Farragut pour mener l'assaut contre La Nouvelle-Orléans et franchit la barre de la passe Sud, devenant ainsi le plus gros navire à avoir jamais pénétré sur le Mississippi.

Pendant que la flotte de Farragut essuyait le feu croisé de Fort St. Philip et de Fort Jackson, le *Mississippi* mettait en pièces – je l'ai rapporté plus haut – le cuirassé confédéré *Manassas* qui avait vainement tenté de l'éperonner et de le couler. Échappant aux balles et aux obus, le *Mississippi* fit une entrée triomphale à La Nouvelle-Orléans avec le reste de la flotte et braqua ses canons sur les bâtiments de la rive jusqu'à la capitulation de la ville.

Près d'un an après, Farragut donna le commandement du *Mississippi* à Smith avec pour mission de rejoindre les navires qui allaient tenter de gagner Vicksburg malgré les canons confédérés de Port Hudson, pour prêter assistance au général Grant qui assiégeait la ville. La bataille des falaises lui apporterait son ultime heure de gloire.

Au moment précis où le *Richmond*, le deuxième navire de la flotte, franchissait le coude du fleuve et ne se trouvait plus qu'à une centaine de mètres du salut, un obus fit irruption dans sa chambre des machines, fracassant soupapes et canalisations. Incapable de maintenir la pression et d'avancer avec le *Genesee* arrimé à son bâbord, le commandant n'eut d'autre solution que de faire machine arrière et de battre en retraite hors de portée des canons confédérés.

Le *Monongahela* ne connut pas un sort meilleur : un projectile tomba à l'arrière du *Kineo*, la canonnière qui l'escortait, et mit le gouvernail hors service. Le courant entravait toute manœuvre et le *Monongahela* s'échoua, avec une telle violence que les deux navires furent désolidarisés. Bien que soumis à un feu redoutable, le *Kineo* lutta vaillamment : il lança une aussière sur la grande frégate qu'il dégagea du banc de vase. La frégate et la canonnière reprenaient leur route à contre-courant quand un obus saccagea les machines du *Monongahela*, les contraignant à dériver dans le courant sous le feu nourri des batteries ennemies.

Isolé et dernier du convoi, le *Mississippi* devint la cible sur laquelle les confédérés concentrèrent leur tir.

Le capitaine Melancthon Smith arpentait la passerelle en fumant tranquillement un cigare sans paraître se soucier ni des nuages de fumée ni des projectiles qui pleuvaient sur son navire. Les roues à aubes du *Mississippi* battaient l'eau et réussirent à lui faire dépasser presque indemne les falaises. De huit nœuds, sa vitesse était tombée à quatre – à peu près celle du courant – donnant à l'équipage qui chargeait furieusement les pièces une idée de l'éternité.

Ils progressaient avec lenteur, et le pilote tâtonnait, au vrai sens du terme, dans la fumée épaisse. Une fois franchis la pointe de la rive ouest et ses hauts-fonds, le pilote se croyant en sécurité ordonna :

— La barre à tribord ! En avant toute !

Le second du *Mississippi*, George Dewey, raconta plus tard : « En fait, nous n'avions pas du tout franchi la pointe. Au contraire, en virant à tribord nous foncions droit dedans et nous heurtâmes les hauts-fonds, juste au moment où nous prenions de la vitesse. Nous étions bel et bien échoués et nous donnions de la bande. »

Dewey deviendrait plus tard le héros de Manila Bay où sa flotte de navires de guerre décima la flotte espagnole et c'est lui qui prononça ces paroles que l'histoire navale attribuerait à John Paul Jones : « Je n'ai pas encore commencé à me battre », à Oliver Hazard Perry : « Nous avons rencontré l'ennemi et nous le tenons » ou encore à James Lawrence :

« N'abandonnez pas le navire. » Avant que la grande bataille navale de la guerre hispano-américaine ne commence, Dewey se tourna vers le commandant de son navire amiral, l'*Olympia,* et dit calmement : « Vous pourrez ouvrir le feu quand vous serez prêt, Gridley. »

Dewey était un bel homme avec des cheveux noirs et raides, des favoris touffus et une grande moustache qu'il conserva jusqu'à sa mort en 1917.

Malgré ces machines qui fournissaient toute la vapeur que le chef mécanicien parvenait à leur arracher et les roues à aubes qui fouettaient l'eau, le vieux *Mississippi* tonnant de tous ces canons refusait de bouger. Les confédérés se firent un plaisir de profiter de cette cible immobile éclairée par l'incendie de la maison et ils déversèrent une grêle d'obus et une pluie de balles à partir des postes de tir. Le navire s'efforçait désespérément de s'arracher au banc de sable, alors que le nombre des victimes augmentait dans des proportions terrifiantes.

Dewey partit à la recherche du capitaine Smith et le trouva en train d'allumer un cigare, aussi paisible que s'il assistait à une garden-party.

— Ma foi, il me semble que nous ne pourrons pas nous dégager, observa Smith d'un ton presque indifférent.

— En effet, répliqua Dewey.

Là-dessus, un obus encore rougeoyant s'enfonça dans la soute avant et mit le feu à tout le matériel inflammable. L'incendie échappa bientôt à tout contrôle et les flammes atteignirent les ponts supérieurs. Évaluant les dégâts et voyant son navire mortellement blessé, Smith dut affronter la triste perspective de le perdre.

— Pouvons-nous sauver l'équipage ? demanda-t-il à Dewey.

— Certainement, Monsieur.

Des obus avaient fracassé les trois canots du bord faisant face à l'ennemi, mais ceux de bâbord pouvaient encore naviguer. Dewey confia à des marins valides le transfert des blessés les plus graves dans l'un des navires en aval et attendit, pour évacuer les plus légers, le retour de la chaloupe ; mais, à sa grande exaspération, elle tardait à revenir : les rameurs ne tenaient manifestement pas, une fois atteint le refuge provisoire des autres navires, à faire le trajet de retour. Dewey lança donc une amarre sur un canot rempli de matelots qui s'apprêtaient à prendre le large et, aidé de son second, Joseph Chase, menaça les hommes de son revolver pour les obliger à revenir.

Si Dewey, malgré sa répugnance à abandonner son navire, n'avait pas sauté dans l'embarcation, il n'y aurait eu personne pour procéder au sauvetage des derniers membres de l'équipage du *Mississippi*.

De retour sur le pont principal, Dewey s'approcha de Smith et lui expliqua rapidement son absence temporaire : les deux canots vides ne se trouvaient là que grâce à son initiative.

— Assurons-nous qu'il ne reste aucun survivant à bord, répondit Smith sans se départir de son calme.

Cette fouille indispensable se transforma en cauchemar. Dewey désigna cinq hommes pour l'accompagner dans les flancs du navire désemparé et examiner les corps dans l'obscurité et la fumée, cherchant la moindre étincelle de vie pour ne pas condamner un malheureux incapable de bouger à périr dans les flammes qui gagnaient du terrain.

Ils descendirent dans les cales avertissant de l'urgence d'abandonner le navire. Ils eurent la chance de découvrir un jeune garçon de cabine qui respirait encore mais qui se trouvait enseveli sous un amoncellement de cadavres décimés par la mitraille. Smith, une fois assuré qu'il ne restait que des morts à bord, ordonna à Dewey de veiller à ce que le vieux *Mississippi* fût entièrement détruit avant de tomber entre les mains des confédérés.

Dewey se précipita alors dans sa cabine, arracha le matelas de sa couchette et le traîna jusqu'au carré des officiers où il l'éventra avec son épée de cérémonie et le recouvrit de chaises et de tables ; lançant dans ce tas une vieille lanterne à huile, il alluma un feu qui se propagea aussitôt. Sa mission accomplie, il gagna avec les quelques hommes restés à bord le dernier canot de sauvetage où avait pris place le commandant Smith.

Ils poussèrent pour s'éloigner des roues à aubes et furent aussitôt emportés par le puissant courant hors de portée des canons confédérés. A la vue du gigantesque torrent de flammes qui illuminait la verrière du carré, les rebelles, du haut des falaises dominant le fleuve, clamèrent leur victoire.

La flotte de Farragut avait frôlé le désastre total.

La chaloupe trouva refuge auprès du *Richmond* qui, ancré à l'abri en aval du fleuve, portait les traces de la bataille.

— Pourquoi avez-vous fait cela ? demanda Dewey à Smith. (Durant le trajet, Smith avait jeté par-dessus bord son épée et ses revolvers.)

— Je ne les livrerai pas à un rebelle, déclara-t-il fièrement. (Décision précipitée qu'il ne tarderait pas à regretter.)

Un incident amusant égaya l'arrivée des hommes du *Mississippi* sur le *Richmond*. Pendant que Dewey mettait le feu au carré du navire condamné, l'enseigne Dean Batcheller avait attrapé une tunique d'uniforme de cérémonie accrochée dans la cabine qu'il partageait avec Francis Shepard – les autres, Smith et Dewey compris, avaient quitté le navire avec les vêtements qu'ils portaient.

— Au moins, je pourrai me présenter dignement devant les dames de La Nouvelle-Orléans, se flatta Batcheller en exhibant la tunique.

— Le problème, Batcheller, c'est qu'il s'agit de *mon* manteau, précisa Shepard en souriant après examen du vêtement.

Dewey fut accueilli par un vieil ami, un ancien collègue de l'Académie navale d'Annapolis, Winfield Scott Schley. Chacun s'illustrerait de son côté et presque simultanément, Schley à la tête de la flotte qui anéantirait les Espagnols au large de Santiago, à Cuba, et Dewey dans les Philippines.

Cependant, le fleuve s'engouffrait dans le *Mississippi* désemparé, profitant de la destruction des canalisations de la salle des machines par l'équipage avant l'abandon du navire. La proue étant légèrement dressée, l'eau qui pénétrait s'écoulait vers l'arrière, créant un surcroît de poids qui souleva l'étrave et permit au bateau de se dégager du banc de sable ; le courant le fit pivoter, l'étrave pointée en aval. Les canons de bâbord qu'on avait chargés mais qui n'avaient pas tiré faisaient maintenant face aux confédérés ; les flammes atteignirent leurs amorces et déclenchèrent une bordée désordonnée, ultime geste de défi. Dewey décrivit la scène avec solennité : « Ce navire dont l'équipage se composait de cadavres tirait encore sur l'ennemi. »

Enveloppé dans un rideau de feu qui faisait rage, le *Mississippi* fut entraîné en aval par un courant de quatre nœuds. Le sifflement de la vapeur jaillissant par les soupapes de sûreté dominait le fracas de la canonnade. Des flammes s'attaquèrent aux gréements et s'élancèrent dans le ciel nocturne ; un flamboiement orange illuminait les deux rives comme en plein jour. Le *Mississippi,* ardente pyramide flottante, offrait à ses morts restés à bord un bûcher d'honneur. Les fédéraux et les rebelles qui virent le *Mississippi* glisser dans la nuit gardèrent ce tableau à jamais gravé dans leur mémoire.

Chacun des deux camps, en tout cas, relata les faits à peu près de la même façon : la frégate se dégagea du banc de sable à trois heures du matin et dériva autour de Profit Island ; sa coque enflammée se refléta sur le ciel jusqu'à cinq heures trente, instant où l'incendie atteignit les vingt tonnes de poudre de son magasin ; le navire sauta alors dans une formidable explosion ressentie à des kilomètres à la ronde, ébranlant la flotte de l'Union de bout en bout. Ainsi finit le vaillant vapeur à aubes dans le fleuve qui, après lui avoir donné son nom, lui offrait maintenant sa dernière demeure.

On doit à Dewey lui-même le plus grand hommage rendu au *Mississippi ;* debout sur le pont du *Richmond,* le visage impassible mais rongé de tristesse, il déclara en le regardant mourir :

— Quelle fin magnifique !

II

Rien ne reste jamais pareil

1989

C'est particulièrement vrai des fleuves et de leurs berges. Mis à part le Colorado qui s'écoule dans le Grand Canyon selon le même tracé depuis des milliers d'années, la plupart des cours d'eau, et notamment le Mississippi, voient leur lit changer de jour en jour. Le *Sultana*, bateau de navigation fluviale, évoqué dans le premier *Chasseur d'épaves*, brûla et coula à quelques kilomètres au-dessus de Memphis en 1865, entraînant avec lui deux mille vies. Notre magnétomètre situa ses vestiges à trois kilomètres du cours actuel, par près de six mètres de fond, dans un champ de soja de l'Arkansas!

L'endroit où repose la vaillante frégate *Mississippi*, ignorée et oubliée depuis cette horrible nuit de 1863, ne se trouve pas non plus dans l'actuel chenal de la rivière. Là où l'on a vu pour la dernière fois le *Mississippi,* le fleuve s'est déplacé de plus d'un kilomètre et demi à l'ouest, laissant place à un immense marécage.

Choqué qu'on abandonnât le *Mississippi* à ses ténèbres, je résolus de rédiger un jour une épitaphe digne de lui. Encore fallait-il le retrouver. Donc, ayant terminé la rédaction de nouvelles aventures de Dirk Pitt, je rangeai mon bureau et entamai les préparatifs.

Aidés de Bob Fleming, documentaliste de Washington qui passa les archives au peigne fin, nous accumulâmes une montagne de papiers que nous finîmes par réduire à une pile de vingt-cinq centimètres de haut. Puis ce furent les premières enquêtes destinées à estimer l'emplacement approximatif du *Mississippi*, sans perdre de vue toutefois la possibilité que l'épave avait été relevée. Heureusement, les archives navales ne révélèrent aucune tentative de ce genre, d'ailleurs impossible il y a cent quarante ans à cause de la profondeur ; un rapport précisait en effet que le navire avait explosé au beau milieu du chenal et coulé en eaux profondes, c'est-à-dire à vingt-cinq ou trente mètres, ce qui interdisait, à l'époque, toute opération de renflouage.

Comme aucun des rapports contemporains ne donnait la moindre idée du site exact du naufrage, ni aucune distance par rapport à des repères terrestres existant encore, il nous fallut baser nos recherches sur l'élément temps. Les comptes rendus établis aussi bien par l'Union que par les confédérés affirmaient que le navire avait glissé du banc de sable à trois heures et dérivé deux heures et demie durant, avant d'exploser à cinq heures trente. Connaissant la vitesse du courant, quatre nœuds, je n'eus guère de mal, malgré mes piètres talents de mathématicien, à calculer que le *Mississippi* avait parcouru entre dix et onze milles avant de sombrer.

Certaines sources confédérées situaient le lieu de l'explosion à proximité des restes du cuirassé *Arkansas*, sabordé par son équipage quelques mois auparavant. Or nous l'avions découvert huit ans plus tôt sous une digue à seize milles en aval de Port Hudson près du coude précédant le passage du fleuve vers Baton Rouge.

Cette distance de dix milles correspondait aux références contemporaines. La biographie de Farragut rédigée par Spears affirme que le bateau « arrivait au pied de Profit Island quand l'incendie gagna son magasin de munitions et le fit sauter ».

A.J.C. Kerr, un ancien combattant confédéré de Corsicana, Texas, déclara plus tard dans ses Mémoires que « le *Mississippi* avait sauté à dix milles en aval de Port Hudson ».

Le journal de bord du *Richmond* précisait de son côté que « le *Mississippi* a dérivé dans le courant et sauté à dix milles derrière nous ».

George S. Waterman rapporta : « Le *Mississippi* a dérivé dans le courant sur une brève distance en aval de la flotte quand le feu a atteint son magasin. »

Il existe enfin un croquis annoté du fleuve et des emplacements de batteries à Port Hudson par William Waud, le peintre de guerre qui se trouvait à bord du *Richmond* : « Une épaisse fumée emplit l'air. Le *Mississippi,* dérivant en flammes, explose près de la jetée. »

Cette dernière précision aurait constitué un excellent point de référence si, en 1863, il n'y avait eu au moins six jetées sur cette portion du fleuve. De toute façon, Waud ne précisait pas ce qu'il entendait par « jetée ». L'appontement de Springfield était le plus près du site proposé. En outre, deux épaves de la même époque étaient indiquées sur la vieille carte, l'une

118

au-dessus de l'autre, sur la rive ouest en aval du coude du fleuve. Comme il s'était écoulé plus d'un siècle, le marais qui ne cessait de s'étendre les avait recouvertes et avait laissé leurs débris à un bon demi-mille de l'actuel lit du fleuve. Nous ne tînmes pas compte de ces épaves à cause de leur anonymat et parce qu'elles semblaient s'être échouées ; s'il s'était agi du *Mississippi*, le cartographe l'aurait très probablement indiqué.

Restait maintenant à superposer un relevé récent de l'actuel lit du fleuve à une carte de 1868. Grâce à cette comparaison, nos calculs situèrent le *Mississippi* à près d'un quart de mille à l'ouest dans un vaste marécage baptisé Solitude Point.

Le coude de Springfield, nom de ce secteur, s'était déplacé vers l'est. Indice encourageant certes mais chances malgré tout bien minces.

Ayant approfondi la question autant que faire se pouvait, nous décidâmes qu'il était temps de rassembler notre équipement et de mettre le cap sur la Louisiane.

Craig Dirgo et moi arrivâmes à Baton Rouge en mai 1989 ; le shérif de Baton Rouge Ouest nous prêta aussitôt son merveilleux petit canot d'aluminium et nous offrit l'assistance d'un adjoint et de son gendre. Nous mîmes l'embarcation à l'eau par un jour brûlant et humide sous un ciel parfaitement dégagé. Comptant sur le sonar de la NUMA et le gradiomètre Schonstedt pour repérer une cible prometteuse, nous partîmes pleins d'espoir tout en nous attendant au pire et bien décidés à nous contenter d'un résultat intermédiaire.

Nous commençâmes à inspecter le fleuve à treize milles en aval de Port Hudson, puis nous remontâmes au nord au-delà de Profit Island, qui n'a guère changé au cours des cent dernières années, jusqu'à six milles de l'endroit où le *Mississippi* s'est échoué et a commencé à dériver. On m'avait dit que le Génie avait examiné cette partie du fleuve et relevé plusieurs anomalies importantes. Pourtant nous ne trouvâmes absolument rien qui ressemblât de près ou de loin à une épave ou qui méritât des recherches plus poussées. Une carte des années 1880 avait beau signaler une épave contre la rive est, nous n'en décelâmes pas la moindre trace ; selon les archives, elle aurait vraisemblablement été draguée il y a bien longtemps.

La chaleur tropicale du Sud et le taux d'humidité de cent pour cent faillirent avoir la peau de Craig. Pas la moindre brise pour rafraîchir la sueur qui ruisselait de nos pores ; l'atmosphère était accablante. On s'imagine souvent que l'air est plus frais sur l'eau quand il fait chaud : ce n'est pas toujours vrai, je peux vous l'affirmer. Un petit bateau n'offre pas beaucoup d'ombre et l'eau surchauffée peut faire monter encore le degré d'humidité sans qu'il y ait la moindre promesse de pluie dans un ciel sans nuage.

Le marais de Solitude Point n'est pas seulement très vaste, il est infranchissable. Impossible d'y marcher, d'y patauger ou d'y nager, encore moins d'y pénétrer avec un scooter des mers. Détail intéressant, la carte de 1836 ne le signale pas ; on ne l'avait pas encore découvert. Depuis lors, on y a procédé à des forages pétroliers et des pipelines le traversent, tels des pattes d'araignées dont trois remontent le fleuve vers le nord.

Faute de pouvoir procéder à des relevés magnétiques depuis la surface de l'eau, je m'adressai à Joe Phillips de la société World Geoscience à Houston, Texas, pour effectuer un examen aéromagnétique par hélicoptère. Ce qu'il fit en août 1999 à bord d'un Bell 206 Ranger équipé d'un magnétomètre à vapeur Scintrex, d'un système d'acquisition numérique Picadas et d'un système de navigation GPS.

Suivant des bandes de vingt-cinq mètres de large à une altitude de moins de trente mètres, ils repérèrent sans mal le champ pétrolier à l'ouest de la pointe ; de même pour les deux bateaux échoués un peu en aval, en s'attachant particulièrement au trajet de la rivière en 1864. Puis, presque exactement aux dix milles prévus et au milieu de l'ancien lit du fleuve, une vaste anomalie apparut sur l'enregistrement du magnétomètre. La cible se situait à douze cents mètres à l'intérieur du marécage en partant de la rive ouest, et tout près de la jetée de Springfield disparue depuis longtemps et mentionnée par le peintre Waud. Autre indice encourageant : le profil informatisé du *Mississippi* montrant une énorme masse métallique avec sans doute canons, obus, ancres et des tonnes de matériel.

S'agissait-il du *Mississippi* ? Tant que nous ne pouvions pas le toucher, il était prématuré d'ouvrir une bouteille de champagne.

Voilà à peu près jusqu'où pouvaient nous mener nos recherches. Nous rangeâmes nos palpeurs, emballâmes notre équipement et nous dirigeâmes vers un restaurant cajun. Nous ne pouvions faire plus, laissant aux archéologues, historiens et chasseurs d'épaves de l'avenir le soin de sonder les profondeurs de cet abominable marécage.

Ce serait fascinant d'explorer l'épave du *Mississippi* puisque personne ne l'a récupérée et que, malgré les dégâts causés par l'explosion, elle semble plutôt préservée. Malheureusement se livrer à ce genre de recherches par plus de vingt-cinq mètres de profondeur au beau milieu d'un marécage apparaît d'une difficulté insurmontable.

Il est probable que le *Mississippi* restera longtemps encore, peut-être pour l'éternité, sous les eaux de Solitude Point. Sait-on jamais : c'est peut-être préférable.

Cinquième partie

Le siège de Charleston :
le *Keokuk,* le *Weehawken* et le *Patapsco*

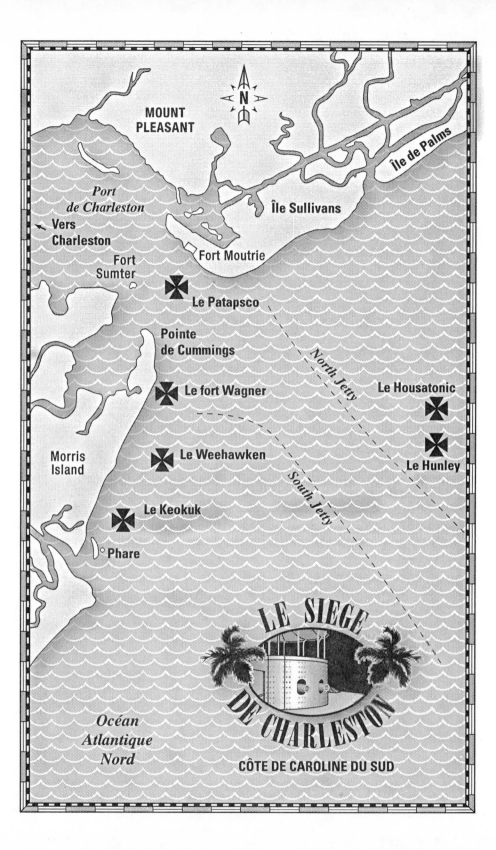

I

Le berceau de la Sécession

1863 – 1865

Le contre-amiral Samuel F. DuPont scrutait l'horizon. L'étrave de son navire, le *New Ironsides*, une frégate puissamment armée, était braquée vers Charleston. A tribord l'île Sullivans, à bâbord Morris Island et la pointe de Cummings.

L'objectif de DuPont se trouvait droit devant : Fort Sumter.

Massive forteresse de briques et de ciment s'élevant à douze mètres au-dessus de l'eau, Fort Sumter occupait une petite île au large de Charleston. C'était l'une des premières installations fédérales dont s'étaient emparés les confédérés. C'était aussi le témoignage le plus visible du défi lancé par le Sud aux citoyens des Etats-Unis : Sumter avait essuyé les premiers coups de feu de la guerre de Sécession.

DuPont tourna la tête et regarda sa flotte.

Alignés sur l'eau d'ouest en est, le *Keokuk,* le *Nahant,* le *Nantucket,* le *Catskill*, son vaisseau, le *New Ironsides*, puis le *Patapsco,* le *Montauk,* le *Passaic* et le *Weehawken,* formaient une impressionnante armada chargée d'une mission délicate.

Cuirassés – progrès récent pour la flotte, un peu dépassée, de l'Union –, ils fonctionnaient à la vapeur et non à la voile. Mais, malgré ces améliorations techniques, on leur avait confié une tâche aussi vieille que la guerre navale : concentrer le feu nourri de gros canons sur une cible éloignée.

Pour s'acquitter de cette mission, DuPont dirigeait la plus puissante escadre jamais rassemblée.

A.C. Rhind, commandant du *Keokuk*, regardait par le hublot avant de son bâtiment, le plus à l'ouest et le dernier de la longue file. La marine de l'Union avait reçu livraison de ce bateau expérimental le 24 février 1863.

Sa conception différait de celle des sept autres cuirassés de la classe *Passaic*. Le *Keokuk*, avec son pont supérieur arrondi comme celui d'une baleine, était loin d'avoir la silhouette en lame de rasoir des monitors : à chaque extrémité, une paire de tourelles blindées semi-coniques encadrant une cheminée courte ; au milieu, le long d'une cheminée un peu plus haute, un canot en bois accroché à un bossoir ; à la poupe, un mât de bois en haut duquel flottait dans la brise la bannière étoilée. Il ressemblait à un cigare surmonté de quelques dés à coudre.

Le *Keokuk* mesurait quarante-huit mètres de long sur onze de large, avec un tirant d'eau de deux mètres soixante. Il était actionné par deux hélices jumelées fonctionnant à la vapeur qui lui donnaient une vitesse et une manœuvrabilité supérieures à celles des monitors. Il était armé de deux gros canons Dahlgren de onze pouces montés sur pivot pour tirer par trois sabords. Mais contrairement à celles du monitor, les tourelles elles-mêmes ne pivotaient pas pour augmenter son champ de tir. Son blindage était trop léger pour affronter les canons de Sumter, mais cela, Rhind ne le savait pas encore. L'équipage comptait quatre-vingt-douze hommes.

Le chef mécanicien N.W. Wheeler s'approcha de Rhind.

— Tout est en ordre, annonça-t-il calmement.

— Suivez-les, dit Rhind au pilote.

*
* *

— Nous sommes presque à portée des rebelles ! cria le lieutenant John Rodgers. Nous allons bientôt avoir de leurs nouvelles.

Rodgers commandait le *Weehawken*, le vaisseau de tête du convoi qui approchait de Fort Sumter. Confiant dans son navire et son équipage, il éprouvait pourtant une certaine angoisse ; il tentait de la faire taire quand il vit un petit nuage de fumée jaillir de Sumter et un obus frapper l'eau à six mètres devant lui. La bataille commençait.

Long de soixante mètres sur quatorze de large, le *Weehawken* comprenait deux tourelles jumelles avec une redoutable puissance de feu : une pièce de onze pouces à canon lisse et l'autre, un Dahlgren de quinze pouces pesant plus de vingt tonnes, capable d'expédier un obus de cent quatre-vingts kilos à un mille. A l'avant, il poussait un radeau chargé de torpilles pour faire sauter les mines confédérées.

Vue de l'édifice pentagonal de Fort Sumter, la file de navires de guerre évoquait un convoi de mort flottante. Le commandant du fort, le major Stephen Elliott Jr., convaincu de sa capacité à affronter l'assaut, y voyait, malgré tout, un spectacle qui donnait à réfléchir. Bâti sur une île artificielle à environ quatre kilomètres de Charleston, Sumter était une véritable forteresse posée sur des blocs de pierres provenant des carrières du Nord, et ceinte de murailles de briques et de béton hautes de près de vingt mètres et d'une épaisseur allant de deux mètres cinquante à trois mètres soixante. Des pièces d'artillerie étaient disposées dans des casemates sur deux plates-formes, celle du haut à découvert et celle du bas tirait par des sabords renforcés.

La fumée commençait à obscurcir l'horizon du *Patapsco*, le quatrième navire du convoi. Un œil inexpérimenté ne l'aurait distingué du *Weehawken* que grâce à la couleur noire de sa coque – le *Weehawken* était gris plomb; pourtant le *Patapsco* réservait une surprise : il possédait bien un gros canon de quinze pouces, mais sa pièce de onze pouces à canon lisse avait été remplacée par un Parrot de cinquante livres capable d'expédier avec précision une décharge à plus d'un mille.

Lentement, comme un vieil homme tournant la tête, la tourelle du *Patapsco* pivota et le gros canon se mit à tonner.

Le major Elliott se tenait sur la plate-forme supérieure de Fort Sumter quand il entendit le sifflement d'une salve. Le projectile s'écrasa à la base du fort, faisant jaillir des briques un nuage de poussière. Elliott sentit des picotements sur ses joues comme la morsure de petites fourmis. Essuyant l'objectif de sa longue-vue, il donna l'ordre de faire feu.

Il était quatorze heures quarante et une, dix minutes environ après que Fort Sumter eut tiré son premier coup; les plans si soigneusement calculés par DuPont, commandant du *New Ironsides,* s'effondraient : les navires de guerre de l'Union n'étaient plus en formation de combat. Il lui sembla voir à travers le rideau de fumée le *Weehawken* ralentir.

Le *New Ironsides* se trouvait à huit cents mètres de Fort Sumter et à l'intérieur du rideau de feu venant de Fort Moultrie au nord et de Sumter droit devant. Une salve confédérée retentit. DuPont fut projeté en avant : le *New Ironsides* venait d'encaisser le quatrième des quatre-vingt-treize impacts d'obus qu'il subirait au cours des trois heures suivantes.

DuPont se releva et braqua sa longue-vue sur le *Weehawken*.

Le capitaine Rodgers pensa qu'une mine venait d'exploser sous sa coque. Les équipages des navires de l'Union craignaient plus le cordon de mines flottantes – les torpilles – que les canons de Sumter et de

Moultrie. Les forts et leurs pièces d'artillerie étaient des ennemis visibles alors que les torpilles s'embusquaient en attendant les imprudents.

— En arrière toute ! cria Rodgers par le tuyau acoustique conduisant à la chambre des machines.

Le *Passaic*, le deuxième bâtiment du convoi, ralentit. La formation des navires commença à se relâcher.

Sur l'île Sullivans, Les artilleurs confédérés des batteries Bee et Beauregard vinrent renforcer le tir en provenance des parapets de Fort Moultrie. De l'autre côté de l'eau, les artilleurs de Sumter tiraient plusieurs obus à la minute dans une symphonie impitoyablement orchestrée La fumée jaillissait des plates-formes de tir et la brise l'emportait vers la flotte de l'Union, le ciel lâchant une pluie de plomb.

— Monsieur, dit le pilote du *New Ironsides* à DuPont, nous avons des problèmes de contrôle.

DuPont savait son bâtiment, conçu et construit dans la frénésie par une marine de l'Union impatiente de contrer les cuirassés confédérés, peu maniable ; son dessin, contrairement à celui du monitor, suivait le modèle des coques classiques des voiliers et des bateaux à vapeur, donnant un hybride qui n'avait jamais vraiment fonctionné de façon efficace.

— Nous avons été touchés quarante fois, observa DuPont. Je ne doute pas qu'il y ait des problèmes.

— Je crains que nous ne tombions sur un des monitors, déclara le pilote.

— Faites signe aux autres de ne pas tenir compte des mouvements du vaisseau-amiral, ordonna DuPont en se tournant vers le timonier. Sortez-nous du convoi, ajouta-t-il sans se démonter à l'adresse du pilote. Je ne veux pas risquer de couler l'un des nôtres.

Le *Keokuk* se porta alors bravement à la tête de la formation qui se disloquait, courageuse action qu'il allait payer cher.

— Commandant, signala le timonier du *Keokuk*, le *New Ironsides* demande que nous ne tenions pas compte de ses mouvements.

Le commandant Rhind acquiesça d'un air absent, davantage préoccupé par les quatre-vingt-sept coups qui avaient frappé son navire au cours de la dernière demi-heure, perçant le blindage en neuf endroits de part et d'autre de la ligne de flottaison, criblant ses tourelles et sa cheminée de trous qui laissaient passer la lumière déclinante et détruisant son canon arrière avant même qu'il eût tiré.

Celui de la proue avait lancé cinq obus avant d'être mis lui aussi hors d'état. Rhind commandait un navire maintenant sans défense et dont, pour couronner le tout, les machines s'arrêtèrent.

Le *Weehawken* avait été touché à près de cinquante reprises par les canons confédérés. Un obus avait endommagé la tourelle, rendant le canon inutilisable. Le pilote fit machine arrière puis vira à tribord pour battre en retraite. Les mécaniciens se précipitèrent vers la tourelle et, après de longs efforts, parvinrent à la faire pivoter. Le *Weehawken* se retira de la bataille en laissant le dangereux radeau de torpilles dériver vers la berge.

Le *Patapsco* n'était pas mieux loti. Les canons de Fort Moultrie martelaient son côté tribord ; le pilote, gêné par la fumée et les autres navires de son convoi, avait du mal à positionner le cuirassé hors de leur portée. Tout ce qu'on pouvait distinguer par le hublot d'observation, c'était le chaos d'une escadre disloquée et de cuirassés battant en retraite ; bref, l'échec d'une opération.

Des nuages de fumée déferlaient sur le fleuve. Les obus qui manquaient leur cible faisaient jaillir des gerbes d'eau et les ripostes des rares cuirassés de l'Union se battant encore ajoutaient au vacarme des hurlements des obus, des machines, des chaudières et des chaînes entrechoquées. A bord d'un cuirassé, on ne connaît jamais le silence : les coques métalliques amplifient le moindre bruit et répercutent des échos dignes de l'enfer ; un obus frappant le blindage du pont retentit dans la tête des hommes aussi violemment que le ferait une cloche d'église.

Il y avait aussi la chaleur aggravée par l'obligation de condamner les hublots. Et les odeurs : la poudre, les fusées, le métal et la graisse, la peinture et le coton, les relents de la cuisine et des latrines, des matelots pas lavés. Ceux de la peur, également. Toute cette cacophonie, toute cette puanteur accablaient les sens du capitaine et de son équipage.

Le pilote parvint enfin à guider hors du convoi le *Patapsco* désemparé.

De la passerelle du *New Ironsides*, l'amiral DuPont se rendait bien compte que la situation était sans espoir : trois heures de combat pour un résultat bien décevant et des dommages nombreux : le *Keokuk*, durement malmené, avait du mal à se déplacer, le *Weehawken* et le *Patapsco* avaient été frappés à de nombreuses reprises ainsi que les monitors de l'Union, le *Nahant*, le *Nantucket*, le *Montauk*, le *Passaic* et le *Catskill*. La confusion régnant sur sa flottille et la situation se dégradant de minute en minute, DuPont donna l'ordre de se replier.

La flotte de l'Union mit donc cap au sud et passa, à son arrivée, devant Morris Island. Mais elle offrait un spectacle bien différent de celui qu'elle présentait en allant au combat : blindages criblés et cabossés, fumée saccadée des cheminées – les mécaniciens s'efforçaient de maintenir en service les chaudières malmenées ; deux des sept monitors gîtaient légèrement – malgré les pompes qui parvenaient encore à refouler l'eau qui s'engouffrait dans la coque. L'armada qui se traînait péniblement devant Morris Island évoquait un boxeur qui vient d'être envoyé au tapis : les confédérés l'avaient frappée, apprendrait-on plus tard, à quatre-vingt-quinze reprises.

Le puissant corps expéditionnaire de l'Union rentrait à l'écurie, tel un mulet harassé.

Le *Keokuk,* passé de l'arrière du convoi en première ligne, avait regagné la dernière place. Le capitaine Rhind, un bras criblé d'éclats de bois, émergea par le panneau d'écoutille de l'une des tourelles. Il venait de constater l'inefficacité du blindage expérimental du *Keokuk ;* alternant des bandes de bois et de métal, il offrait une protection comparable à celle d'un gilet pare-balles dont les côtés seraient ouverts ; en effet il arrêtait les obus frappant le métal mais pas ceux touchant le bois qui explosait alors en une grêle d'échardes – le bras de Rhind en était la preuve.

Rhind continua l'inventaire des avaries subies par son navire : la tourelle avant était en bouillie, comme frappée par la massue d'un géant, et les hommes qui s'y trouvaient étaient tous blessés ; la tourelle arrière, à côté de laquelle se tenait Rhind, n'était guère en meilleur état, son canon mis hors d'usage après seulement cinq salves, mais, heureusement, avec moins de dégâts parmi les marins dont une petite moitié sortait indemne.

Entre les deux tourelles se dressait ce qui restait de la cheminée du *Keokuk,* tellement perforée qu'elle ressemblait à un baraquement en tôle sur lequel on aurait tiré une décharge de chevrotines ; la fumée s'évacuait par chaque trou qu'elle trouvait en formant de petits anneaux comme savent en faire les lèvres d'un vieux fumeur.

Tandis que Rhind observait la scène, le *Keokuk* roula sur une vague, et un fragment de la partie supérieure de la cheminée se détacha et frappa le pont avant d'être projeté par-dessus bord.

Le navire de Rhind partait en morceaux.

Dix-neuf obus avaient percé le blindage du *Keokuk,* dont plusieurs en dessous de la ligne de flottaison. Rhind savait que l'équipe des mécaniciens s'acharnait à maintenir le navire à flot. L'équipage comptait trente-deux blessés mais, heureusement, aucun mort.

La seule victime serait bientôt le *Keokuk.* Pour l'instant il regagnait avec peine son mouillage au large de Morris Island. Le soleil se couchait. Le capitaine Rhind, sans illusion sur l'issue de la bataille – la flotte de l'Union avait subi une sévère correction et son navire beaucoup souffert – descendit dans la cale et s'adressa au chef mécanicien Wheeler qui, installé près de l'étrave, surveillait le colmatage d'une voie d'eau.

— Comment ça se présente ? demanda-t-il.

Wheeler, couvert de graisse, transpirait abondamment.

— Pas bien, capitaine, répondit-il en s'essuyant les mains sur un chiffon noirci. J'ai compté dix-neuf trous dans la coque, dont plus de la moitié au-dessous de la ligne de flottaison. Les pompes tiennent le coup, mais tout juste, les machines ont des ratés et la tourelle avant est hors d'usage. La moitié de mes pilotes est blessée, et nous avons du mal à faire face à tout.

— Je vous envoie quelques servants et des matelots pour vous donner un coup de main, proposait Rhind quand, une nouvelle fois, le *Keokuk* roula sur une vague. La coque fléchit, une cheville qui maintenait les planches à la membrure céda et traversa la cale comme une balle de fusil avant de s'enfoncer dans la cloison du fond.

— Il faut jeter l'ancre ! cria Wheeler en se précipitant pour inspecter les dégâts.

Une heure plus tard, à quatre milles de Fort Sumter et à deux milles de Morris Island, Rhind ordonnait de jeter l'ancre. Les mécaniciens firent une dernière tentative, mais la brève existence du *Keokuk* touchait à sa fin. Durant la nuit, la tempête se calma – on espéra un moment sauver le navire désemparé –, mais à cinq heures du matin, un vent qui n'aurait pas inquiété un navire en bon état se leva : les balles de coton qui colmataient la coque commencèrent à se saturer d'eau puis à se désagréger, et le *Keokuk* s'enfonça davantage.

Rhind fit aussitôt abattre les tourelles endommagées et les restes de la cheminée, mais sans résultat.

A l'aube du 8 avril, le vent se renforça.

— Demandez l'assistance des remorqueurs pour évacuer les blessés, dit Rhind.

Trempé jusqu'à la taille et le visage creusé par l'épuisement, Wheeler déboucha de l'échelle sur le pont principal.

— Monsieur, dit-il en saluant Rhind, l'eau monte trop vite pour que nous puissions la pomper.

Rhind désigna trois remorqueurs qui approchaient.

— Les secours arrivent, contentez-vous de maintenir le navire à flot jusqu'à ce qu'on débarque les blessés.

— Ce sera un honneur, Monsieur, répondit Wheeler en regagnant l'échelle, mais, à mon avis, nous ne tiendrons pas plus de vingt minutes.

Il était sept heures vingt quand Rhind et Wheeler, quittant le *Keokuk*, montèrent à bord du remorqueur. Le cuirassé piqua du nez et embarqua par son manchon d'écubier une énorme masse d'eau qui déferla dans la cale inférieure et battit le plancher déjà ébranlé. Le *Keokuk* frémit puis, dans un dernier soupir de fumeur malade, éructa un nuage de poussière de charbon.

Il se posa sur le fond sous cinq mètres d'eau ; seul le faîte de sa cheminée démolie resta visible. Il n'avait vécu que six semaines.

Philo T. Hackett cracha le jus de sa chique sur une fourmilière voisine et observa les tentatives des minuscules insectes pour se libérer du liquide poisseux. A quatorze ans, il était trop jeune pour chiquer mais trop jeune aussi pour se terrer sur Morris Island sous un abri improvisé de broussailles et de branchages. Hackett se cachait depuis la veille au soir : il avait assisté d'abord à la bataille puis aux efforts du cuirassé de l'Union pour se maintenir à flot.

Son père servait à Fort Sumter pendant que, à la maison, sa mère s'inquiétait de l'absence de son fils. Hackett émergea de sa cachette et se dirigea vers son canot dissimulé sur le côté abrité de l'île. Puis il se mit à ramer pour aller faire son rapport au général Beauregard.

— Je veux ces canons, déclara Beauregard.

Adolphus La Coste hocha la tête.

Bien que civil, La Coste n'esquivait pas ses responsabilités d'ingénieur dans un conflit qui mobilisait tout le monde. Il regarda le vieux bateau-phare amarré au quai de Charleston.

— Je crois que c'est faisable, Monsieur, dit-il, mais pas sans risque, car nous opérerons juste sous le nez des Yankees.

— Combien de temps, Adolphus? demanda Beauregard.

— Avec des hommes en nombre suffisant, deux semaines.

— Prenez ce qu'il vous faut, décréta Beauregard en s'éloignant. Je veux ces canons.

Installer sur le bateau-phare les appareils de levage nécessaires demanda une semaine. Beauregard avait tenu parole et fourni à La Coste tout ce dont il avait eu besoin : le matériel de levage était neuf, les cordes n'avaient jamais servi, et une demi-douzaine de plongeurs assis sur le pont au milieu d'un entassement de scies fraîchement huilées, de leviers et de barres de fer, s'apprêtaient à tenter l'impossible.

Une pluie cinglante rendait la visibilité nulle.

Le plongeur Angus Smith grimpa par une échelle de corde jusqu'au pont du bateau-phare. Ses gants de cuir étaient en lambeaux et ses mains écorchées, mais à peine sentait-il la douleur, comme anesthésié par son immersion prolongée dans l'eau glacée. Cela faisait sept nuits maintenant que Smith et les autres plongeurs étaient partis sur de petites embarcations pour peiner dans deux mètres d'eau. Pour éviter d'être repérés, ils n'utilisaient pas d'éclairage et prenaient grand soin de ne pas heurter leurs outils contre le métal. Ils s'arrêtaient dès les premières heures du jour pour reprendre le soir. Au bout de quatre jours d'efforts, ils annoncèrent à La Coste que les canons étaient libérés de leur affût et qu'on avait pratiqué des ouvertures dans les tourelles. C'était la première fois ce soir-là que le bateau-phare dûment aménagé se rendait sur le site.

— Nous procédons à tâtons, Monsieur, expliqua Smith. Il fait aussi noir que dans un four, là-bas, mais je crois que nous avons tout fixé selon vos ordres.

La Coste acquiesça puis s'engouffra dans la timonerie pour consulter sa montre de gousset à la lueur de l'unique bougie allumée : près de quatre heures; attacher les cordes avait pris plus de temps que prévu. Le jour allait bientôt se lever et dès l'instant où les Yankees apercevraient le bateau-phare ancré au-dessus du *Keokuk*, ils se précipiteraient. Il quitta la timonerie.

— Tous vos plongeurs sont sortis de l'eau, Smith? s'enquit La Coste.

Smith compta rapidement les hommes sur le pont : quatre, encore revêtus de leur tenue de plongée, dormaient; un autre, en caleçon long, pissait par-dessus le bastingage.

— Ils sont tous là, Monsieur, assura Smith.

— Actionnez le tourniquet, ordonna La Coste.

Quatre marins confédérés, les mains crispées sur les poignées de chêne, entamèrent la manœuvre. Les cordes se tendirent peu à peu jusqu'à ce que les sept tonnes du premier canon ne fussent plus soutenues que par un ensemble de câbles, de cordes et de chaînes.

La Coste observa le mât de charge fixé à l'étrave : le bois grinçait sous l'effort mais tenait bon.

— Graissez les extrémités, murmura-t-il à un matelot, qui enduisit les cordages de graisse animale.

Il reprit son équilibre compromis par la gîte qu'imposait au bateau-phare l'énorme charge et, essuyant son visage ruisselant, scruta les profondeurs où gisait le *Keokuk*.

Et soudain, il aperçut le contour de la gueule du canon.

— Plus fort, les gars, lança-t-il.

Le canon n'était plus qu'à quelques centimètres de la partie supérieure du mât de charge quand il s'arrêta de progresser.

— Monsieur La Coste, chuchota un matelot, le câble s'est emmêlé. On ne peut pas aller plus loin.

— Que le diable m'emporte, jura La Coste, furieux d'échouer si près du but.

Le ciel s'éclaircissait. On allait les repérer et c'en serait fini de l'opération.

— Déplacez tout le poids possible vers l'arrière. Ça devrait soulever suffisamment l'avant pour nous donner le petit espace qui nous manque.

Le canon se souleva encore un peu, mais pas assez pour dégager sa gueule de l'épave. La lumière augmentait et les obligerait dans quelques minutes à annuler l'opération. Il s'en fallait de l'épaisseur d'une tranche de pain.

Là-dessus, une grosse vague venant d'on ne sait où – une tempête à une centaine de milles au large ou un tremblement de terre quelque part? – vint à son secours.

Le bateau-phare piqua du nez dans le creux de la vague puis, tout d'un coup, sa coque se dressa et le canon se dégagea.

— Pouvez-vous barrer avec le poids du canon suspendu à l'avant ? demanda La Coste au capitaine.

— Pour sûr que je vais essayer, répondit-il.

Trois nuits plus tard, ils revenaient et dégageaient le second canon.

L'Union ne découvrit que bien plus tard qu'on avait relevé le *Keokuk*.

Quelques mois après la débâcle de Fort Sumter, le capitaine Rodgers dormait dans sa cabine à bord du *Weehawken*. On l'avait affecté beaucoup plus au sud et son cuirassé se balançait à l'ancre dans le chenal de Wassaw au large de la Géorgie, à une lieue du *Nehant*, un autre monitor de l'Union. Il faisait près de trente degrés, rien ne bougeait. Du lichen pendait aux arbres de la berge et le coassement de milliers de grenouilles emplissait l'air. Les navires de l'Union attendaient le moment d'intercepter le plus moderne des cuirassés confédérés.

Le pilote de l'*Atlanta* descendait lentement l'étroit chenal de la Savannah tous feux éteints pour éviter d'être vu. Tout rendait le navire peu maniable : des machines peu puissantes et un fort tirant d'eau. Converti à partir d'un briseur de blocus, le rapide *Fingal*, l'*Atlanta* avait été cuirassé et équipé sur son étrave d'un éperon de fonte ; il disposait de quatre canons Brooke et d'une redoutable torpille qui pointait en avant de l'éperon.

Juché sur le roof, le matelot Jesse Merrill faisait le guet. Même dans l'obscurité, il était capable de voir dans le sillage du navire la vase que remontait la quille en labourant le fond de la rivière.

Merrill s'efforça de percer la brume qui flottait sur l'eau ; il lui sembla apercevoir le contour d'un autre bateau mais, juste au moment où il écarquillait les yeux pour mieux voir, l'*Atlanta,* en s'échouant sur un haut-fond, le projeta en avant. Il entendit le murmure du pilote :

— Machine arrière.

Son hélice fouettant la vase, le lourd cuirassé fit quelques va-et-vient et réussit à se libérer.

A deux cents mètres de là, le *Weehawken* était le plus proche du navire confédéré. Sa vigie luttait contre le sommeil qui l'envahissait sans répit.

L'*Atlanta* reprit sa descente. Quelque chose alerta de nouveau Jesse Merrill : sur l'eau apparaissait une silhouette basse et sombre qu'il aurait manquée sans l'arrondi de la tourelle.

Descendant du nid-de-pie, il avertit le capitaine.

— Ralentissez, ordonna celui-ci. La vigie a aperçu un cuirassé yankee.

Quelques secondes plus tard, le pilote échouait de nouveau l'*Atlanta*.

Les premières lueurs du jour, en filtrant par le hublot du *Weehawken,*

132

éblouirent la vigie ; elle se frotta les yeux et eut du mal à croire à ce qu'elle voyait : la silhouette fantomatique de l'*Atlanta* apparaissait à quelque deux cents mètres de lui. L'homme le contempla une seconde puis sonna longuement l'alarme.

Le son de la cloche fit sauter le capitaine Rodgers à bas de sa couchette ; il se précipita dans la timonerie, encore en chemise de nuit. Son second, le lieutenant Pyle, occupait déjà son poste.

— Il n'a pas bougé, commandant.

Rodgers scruta l'eau avec sa longue-vue.

— L'équipage s'agite sur le pont, dit Rodgers. Si vous voulez mon avis, il s'est échoué.

— J'ai pris la liberté d'envoyer un message au *Nehant*, dit le lieutenant et d'ordonner en avant toute.

— Pointez droit dessus, ordonna Rodgers.

— Canons prêts à tirer, répondit le lieutenant Pyle.

— Ouvrez le feu.

Impossible de manquer une telle cible. La première salve du *Weehawken* fit voler en éclats les superbes structures de l'*Atlanta* aussi facilement que la hache d'un pompier défonce une porte fragile. De plus, le cuirassé rebelle ayant chaviré, il ne pouvait pas riposter : il abaissa ses canons au maximum, mais ses obus passèrent au-dessus du faîte des arbres de la berge. La deuxième salve du *Weehawken* enfonça trois mètres carrés du blindage de l'*Atlanta* et renversa les servants de la batterie. La troisième fit sauter le haut de la timonerie. Il n'en fallut pas davantage.

Le capitaine amena le pavillon et capitula.

Plus tard, l'*Atlanta* fut remorqué jusqu'au chantier naval de Philadelphie où on le remit en état pour le verser au service, cette fois, de la marine de l'Union. On salua en Rodgers l'héroïque capitaine du premier monitor à vaincre un cuirassé en combat singulier. Il regagna ensuite Charleston pour reprendre la lutte contre Fort Sumter.

Huit mois après la capture de l'*Atlanta*, le *Weehawken* se comportait en vétéran aguerri : son équipage s'était affûté au combat et manœuvrait maintenant de façon parfaite. Jour après jour il envoyait un déluge d'obus sur Fort Sumter. Il était donc normal qu'il jetât l'ancre devant Morris Island pour refaire le plein de sa soute à munitions.

Harold McKenzie, matelot de troisième classe, n'avait pas d'autre obligation que d'obéir aux ordres. Malgré tout, il ne pouvait s'empêcher de confier ses appréhensions à son ami Pat Wicks.

— Le poids est mal réparti, murmura-t-il pendant qu'ils transportaient une caisse en bois bourrée d'obus. On charge trop à l'avant.

— Ce plein de munitions signifie que les officiers préparent une autre attaque contre les forts, répondit Wicks dont les sujets de préoccupation étaient autres.

En effet, il avait été blessé par des éclats de shrapnel lors de la première attaque et, depuis, il redoutait les coups de feu. Au contraire, McKenzie dont l'affectation sur le *Weehawken* était récente, brûlait de voir un engagement.

— Parfait, fit-il, il est grand temps que nous donnions une leçon aux rebelles.

Mais ce ne serait pas le cas car les pires craintes de McKenzie n'allaient pas tarder à se concrétiser.

Ce soir-là, les matelots dormaient. Une forte brise de terre se mit à souffler et l'étrave piqua du nez. Une violente secousse lui fit heurter le plafond et le réveilla brusquement.

— Mac, cria Wicks, réveille-toi.

McKenzie s'efforça de s'extirper de sa couchette, mais pour lui comme pour son compagnon, l'avertissement venait trop tard : le *Weehawken* connaissait déjà les affres de la mort. L'eau en déferlant compromit son assiette et envahit la cale inférieure, faisant rouler le *Weehawken* comme un jouet dans une baignoire. En quelques secondes, la mer s'engouffra par les hublots de la tourelle et les panneaux d'écoutille jusqu'aux chaudières, provoquant un ultime jet de vapeur.

Le *Weehawken* sombra, emportant avec lui trente et une âmes.

On était le 15 janvier 1865 et cette interminable guerre sanglante touchait à sa fin. Stephen Quackenbush, commandant du monitor *Patapsco,* avait hâte de rentrer chez lui. Son navire combattait sans répit depuis la première attaque sur Fort Sumter ; son équipage et lui en avaient assez de la guerre. Le *Patapsco,* conçu suivant les mêmes plans que les autres monitors, disposait cependant d'un armement plus puissant, ce qui justifiait son engagement constant. Armé du seul gros canon Parrot de la flotte, il pouvait mouiller hors d'atteinte des pièces des forts et tirer sans risquer d'être endommagé, ce qui expliquait pourquoi il avait fait pleuvoir plus d'obus sur les défenseurs rebelles qu'aucun autre navire.

Avec de tels états de service, il ne faut pas s'étonner si, au début de 1865, le *Patapsco* se vit attribuer la tâche dangereuse d'assurer la sécurité de la flotte ; ce n'était pas du gâteau : cela consistait en un dangereux mélange de patrouilles nocturnes et de déminage du mouillage. Autant d'opérations dont l'équipage, y compris son capitaine, avait horreur.

— Avec la marée montante, nous avons un fort courant, fit remarquer à Quackenbush l'enseigne William Sampson, tandis que les deux hommes, debout sur le toit de la tourelle, scrutaient la nuit sans lune.

— Nous escorterons les chaloupes et les canots de déminage à l'intérieur du chenal, puis nous repartirons et fournirons un feu de soutien, déclara Quackenbush.

— Faut-il que je descende donner l'ordre à l'homme de barre et au chef mécanicien de ralentir ? demanda Sampson.

— Oui, je reste ici pour monter la garde.

Le *Patapsco* se rapprocha des forts confédérés, suivi par les petits canots à vapeur équipés de grappins et d'araignées. Ils dépassèrent lentement le monitor et s'attaquèrent à la tâche monotone du dragage de mines.

Sampson remonta sur le pont.

— J'ai donné l'ordre qu'on pare les pièces, commandant.

Quackenbush acquiesça. Son navire était maintenant prêt à apporter un feu de soutien.

La nuit parut interminable à l'équipage du cuirassé de l'Union qui faisait la navette entre le chenal et la rade. La troisième fois est la bonne, dit-on : cela ne s'avéra pourtant pas vrai pour le *Patapsco* et ses hommes. Le courant entraînait pour la troisième fois de la nuit le navire hors de l'entrée du port quand la coque heurta une mine flottante posée seulement la veille, un engin constitué d'un tonneau de bois chargé de cent livres de poudre.

Se déclenchant à la première secousse, la torpille ouvrit une large brèche à bâbord derrière l'étrave. L'explosion souleva dans les airs l'avant du *Patapsco*. Quackenbush et Sampson furent précipités sur le pont tandis qu'une gigantesque colonne d'eau jaillissait au-dessus d'eux avant de retomber sur la tourelle.

— Armez les canots ! cria Quackenbush.

Mais une minute et demie plus tard, le *Patapsco* plongeait sous les vagues et tombait d'une douzaine de mètres jusqu'au fond, entraînant avec lui soixante-deux officiers et hommes d'équipage. Seul restait visible au-dessus de l'eau à marée basse le sommet de la cheminée.

Quackenbush et Sampson faillirent être aspirés par l'épave mais furent sauvés par une chaloupe. C'était une chance pour la Marine des États-Unis.

William Sampson devint par la suite surintendant de l'Académie navale, puis fut nommé commandant de l'escadre de l'Atlantique durant la guerre hispano-américaine. Quand la flotte espagnole tenta de fuir Santiago de Cuba, l'escadre de Sampson, utilisant les plans de bataille qu'il avait préparés et sous le commandement provisoire de Winfield Scott Schley, l'anéantit.

Aguerris par l'expérience acquise au cours de la guerre de Sécession, Sampson, Schley et Dewey moururent tous en héros avec le rang d'amiral.

II

Trois pour le prix d'un

1981, 2001

Quand c'est possible, je m'efforce toujours de mener de front plusieurs expéditions. En effet, autant lancer en même temps la recherche demandée par la NUMA et celle d'autres épaves susceptibles de se trouver dans le secteur concerné. On y gagne en rentabilité.

Charleston en est un bon exemple. Lors de l'expédition de 1981 pour retrouver le sous-marin confédéré *Hunley*, nous avons utilisé deux navires, l'un équipé d'un magnétomètre pour balayer la zone et l'autre d'un gradiomètre permettant à des plongeurs l'examen de toute cible éventuelle.

Nous conseillons au lecteur de s'attarder un peu sur ce paragraphe car il l'aidera à saisir ce qui différencie un magnétomètre d'un gradiomètre : le gradiomètre Schonstedt dont nous nous servons depuis des années avec d'excellents résultats enregistre entre deux palpeurs distants d'une cinquantaine de centimètres la différence d'intensité magnétique provoquée par des objets ferreux ; on peut le remorquer à des vitesses allant jusqu'à vingt-cinq nœuds. En revanche, un magnétomètre enregistre les différences du champ magnétique terrestre mais, en raison de conditions atmosphériques diverses, donne souvent des résultats sujets à caution ; de toute façon, il ne supporte que des vitesses relativement faibles.

Tandis que le navire de recherche vaquait à ses occupations de repérage du sous-marin, le bateau de plongée traînait dans les parages, se contentant d'attendre un appel qui venait rarement. Sachant que le temps c'est de l'argent, je l'envoyai se mettre en quête d'autres épaves coulées durant le siège de Charleston lors de la guerre de Sécession.

Entre la fin des années 1600 et l'aube du vingtième siècle, des centaines de navires de toute sorte et de toute taille ont sombré dans ce véritable cimetière d'épaves que sont les alentours de la rade de Charleston : près de quarante baleiniers de Nouvelle-Angleterre sabordés là pour barrer le passage des briseurs de blocus confédérés dont une bonne vingtaine fut envoyée par le fond.

De son côté, la marine de l'Union laissa dans la vase de Charleston le *Housatonic* torpillé par le *Hunley*, le *Weehawken* victime d'une bourrasque, le *Patapsco* coulé par une mine, ainsi que le *Keokuk* frappé près d'une centaine de fois par les obus confédérés.

Nous pensions au début les retrouver aisément grâce au relevé fait en 1864 par un officier de marine de l'Union et dont nous disposions : il donnait la position approximative des dix briseurs de blocus et des cuirassés fédérés, que nous n'avions plus qu'à transposer sur une carte récente ; or – je le découvris tout à fait par hasard – les méridiens des relevés antérieurs à 1890 passaient à quatre cents mètres à l'ouest des projections actuelles ; en effet, je remarquai que le cinquante-deuxième paraissait bien plus proche de Fort Sumter sur une carte de 1870 que sur un relevé de 1980, fait confirmé par toutes les épaves que nous découvrîmes à un quart de mille à l'ouest de l'endroit où elles auraient dû être... et qui accusait l'insuffisance de nos préparatifs.

*
* *

Walt Schob arriva en éclaireur avec sa femme Lee : ils affrétèrent un bateau et trouvèrent de quoi loger un effectif qui, en fin de compte, aurait pu constituer trois équipes de hockey. Il loua donc un grand bâtiment de deux étages sur l'île Sullivans, relié à la plage par un long trottoir de planches qui enjambait les dunes et se terminait sur un charmant petit belvédère. Il engagea une cuisinière, Doris, qui mijotait d'excellents repas mais, pour des raisons qui lui étaient personnelles, refusa de me préparer des flocons d'avoine pour le petit déjeuner ; autre comportement étrange, elle fourrait les sandwichs pour nos pique-niques uniquement avec des saucisses bolognaises, ignorant le fromage, le thon et le beurre de caca-huète. Je ne découvris que bien plus tard qu'elle avait obéi en cela aux recommandations de Walt qui appréciait tout particulièrement les sand-wichs aux saucisses. Aujourd'hui encore, des bolognaises dans la vitrine d'une charcuterie soulèvent en moi une vague de nostalgie.

Malheureusement, l'ouragan Hugo a détruit la maison ainsi que le motel où nous avions tous séjourné pendant l'expédition de 1981 et dont il ne reste plus que les fondations de béton.

Mais pour commencer, permettez-moi une brève digression : on ne saurait évoquer la saga des navires de la guerre de Sécession coulés à Charleston sans mentionner le nom de Benjamin Mallifert, ex-officier du Génie de l'Union qui s'illustra dans le renflouage. L'un de ses descendants m'a envoyé une photo de lui en uniforme de major ; les dames auraient été séduites par ses yeux pétillant d'humour et sa grande barbe taillée avec soin. Doté d'un tempérament énergique, il récupérait avec entrain absolument tout ce qu'une épave recélait, y compris la ferraille.

Mallifert dirigeait une entreprise qui releva dans les années qui suivirent le conflit plus de cinquante épaves et, à Charleston en particulier, il remonta des milliers de tonnes de fer, de laiton et de cuivre.

Il a relaté ses opérations de plongée dans son Journal conservé aux archives de Charleston ; sa lecture, fort intéressante, révèle un homme sympathique et drôle qui, en décrivant et comptabilisant site par site les quantités de métaux récupérés, nous fournit des informations précieuses au sujet de ce qu'il restait après son passage.

Il y a dix ans en Virginie, je tombai de nouveau sur lui : avec mon équipe de la NUMA, je recherchais le *Virginia II*, le *Richmond* et le *Fredericksburg*, trois cuirassés confédérés de la flotte de la rivière James, que commandait l'amiral Raphael Semmes, ancien capitaine du célèbre corsaire confédéré l'*Alabama*, et dont il ordonna le sabotage lors de la prise de Petersburg par le général Grant vers la fin de la guerre.

Il existe un croquis sommaire des navires en train d'exploser en dessous de la falaise de Drewry's Bluff sur la James en aval de Richmond. Le sonar ne décela rien mais le magnétomètre enregistra des cibles importantes, quoique floues et éparpillées ; leur enfouissement dans la boue nécessitant l'intervention du Dr Harold Edgerton, célèbre inventeur du sonar latéral et de l'éclairage stroboscopique, muni de son sondeur de sédiments – ou « pénétrateur », comme il l'appelait lui-même.

Doc ne ménagea pas ses efforts ; pourtant son instrument ne vint pas à bout des poches du gaz qu'avaient produit, en se décomposant pendant des décennies, les feuilles des arbres de la berge. Avant de jeter l'éponge, je décidai de consacrer une journée, voire une semaine, à fouiller chaque tiroir et chaque classeur des archives du Génie à Portsmouth, en Virginie.

A quatorze heures, j'ouvris un dossier intitulé *Relevé de la rivière Pamunkey, 1931 ;* il comportait pêle-mêle des vieilles photographies, des croquis et des tableaux de statistiques, ainsi qu'une feuille d'épais papier-calque de soixante-dix sur quarante-cinq à une échelle de deux centièmes que je sortis de la pile : au premier coup d'œil, j'y vis un croquis de la berge non pas de la Pamunkey, mais de la James. Comment cette feuille était arrivée là et depuis combien de temps, Dieu seul le sait.

Fasciné, j'examinai l'illustration titrée « Disposition des épaves au pied de la falaise de Drewry's Bluff, 1881 » et signée... Benjamin Mallifert.

Ces retrouvailles à presque cinq cents kilomètres de distance et dix ans après ses campagnes de renflouement de Charleston, tenaient du miracle ; j'avais sous les yeux la situation précise des navires de la flotte de la rivière James sabordés par l'amiral Semmes.

Une analyse comparative nous fit comprendre pourquoi nous étions passés à côté de l'épave des cuirassés : les bâtiments étaient ancrés à la rive quand on les avait détruits ; au fil des ans, un énorme banc de sédiments les avait recouverts et avait déplacé le lit principal de la rivière au pied de la falaise de Drewry d'une cinquantaine de mètres vers la rive opposée au sud.

L'équipe d'Underwater Archaeological Joint Ventures que j'avais engagée sonda la vase et confirma les conclusions de Mallifert : réduites à des débris et passablement dispersées pour la plupart, les épaves étaient pourtant toutes là : les vapeurs *Northampton*, *Curtis Peck, Jamestown* et *Beaufort ;* le bateau pilote *Marcus* ; et enfin, sous un mètre cinquante de sédiments, les cuirassés *Fredericksburg, Virginia II* et, après le coude du fleuve, devant la falaise de Chaffin, le *Richmond*.

Je dois beaucoup à ce vieux Benjamin, cet homme fascinant que je regrette de ne pas avoir connu et dont personne – je le déplore – n'a écrit la biographie. Sujet pourtant captivant que celui de sa vie et de ses remarquables projets de renflouement.

Mais revenons à Charleston : le *Keokuk* fut le premier navire de guerre de ma liste que nous découvrîmes et explorâmes. Une carte dessinée par un officier de marine de l'Union nommé Boutelle en situait l'épave presque exactement à l'est du vieux phare qui se dressait alors sur le sol de Morris Island mais qui, aujourd'hui à cause de l'érosion, émergeait de l'eau à près de cinq cents mètres de la plage.

Principe de Cussler : berges et côtes ne cessent d'évoluer, et ne se trouvent jamais à l'endroit où ils étaient lors du naufrage de la cible qu'on recherche.

J'affrétai un bateau en bois de trente-deux pieds aussi solide que son propriétaire ; Harold Stauber, un Allemand tranquille et inébranlable – il évoquait un roc –, connaissait bien le fleuve au large de Charleston où il avait pêché pendant des années. Son bateau s'appelait le *Sweet Sue,* en hommage à sa femme. Celui qui buvait une seule tasse de son café ne recourait plus jamais, sa vie durant, aux vermifuges !

Ralph Wilbanks s'embarqua avec nous. Il travaillait à l'époque pour l'Institut d'archéologie de Caroline du Sud ; le directeur, Alan Albright, l'avait chargé de superviser notre opération ; un type formidable, Rodney Warren, l'assistait. Ralph et Alan ne savaient que penser de ces chasseurs d'épaves intéressés par l'histoire et indifférents aux trésors ; ils ne nous accordaient qu'une confiance très limitée.

Nous approchions de Morris Island et du phare quand, me tournant vers Ralph, je lui lançai :

— Je vous parie dix dollars que je trouve le *Keokuk* au premier passage et dix de plus par tentative supplémentaire si nécessaire. (Quelle assurance !)

Ralph me toisa du regard appuyé de quelqu'un qui pense *pauvre con* et hocha la tête.

— Pari tenu.

Je dis à Harold de mettre le cap sur le phare et ensuite, à un demi-mille du rivage, de virer à cent quatre-vingts degrés. Puis je repris ma place devant le gradiomètre Schonstedt et attendis qu'il se mette à chanter en détectant la coque en fer du *Keokuk*.

Nous atteignîmes la fin du couloir, l'aiguille du cadran ne frémit même pas et l'enregistreur resta muet comme une tombe. Malheur à moi.

Après dix autres couloirs désespérants, je commençai à éprouver la frustration du renard découvrant que le poulailler qu'il visait vient d'être vidé par un coyote souffrant manifestement d'indigestion. J'avais perdu cent dollars et ma tension avait gagné quelques points. Où se terrait donc ce foutu *Keokuk* ?

— Ce soir, je sors et je vais faire la fête, ricana Ralph sans pudeur.

« Ça ne m'étonne pas », rouspétai-je en moi-même avant de m'adresser à Harold toujours à la barre.

— Prenez au sud du premier couloir et attendez que je vous le demande pour virer.

— Entendu, répondit Harold, ignorant fort heureusement le différend entre Wilbank et Cussler.

Nous nous rapprochions du phare et avions dépassé l'endroit habituel de notre virement de bord, ce qui incitait plus que jamais Stauber à garder un œil sur la sonde : la profondeur sous la quille passa de trente pieds à vingt, puis à dix ; encore quelques minutes et elle raclerait le sable. Le phare paraissait ne plus être qu'à un jet de pierre ; pourtant, à vue d'œil, j'estimais la plage encore trop éloignée du site du *Keokuk*.

Cent mètres, deux cents. Tous attendaient avec nervosité que je donne l'ordre de virer de bord.

— Maintenant ? s'inquiéta Harold. (Je savais qu'il me jetterait par-dessus bord plutôt que de laisser son bateau s'échouer.)

On entendait déjà les vagues se briser sur la plage derrière le phare.

— Encore cinquante mètres, répondis-je.

Harold était convaincu que je perdais la tête, mais il tint bon.

— Maintenant ! lançai-je en levant les yeux vers le phare.

Il tourna la barre en plein à bâbord, et l'enregistreur du gradiomètre se mit à couiner bruyamment ; le virage venait de le faire passer au-dessus du *Keokuk*.

Pendant que Ralph, ravi, dansait le charleston sur le pont arrière, les quatre plongeurs, Wilson West, Bob Browning, Tim Firme et Rodney allèrent examiner le fond : ils découvrirent l'épave enfouie dans un mètre cinquante à deux mètres de vase, alignée nord-sud, presque sous l'ombre du phare, mais ils ne purent, sans draguer, s'avancer sur l'état de la coque.

Ce bon vieux Ralph ! Il refusa d'empocher mon argent et se contenta d'une bouteille de gin.

C'est dans des moments pareils que j'éprouve un plaisir presque sensuel à chasser les épaves.

Le *Weehawken* gît par plus de trois mètres de fond, à environ un mille au nord du *Keokuk*, son avant pointé vers Morris Island, non loin de l'endroit où se dressait jadis le fort Wagner – rendu célèbre par l'assaut que lui donnèrent les soldats noirs d'un régiment du Massachusetts et que dépeint le film *Glory*. Ses vestiges reposent maintenant sous trente mètres d'eau à cause de l'érosion considérable survenue après l'édification, vers la fin du dix-neuvième siècle, de longues jetées de rochers au bord du chenal jusque dans la rade de Charleston.

J'espère qu'un jour des archéologues fouilleront le trésor historique que représente le *Weehawken*, premier cuirassé à en capturer un autre au combat.

Il nous fallut une demi-journée pour amener le gradiomètre au-dessus de la tombe qu'il s'était creusée dans la vase au terme d'une histoire si poignante qu'elle bouleversa le monde.

La découverte du *Patapsco* fut une surprise. Comme les autres navires qui reposent sous une épaisse couche de vase, il se dresse tout droit au fond du chenal devant Fort Moultrie. Nous estimions qu'une partie de l'épave pourrait dépasser du fond et nous branchâmes le sonar : il nous suffit d'un passage et de vingt minutes pour la découvrir.

Harold jeta l'ancre, personne ne voulant rester à bord quand une véritable épave pointant son nez hors de la boue ne demandait qu'à être explorée. Tout l'équipage nagea donc jusqu'au site. Soucieux de l'image de la NUMA mue par l'intérêt historique et laissant la récupération à d'autres, nous ne remontâmes aucun des objets allant des accessoires jusqu'aux boulets de canon qui le jonchaient. La marine américaine considère d'ailleurs le *Patapsco* comme un cimetière puisqu'il abrite encore les ossements de soixante-deux membres de son équipage. Il n'empêche que ce trésor historique devrait être étudié.

Bien que ses plongeurs l'aient abondamment fouillé, Mallifert n'a jamais mentionné dans son Journal la moindre découverte de restes humains.

Cet été-là, nous découvrîmes aussi plusieurs briseurs de blocus qui s'étaient échoués et avaient été démantelés, mais aucune trace des cuirassés confédérés *Chicora*, *Palmetto State* et *Charleston*, détruits lors de l'entrée de Sherman dans Charleston. Benjamin Mallifert avait relevé ces épaves ; ce qu'il y laissa, après en avoir terminé, disparut dans les dragues du Génie lors du creusement du chenal jusqu'à la base de la rivière Cooper. L'intérêt pour l'histoire n'est pas partagé par tout le monde !

J'ai moi aussi perdu un trésor autrefois : je ne voudrais pas dire du mal de ma pauvre vieille mère, mais je lui pardonne difficilement d'avoir jeté à la poubelle ma collection de bandes dessinées après mon engagement dans l'aviation. Des années plus tard, je retrouvai une liste de ces albums ; je les fis évaluer par un expert : un collectionneur donnerait aujourd'hui trois millions de dollars pour obtenir le premier *Superman*, le premier *Batman* et la centaine d'autres que je possédais !

Ma mère avait également affranchi son courrier avec des timbres pris dans ma collection. J'aurais bien aimé voir la tête du postier quand il distribua une lettre avec un timbre vieux de deux cents ans et d'une valeur de cinq cents dollars.

En février 2001, je demandai à Ralph de revenir sur place pour corriger l'emplacement des épaves que nous avions repérées grâce au Mini-Ranger Motorola, en utilisant cette fois un appareil plus moderne à GPS. Il établit en même temps une carte de leurs contours magnétiques.

Nous retrouvâmes le *Keokuk* que recouvraient maintenant près de deux mètres de vase. L'eau à cet endroit ne faisait que cinq mètres de profondeur et le contour magnétique indiquait une masse d'au moins quarante mètres de long, ce qui voulait dire qu'une grande section du bas de la coque devait être intacte.

Nous repérâmes avec la même précision l'emplacement du *Weehawken* : par nord-ouest-sud-est et sept mètres de fond, sous près de quatre mètres de vase. Ralph localisa aussi une cible magnétique à une trentaine de mètres de là, probablement l'ancre du *Weehawken* et sa chaîne, étant donné le tracé rectiligne du contour magnétique.

Le rapport de Ralph mit le point final à la chasse aux épaves du siège de Charleston. Mon vœu le plus cher serait que, une fois le *Hunley* restauré et proposé au public, le bâtiment du musée ait la place d'accueillir et d'exposer le maximum d'objets témoins de la glorieuse histoire maritime de Charleston qui, par centaines, peut-être par milliers, attendent dans la vase qu'on les relève et qu'on les conserve.

Sixième partie

Le canon de San Jacinto

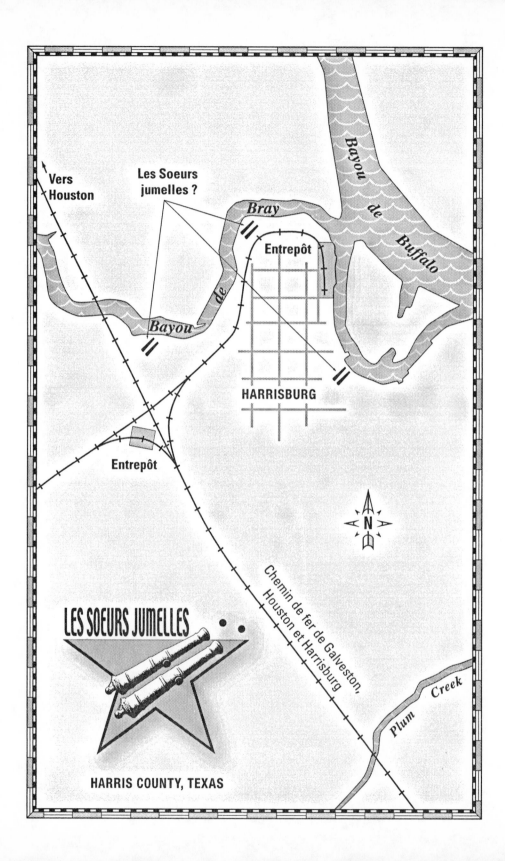

Vers
Houston

Les Soeurs
jumelles ?

Bray

Bayou

de

Entrepôt

Bayou

de

Buffalo

HARRISBURG

Entrepôt

N

LES SOEURS JUMELLES

Chemin de fer de Galveston,
Houston et Harrisburg

Plum Creek

HARRIS COUNTY, TEXAS

I

Les Sœurs jumelles

1835, 1865, 1905

— Les salopards, jura Henry Graves. Ah, les salopards!

— Qu'y a-t-il, Hank? demanda Sol Thomas.

Graves essuya la sueur de son front et fit signe à Thomas et les autres de le suivre. La chaleur écrasait Houston comme d'habitude au mois d'août. Ce 15 août 1865 ne faisait pas exception à la règle. Quittant le quai du chemin de fer Galveston, Houston & Harrisburg, Graves entraîna son petit groupe derrière la gare pour ne pas être entendu par d'éventuels sympathisants de l'Union.

— Vous voyez tous ces canons? murmura Graves.

— Bien sûr, répondit Jack Taylor, ces maudits Yankees doivent les expédier vers une fonderie du Nord.

— Dans le tas, déclara Graves, il y a les Sœurs jumelles.

— Vous êtes sûr? demanda Ira Pruitt. Ceux de San Jacinto, de Sam Houston?

— Absolument, fit Graves. J'ai lu les plaques fixées sur les affûts.

John Barnett, qui avait la rougeole, s'accroupit par terre avant de s'effondrer.

— Seigneur, murmura-t-il.

Les hommes formaient un demi-cercle sur la terre battue. Un peu à l'écart se tenait Dan, ami et domestique de Henry Graves. Cela faisait quatre mois que Lee avait capitulé à Appomattox et, à part quelques escarmouches au Texas, la longue guerre de Sécession était enfin terminée. L'uniforme confédéré des dernières années de la guerre, en drap cacahuète – loques crasseuses et trempées de sueur –, faisaient de ces soldats de pauvres hères : Thomas, la joue enflée par l'abcès d'une molaire gâtée qu'il n'avait pas réussi à se faire extraire ; le squelette ambulant nommé Pruitt, à qui les maigres rations distribuées aux troufions du camp des perdants avaient fait perdre près de sept kilos et dont l'uniforme pendait sur lui comme une salopette sur un épouvantail ; Taylor, lui, boitait ; les semelles percées de ses brodequins ne lui avaient pas évité un clou rouillé dans leur wagon de bestiaux ; Barnett, le fier Texan de Gonzales, contaminé par la rougeole à la fin du conflit, le visage boursouflé, la peau livide quand elle n'était pas couverte de taches, 39°C – à peine plus que la température extérieure.

Seul Graves semblait à peu près bien portant ; il se tourna vers l'ouest et considéra le soleil, un globe d'un rouge flamboyant baignant dans la brume au-dessus de l'horizon.

— Dans quelques heures, observa-t-il, il fera nuit et le train pour le Nord ne part que demain en milieu de matinée.

Thomas fouilla dans sa poche et en tira un lambeau de papier.

— Mon chef de corps m'a donné l'adresse d'un hôtel qui aime bien les soldats confédérés, fit-il en tendant le papier à Graves, devenu le chef de facto des soldats vaincus.

— Harris House, lut Graves. Allons-y, nous verrons bien.

Les confédérés descendirent Magnolia Street et pénétrèrent dans la ville de Harrisburg, suivis à quelque distance par Dan.

1835 : TRENTE ANS AUPARAVANT

— Signez ici pour confirmer votre accord, dit l'employé du bureau de l'agence maritime située sur la digue de La Nouvelle-Orléans.

Le Dr C.C. Rice vérifia le reçu et apposa sa signature. Puis il monta la passerelle pour rejoindre sa famille sur le pont du vapeur. Les Etats-Unis avaient adopté une politique de neutralité dans la guerre qui opposait le Texas et le Mexique, aussi les deux canons dont il avait la garde avaient-ils été inscrits sur le manifeste comme ustensiles de fonderie.

Les deux canons avaient été forgés en grand secret par Greenwood & Webb à Cincinnati – ils ne portaient aucune marque de leur origine – et payés par des citoyens de l'Ohio sympathisants de la cause du Texas. Sans munitions ni caisson ni avant-train, ils pesaient plus de cent cinquante kilos chacun.

Ces deux fûts métalliques étaient destinés à assurer la liberté d'une nation.

— Ils soulèvent la grande planche, annonça Eleanor Rice.

— La passerelle, précisa avec douceur madame Rice. Cela signifie que le voyage a commencé.

Elizabeth, la sœur jumelle d'Eleanor, sourit.

— Nous serons donc bientôt au Texas, dit-elle à son père qui lui tenait la main. Alors Ellie et moi, on aura nos chevaux, n'est-ce pas?

— Oui, ma chérie, acquiesça le Dr Rice, bientôt nous serons dans notre nouvelle maison.

Le trajet – une centaine de milles sur le Mississippi jusqu'au golfe du Mexique, plus les trois cent cinquante milles de la traversée du golfe jusqu'à Galveston – prit dix jours entiers. Il était vingt et une heures passées quand on eut fini de bourrer les chaudières et que le navire s'engagea dans le courant du Mississippi.

*
* *

— La traversée a duré plus longtemps que prévu, observa madame Rice tandis que le vapeur franchissait la barre pour entrer dans la rade de Galveston. Y aura-t-il quelqu'un pour nous accueillir?

— Je ne sais pas, répondit son mari. Nous verrons bien.

— Le voilà! cria Josh Bartlett.

La fanfare constituée en hâte avait profité de l'attente interminable pour s'enivrer copieusement: Bartlett dut soutenir un joueur de tuba qui s'empêtrait dans son instrument. Quant au joueur de fifre, il était secoué par un fou rire inextinguible.

— Préparez-vous, les filles, prévint le Dr Rice tandis qu'on amarrait le navire à la jetée.

On sortit de la cale la caisse contenant les deux canons et on lui fit descendre la passerelle; le Dr Rice, sa femme et les jumelles suivaient. La fanfare improvisée jouait un pot-pourri de chants révolutionnaires du Texas au moment où le Dr Rice posa le pied sur la jetée. Bartlett, vêtu d'un costume mal coupé orné d'une écharpe rouge dénotant sa position représentative dans le gouvernement de la république du Texas, s'avança pour serrer la main de Rice.

— Bienvenue au Texas! cria-t-il pour dominer le vacarme de l'orphéon.

— Merci, dit le Dr Rice en soulevant sans plus attendre le couvercle de la caisse.

Il montra les canons, puis fit un signe à ses jumelles debout auprès de lui

— Au nom des citoyens de Cincinnati, déclara Eleanor.

— Nous vous offrons ces deux canons, conclut Elizabeth.

Le joueur de fifre de plus en plus ivre s'interrompit pour crier à l'adresse du petit groupe :

— On dirait bien que nous avons deux paires de jumelles!

— Des jumelles pour la liberté, surenchérit Bartlett en riant.

Un garçon de seize ans à la crinière blond paille sauta à bas d'une jument écumante.

— Monsieur Houston, annonça-t-il hors d'haleine, les canons sont arrivés.

Accroupi devant sa tente, Houston, armé d'un bâton, traçait des plans de bataille dans la poussière.

— Qu'on les achemine immédiatement, dit-il dans un grand sourire en se tournant vers son aide de camp Tommy Kent.

— Tout de suite, répondit Kent.

— Voilà qui change tout, dit Houston en effaçant de sa botte ce qu'il venait de dessiner.

La balance ne penchait pas en faveur des Texans. Houston rassemblait sous ses ordres 783 hommes sans expérience, mal équipés, sous-alimentés et ne disposant, jusqu'à présent, d'aucun canon; les forces mexicaines, fort bien commandées par le général Santa Anna, comptaient 7 500 hommes en uniforme, percevant des rations régulières, bien entraînés et appuyés par de nombreuses pièces d'artillerie.

Houston avait donc dû se contenter de battre en retraite. Trois mois auparavant, quand les troupes de Santa Anna avaient déferlé sur les rives du Rio Grande, il n'avait eu à leur opposer qu'une petite garnison installée au fort Alamo de San Antonio, une autre au fort de Goliad et un petit contingent rassemblé à Gonales.

— Monsieur, annonça Kent, nous n'avons plus de munitions.

— Je le craignais, répondit Houston. J'ai ordonné aux hommes de fouiner partout : ils ont réussi à rassembler assez de ferraille et de verre cassé pour donner à Santa Anna de quoi réfléchir.

— De la ferraille? s'étonna Kent.

— Des clous, des fers brisés et des morceaux de chaîne métallique, précisa Houston.

— Je n'aimerais pas être blessé par ça, fit Kent en souriant.

— Dans ce cas, monsieur Kent, je vous conseille de vous tenir derrière les deux sœurs.

La journée du 21 avril 1836 débuta sous un soleil aux reflets rougeâtres; dans le courant de l'après-midi, la brume se leva, tamisant la lumière et rendant les hommes somnolents. Il faisait une vingtaine de degrés et une légère brise poussait la fumée du camp mexicain basé à San Jacinto vers Houston, installé à moins de deux kilomètres de là. Malgré quelques petites escarmouches au début de la journée, dans l'ensemble, tout était calme.

— La fumée est moins épaisse, observa Houston. Ils ont fini de déjeuner.

— C'est ce que vous attendiez? demanda Kent.

— Non, monsieur Kent. J'attends qu'ils se couchent. Nous attaquerons à l'heure de la sieste.

— Assurez-vous que les sentinelles sont à leur poste et relevez les hommes, ordonna Santa Anna.

Harcelé par un taon, alourdi par un menu inhabituel – la viande fraîche de quelques cochons récupérés dans les fermes texanes – et trois verres de vin, il avait sommeil. Il ôta son uniforme et le plia soigneusement; il gratta la piqûre d'insecte qui le démangeait sous le bras et, dans son caleçon long un peu défraîchi, rejoignit sa maîtresse qui l'attendait dans la douceur des draps de soie.

Sam Houston marchait devant ses hommes.

— Messieurs, dit-il, c'est l'heure du Texas. Avancez sans bruit en encadrant les sœurs jumelles. Quand vous les entendrez chanter, allez droit vers le centre.

Houston regarda ses troupes, un groupe hétéroclite de fermiers, éleveurs, prospecteurs ou forgerons; ils étaient vêtus de vestes de daim à franges, de tenues de travail crasseuses et même de quelques vieux uniformes datant de la guerre d'Indépendance, tous armés de leur fusil à poudre, de couteaux et d'épées.

Disparates, certes, mais animés d'une même ferveur.

— Oui, Monsieur! lancèrent-ils comme un seul homme. Pour le Texas!

— Que chacun de vous se souvienne d'Alamo, ajouta Houston.

La sœur de droite chanta la première, suivie une seconde plus tard par sa jumelle.

Hurlant à pleins poumons, les Texans se jetèrent dans la mêlée, entraînés par un soldat qui jouait sur sa flûte « In the Bower. »

— Souvenez-vous d'Alamo... Souvenez-vous de Goliad! criaient-ils.

A quinze heures trente, les deux pièces tiraient leur première décharge de clous, lacérant deux tentes mexicaines à la lisière du champ de bataille; elles s'acharnèrent à en rendre leurs canons rouge cerise. C'est alors que les Texans chargèrent en vociférant la barricade rudimentaire dressée par les Mexicains. La fumée de la poudre remplissait l'air, les baïonnettes et les épées scintillaient dans la brume. Les troupes mexicaines ne réussirent pas à se secouer de leur torpeur et furent submergées par les Texans déterminés.

— Chargez au centre ! cria Houston.

A la première salve, Santa Anna sortit en trébuchant de sa tente et découvrit le chaos. L'élément de surprise joua à fond. Dix-huit minutes après le premier coup de feu, la bataille était terminée : ceux des Mexicains qui ne faisaient pas partie des six cent trente morts et des deux cent huit blessés furent faits prisonniers ; les Texans comptaient neuf morts et vingt-huit blessés, dont Houston.

Santa Anna capitula avec son armée et San Jacinto renonça à toute revendication sur le Texas. Les Sœurs jumelles avaient rempli leur mission.

1865

— Limonade ou whiskey ? demanda Rob Harris, le propriétaire du Harris House.

— Whiskey, répondit Graves, mais nous sommes un peu à court d'argent. Combien la bouteille ?

Harris souleva le flacon carré pour s'assurer qu'il était débouché puis le déposa sur le bureau de la réception devant Graves.

— Soldat, c'est ma tournée.

— Vous êtes un vrai gentleman sudiste.

— Prenez des timbales dans le buffet, reprit le patron. Installez-vous sur le perron, vous aurez un peu d'air.

Graves prit les gobelets puis sortit. Barnett était dans sa chambre au premier étage, accablé par la rougeole. Thomas, Pruitt et Taylor se lavaient au puits pour se débarrasser de la poussière du voyage. Dan somnolait à l'ombre d'un aulne.

Graves s'assit dans un rocking-chair, but une gorgée de whiskey puis commença à réfléchir tout en contemplant le petit village prospère de Harrisburg : le Harris House, deux autres hôtels, quelques magasins et une scierie qui débitait du bois de charpente ; le dépôt de chemin de fer, situé au coin de Magnolia et de Manchester, comprenait, outre la gare, un atelier et des hangars abritant quelques locomotives. Quelques centaines d'habitants au total – pas tous des partisans.

La sirène d'un vapeur sur le bayou de Buffalo rompit le silence ; Graves tourna la tête vers l'est et distingua, malgré les bâtiments qui barraient la vue, le panache de fumée qui se déplaçait vers le nord avant de partir vers l'est. Le bateau remontait le bayou de Bray, le plus petit des deux cours d'eau, qui passait juste devant l'hôtel ; il se rendait à Houston.

Graves but une nouvelle gorgée de whiskey qui lui brûla l'estomac et lui amena les larmes aux yeux ; il les essuya avec sa manche. Un chien qui n'avait que la peau sur les os s'affala devant l'hôtel dans la poussière de Kellogg Street mais, dérangé par le bruit d'un chariot qui approchait, il détala dans Nueces Street. Le soleil était couché et Graves vit à l'ouest, dans le ciel qui s'obscurcissait, la première étoile scintiller.

— Henry, dit Pruitt en s'essuyant le visage avec un mouchoir usé jusqu'à la corde, tu m'as l'air plongé dans tes pensées.

— Je réfléchissais aux deux sœurs, précisa Graves.

— Pendant que tu te lavais, reprit Pruitt, je suis allé en reconnaissance. J'ai repéré un petit bois au nord de la gare près du bayou de Bray.

— Comment est le terrain ? demanda Graves.

— Accidenté, reconnut Pruitt, mais il y a un chemin vaguement carrossable.

Sol Thomas grimpa les marches du perron, sa mâchoire enflée encore plus visible sous son visage fraîchement lavé.

— Il n'y a pas de dentiste en ville ; le forgeron m'a proposé ses services, mais je les ai refusés.

— Tiens, dit Graves en lui tendant une timbale de whiskey, ça devrait t'aider.

Thomas prit le gobelet et le vida d'une gorgée.

Jack Taylor s'approcha en boitillant.

— Alors, demanda-t-il, comment va-t-on s'y prendre ?

— Je vais vous expliquer, dit Graves.

Peu après minuit – seul un croissant de lune éclairait le ciel – les hommes se glissèrent hors de l'hôtel l'un après l'autre pour se retrouver aux écuries. John Barnett, qui avait eu du mal à quitter son lit et dont on distinguait malgré la pénombre le visage pâle et boursouflé, n'était pas brillant. Ni lui ni Dan n'avaient bu de whiskey et cela se voyait : leurs camarades avaient entretenu leur enthousiasme par l'alcool. Dan semblait simplement effrayé.

— Vous avez des allumettes ? demanda Graves.

— J'en ai trouvé, répondit Thomas, ainsi que des outils.

— Je reviens de la gare, ajouta Taylor. Tout est calme.

— J'ai pris le chemin il y a une heure, surenchérit Graves. Il n'y a personne au nord de la gare – la voie est libre jusqu'au bayou de Bray.

Fantômes silencieux, ils longèrent deux pâtés de maisons, tournèrent à droite, continuèrent vers Manchester Street où tout était tranquille, puis gagnèrent la gare à travers champs. Les Jumelles reposaient sur leur affût parmi d'autres canons de plus gros calibre. L'air sentait la poudre et la graisse, la terre humide et la sueur. Graves contempla un instant la célèbre paire de canons.

— J'entends quelque chose, murmura Thomas.

— Couchez-vous, ordonna Graves.

Les hommes s'accroupirent le long du quai.

Deux soldats de l'Union arrivaient de l'est après une nuit de permission visiblement bien arrosée. Ils trébuchaient le long des rails sans remarquer grand-chose. Entonnant une chanson irlandaise, ils partirent à travers champs en direction de leur campement, situé à un kilomètre de là. S'ils avaient obliqué vers le sud, ils auraient découvert Graves et ses camarades, mais ils continuèrent d'un pas incertain.

— Nous l'avons échappé belle, souffla Graves quand ils eurent disparu. Sortons les canons de là et filons.

Graves et Dan s'attelèrent aussitôt à un affût pendant que Pruitt, Thomas et Taylor s'occupaient de l'autre. Barnett suivait tant bien que mal en surveillant leurs arrières.

Ils parcoururent quelques centaines de mètres entre arbres et buissons avant de s'arrêter à proximité du bayou.

— Apporte-moi de l'amadou, ordonna Graves à Dan.

Thomas prit des allumettes dans un récipient métallique et disposa les branchages et les feuilles rassemblés par Dan. John Barnett restait adossé à un arbre, incapable de les aider.

— Henry, le bois des affûts est bien sec, articula-t-il péniblement, ça ne fumera pas beaucoup.

— Ne t'inquiète pas, John, fit Graves. On va s'en tirer.

Jack Taylor prit une pelle dans le chariot, fit quelques pas en boitillant et commença à sonder le sol à la recherche de terre meuble. Thomas brisa quelques brindilles puis craqua une allumette qui crachota avant de s'éteindre ; tirant alors un couteau de sa poche, il gratta le soufre d'une demi-douzaine d'allumettes, en fit un tas qu'il déposa sur des feuilles sèches ; puis il s'agenouilla et pencha la tête jusqu'au brin d'amadou.

— Allez, allez, chuchota-t-il en craquant une autre allumette.

Celle-ci consentit à s'enflammer ; il la jeta sur la pile de soufre qui se mit à brûler. Le feu se communiqua aux feuilles et aux brindilles, et Thomas l'attisa avec son chapeau.

Henry Graves contemplait le croissant de lune ; quelques nuages passèrent devant, puis le ciel se dégagea.

— Il fait plus chaud que dans une forge, observa-t-il.

Les effets du whiskey commençaient à se dissiper et les hommes à comprendre la folie de leur entreprise. Que les troupes de l'Union, qui n'étaient pas loin, tombent sur leur petite opération, et leur peau ne vaudrait pas cher. Plus de temps à perdre.

— Tu as trouvé un endroit? demanda-t-il à Taylor.

— Oui, murmura Thomas, à côté des pins là-bas.

— Allume-moi ces roseaux pour faire des torches, dit Graves. Dan, aide Jack à creuser.

— J'ai un bon feu maintenant, déclara Thomas.

— Alors allons-y, décida Graves. Jetez ces morceaux d'affût dans les flammes.

Jack Taylor ruisselait de sueur : au début, il avait creusé avec facilité, mais après un sol sablonneux et du terreau, les deux hommes étaient tombés sur une couche de terre bien tassée et ils ne progressaient plus maintenant que centimètre par centimètre.

— Un pic nous aurait bien facilité la tâche, observa Dan.

Graves, tisonnant le feu avec un bâton, en tira une pièce métallique qu'il mit de côté une fois que Pruitt l'eût arrosée. Il avait déjà empilé assez de plaques métalliques et de boulons pour remplir un seau.

— Remplis ce seau avec tout ce métal, dit Graves à Pruitt, vide-le dans le bayou et rapporte-le plein d'eau.

Pruitt s'exécuta aussitôt.

Graves s'approcha du trou et demanda tout bas à Taylor :

— A quelle profondeur en es-tu?

— A peu près un mètre.

— Ça suffit. Aide les autres à tirer les jumelles jusqu'ici et faites-les dégringoler dans leur tombe.

— Le trou n'est pas profond, monsieur Taylor, fit remarquer Dan qui en émergeait.

— C'est vrai, mais il faudra s'en contenter. (Les roseaux avaient presque fini de se consumer.)

Au même instant, Graves, Pruitt et Thomas apparurent, tirant l'un des canons.

— Jack, chuchota Graves, Dan et toi d'un côté, Sol et moi de l'autre.

Ils répétèrent la manœuvre avec la seconde pièce.

— Ça n'est pas terrible comme trou, Jack, fit Graves en souriant.

— Le sol était fichtrement plus dur qu'il n'en avait l'air, Henry, répondit Taylor.

Dan se mit à jeter des pelletées de terre sur les canons tandis que Graves reculait et s'essuyait les mains sur son pantalon.

— Sol, Passe-moi ton canif, dit-il.

Sol le tira de sa poche, l'ouvrit et le tendit à Graves qui se piqua le doigt avant de le lui rendre. Thomas en fit autant, puis le tendit à Taylor qui à son tour le passa à Barnett.

— Nous venons, messieurs, déclara solennellement Graves, de signer un pacte de sang par lequel nous nous engageons à ne confier à personne rien de ceci avant le jour où la Confédération se relèvera.

Les hommes se serrèrent la main.

— Que les Jumelles restent cachées, dit Taylor, jusqu'à ce que leur sécurité soit assurée.

Ses camarades répétèrent son vœu.

— Faites des marques sur quelques arbres, recommanda Graves, et répandez des feuilles sur le trou.

Graves fit quelques pas et regarda Harrisburg : il distinguait tout juste une lumière qui brillait au deuxième étage d'une maison. Après avoir effectué un relevé au compas, il revint sur ses pas. John Barnett avait ramené le chariot sur le chemin.

— Allons-nous-en, dit calmement Graves.

1905 : QUARANTE ANS PLUS TARD

— John, annonça Graves, nous y voilà.

Barnett regardait par la fenêtre.

— Ça fait si longtemps, Henry, dit-il, comme dans un rêve.

Graves et Barnett descendirent du train à Harrisburg. La ville avait bien changé : elle se faisait lentement absorber par Houston. Au cours des quatre dernières décennies, la région s'était beaucoup construite. Graves était maintenant médecin et Barnett un homme d'affaires prospère de Gonzalez. Les jeunes soldats fougueux de 1865 avaient vieilli : les cheveux blancs avaient envahi la tête blonde de Graves, et Barnett, poivre et sel, avait pris un peu de ventre. Au fil des années, ils avaient perdu tout contact avec Taylor et Thomas. Taylor se serait installé dans l'Oklahoma en 1889 lors de la grande ruée vers les terres ; quant à Sol Thomas, il se serait rendu dans le Dakota où l'on venait de découvrir de l'or et aurait été tué par une balle perdue lors de l'attaque d'une banque à Deadwood. Personne n'en était vraiment sûr. Dan avait choisi de rester au service de Graves après avoir été affranchi ; il avait été emporté par l'épidémie de fièvre jaune qui avait ravagé le Sud en 1878.

— Allons à la Harris House, suggéra Graves en regardant une Ford Modèle T qui démarrait après quelques ratés.

Les deux hommes parcoururent la brève distance qui les séparait de Myrtle Street puis promenèrent autour d'eux un regard surpris : le pâté de maisons où se trouvait l'hôtel avait été rasé. Au nord se trouvait un bâtiment tout neuf dont l'enseigne signalait la HARRISBURG ELECTRICAL COOPERATIVE.

— Demandons là, dit Graves.

Barnett acquiesça et emboîta le pas à son ami.

— Est-ce que je peux vous aider? demanda l'employé de la réception.

— Il y avait autrefois un hôtel, le Harris House, dit Graves en souriant. Vous connaissez?

— Pas du tout, mais attendez. Jeff! cria-t-il en se retournant.

Un homme plus âgé arriva en s'essuyant les mains dans un chiffon. Grand et maigre, il avait les cheveux grisonnants et une barbe soigneusement taillée.

— Jeff a toujours vécu dans les parages, expliqua l'employé.

— Avez-vous connu l'hôtel Harris House? demanda Graves.

— Ça fait trente ans, répondit Jeff, que je n'ai pas entendu prononcer ce nom, pas depuis l'attaque nordiste.

— Nous étions descendus là juste après la guerre, expliqua Barnett.

— Après? Vous êtes des Yankees?

— Non, monsieur, rétorqua Graves, des rebelles. Je me présente, docteur Henry Graves, de Lometa, et voici John Barnett de Gonzales.

— Je préfère, fit Jeff en hochant la tête. Je n'ai pas confiance dans les Yankees.

— Alors, intervint Barnett, l'hôtel?

— Vous vous trouvez à deux blocs au sud de son emplacement, répondit Jeff. Les routes ont été modifiées une dizaine d'années après la guerre en même temps que le tracé du chemin de fer. Tout est différent maintenant.

— On a déplacé la voie ferrée? demanda Graves, inquiet.

— Je pense bien. Cette ville a bien changé depuis votre dernière visite.

— Je me rappelle une maison de deux étages près du bayou, dit aussitôt Graves. Cela vous dit quelque chose?

— La vieille maison Valentine! Elle existe toujours. Trois blocs vers le nord et deux blocs vers l'ouest.

— Merci beaucoup, dit Barnett.

— Si vous avez encore besoin de mon aide, n'hésitez pas.

Ce jour-là, Graves et Barnett fouillèrent l'endroit où ils avaient enterré les canons. En vain. Comme, d'ailleurs, toutes leurs autres tentatives par la suite.

II

Docteur Graves, qu'avez-vous fait ?

1987 – 1997

Plus jamais : tel est le serment que nous nous faisons en quittant Harrisburg à l'issue de chacune de nos campagnes à la recherche des Sœurs jumelles. C'est la seule solution raisonnable. Je ne veux pas être désagréable avec les braves gens de Harrisburg, mais je connais des lieux plus propices aux vacances. Pourquoi nous sommes-nous infligés cette torture à quatre reprise ? je me le demande encore. Cet entêtement relèverait presque de la psychose et suggérerait que nous avons définitivement perdu tout contact avec la réalité.

A l'instar des autres accros aux Sœurs jumelles – certains leur ont consacré la moitié de leur existence – je suis sûr – sans aucune preuve pour étayer ma conviction – qu'elles sont enfouies aux alentours de Harrisburg. Après tout, j'ai bien cru jusqu'à mon quarantième anniversaire à la petite souris, au Père Noël et aux vierges ?

Personne ne sait exactement ce qu'il est advenu des célèbres Sœurs jumelles dont Sam Houston avait fait si bon usage lors de la bataille de San Jacinto. Selon certains, on les aurait jetées dans la baie de Galveston pour qu'elles ne tombent pas entre les mains de l'Union. D'autres prétendent que, après la guerre, on les aurait envoyées dans le nord pour les fondre ; sans oublier la merveilleuse légende selon laquelle on les aurait enterrées à Harrisburg. La vérité s'est évanouie dans la nébuleuse du temps.

On doit la seule source valable à un soldat de l'Union en garnison à

Houston : il a vu le canon, noyé parmi d'autres, près de son casernement. M.A. Sweetman, caporal avant sa démobilisation, écrivit dans son Journal à la date du 30 juillet 1865 :

> *J'ai aperçu un certain nombre de vieux canons, un et peut-être plusieurs de gros calibre et tous démontés. Sans caisson ni affût ni caisse de munitions, ils donnaient l'impression d'avoir été ramassés quelque part, traînés jusque-là et abandonnés provisoirement en attendant de les transporter ailleurs. Parmi eux, deux pièces de vingt-quatre à canons courts.*

Sweetman découvrit aussi une autre paire de canons qui lui parurent intéressants :

> *Sur des plaques de cuivre fixées aux affûts de chacun des deux canons, des pièces de six de forme beaucoup plus symétrique, on pouvait lire l'inscription suivante dont le début était rédigé en vieil anglais.*

LES SŒURS JUMELLES
CE CANON EUT DES EFFETS REDOUTABLES
À LA BATAILLE DE SAN JACINTO.
CADEAU DE L'ÉTAT DE LOUISIANE
À L'ÉTAT DU TEXAS
4 MARS 1861
HENRY W. ALLEN
CHARLES C. BRUSLE
WILLIAM G. AUSTIN
COMITÉ DE PRÉSENTATION

> *A en juger par l'état des canons au moment où je les ai vus, il était évident que personne à l'époque ne s'était beaucoup intéressé à eux et que, s'il s'agissait seulement de s'en débarrasser, on déciderait de les jeter dans le bayou de Buffalo plutôt que de les expédier ailleurs.*

Sweetman sort alors de scène par la gauche tandis que le docteur H.N. Graves entre par la droite.

Au retour de la guerre, le Dr Graves et ses camarades descendent du train à Harrisburg, à dix kilomètres au sud de Houston, le 15 août 1865. Graves écrit :

> *En descendant du train à Harrisburg, nous avons vu un certain nombre de pièces de différents calibres entassées au bord de la voie. J'examinai cet amoncellement : à ma grande surprise, j'y découvris les célèbres Sœurs jumelles. Selon moi, il fallait les protéger du vandalisme ou d'une*

confiscation par les troupes fédérales qui s'apprêtaient alors à prendre possession du Texas. Je suggérai donc à mes camarades, Sol Thomas, Ira Pruitt, Jack Taylor et John Barnett, d'enterrer les Sœurs jumelles. L'un d'eux répondit : « Parfaitement... Et nous les enterrerons si profondément qu'aucun fichu Yankee ne posera ses pattes dessus. »

Et il poursuit :

Avant d'enterrer le canon, nous avons démonté le bois de l'affût pour le brûler. Quant aux chariots, nous les avons jetés dans le bayou, après quoi nous avons traîné le canon sur trois ou quatre cents mètres jusqu'à une forêt.

Cette déclaration me pose plusieurs problèmes : premièrement, de quel bois s'agit-il ? Tout l'affût du canon était en bois. Deuxièmement, un feu aurait alerté les soldats de l'Union qui campaient à moins de deux kilomètres de là et qui se rendaient souvent à Harrisburg pour s'approvisionner en vivres et en boissons. Troisièmement, que restait-il des chariots qu'on pût jeter dans la rivière si on les avait brûlés ? Et quatrièmement, pourquoi traîner un canon sur quatre cents mètres dans les bois quand on aurait pu le faire rouler sur son affût ? D'ailleurs, il est impossible de traîner un canon à cause des tourillons, ces deux pivots fixés sur l'affût pour faire tourner la pièce. Ce scénario ne tient pas debout. N'oublions pas non plus qu'il faisait une nuit étouffante : ces hommes, certes endurcis par la guerre, n'étaient pourtant pas au mieux de leur forme – l'un d'eux avait même contracté la rougeole. Je ne crois donc pas qu'ils aient traîné les canons aussi loin que Graves le prétendait, et certainement pas dans une forêt et en pleine nuit. Ils se sont sans doute contentés de suivre une route ou un sentier avant de s'engager dans les bois.

Graves continuait :

Le sol à l'endroit choisi pour enterrer la pièce s'avéra plus compact que prévu, si bien que nous ne creusâmes pas au-delà de deux et demi à trois pieds de profondeur. Nous avons alors enterré les Jumelles dans une seule tombe non sans avoir marqué de quelques entailles les arbres proches de l'emplacement. Nous avons ensuite piétiné le sol et répandu des feuilles mortes et des branchages par-dessus.

C'est le seul récit détaillé que laissa Graves. Si seulement il avait mentionné la direction qu'ils avaient prise pour déplacer le canon qu'ils venaient de subtiliser. Il a laissé hélas ! plus de questions que de réponses.

Avant de partir, les hommes jurèrent solennellement qu'aucun d'eux ne révélerait jamais le secret de la cachette tant que persisterait la possibilité que des mains ennemies s'emparassent des pièces.

En 1905, quarante ans plus tard, le Dr Graves, Sol Thomas et John Barnett revinrent à Harrisburg pour tenter de retrouver l'endroit. Ils tracèrent, chacun de leur côté, une carte sommaire d'après leurs propres souvenirs et comparèrent leurs croquis qui coïncidaient tous ; malgré ce signe encourageant, ils ne parvinrent pas à localiser l'emplacement, le terrain ayant subi des modifications notables – obstacle hélas ! trop bien connu de la NUMA.

Les Sœurs jumelles ne gisaient pourtant pas à plus de trois ou quatre mètres d'eux puisqu'ils avaient quand même retrouvé deux des arbres qu'ils avaient marqués, et deux des pierres qu'ils avaient placées dans les parages.

Il s'écoula encore quinze ans jusqu'à ce que, en 1920, une journaliste du *Houston Chronicle*, Mamie Cox, persuade le Dr Graves de faire à Harrisburg une nouvelle tentative. Elle raconta dans son article qu'on conduisit Graves en voiture de Harrisburg jusqu'au lieu supposé. Malheureusement, elle ne donna aucune précision qui permît de situer cet endroit et ne mentionna pas le nom du propriétaire du terrain. Graves aurait retrouvé, paraît-il, deux des repères qu'il avait tracés en 1865.

Ainsi se termine le récit de cette quête mystérieuse.

Les Texans se sont toujours intéressés à leur héritage et ont mené, individuellement ou en groupe, de nombreuses fouilles dans les environs de Harrisburg – sans doute les seuls touristes à s'y rendre. Aucune de leurs analyses, aucune de leurs pistes ne les menèrent jamais jusqu'aux Sœurs jumelles. Pourtant, à l'instar de la NUMA, ils persévèrent.

Nous avons commencé nos fouilles à l'automne 1987. Wayne Gronquist, l'avocat d'Austin qui présidait alors la NUMA, rassembla une dizaine de Texans possesseurs de détecteurs de métaux. Ils se mirent en chasse, concentrant les premières recherches sur le secteur à l'ouest de la voie ferrée qui franchit le bayou de Bray en direction du nord, vers Houston.

Nous nous déployâmes pour inspecter le terrain à partir du bayou. Autant essayer de retrouver en pleine tempête un confetti à l'aide d'un clou fixé au bout d'un bâton ! Au fil des années, les industriels avaient fait de cet emplacement une décharge : on y trouvait toutes sortes de déchets, de la ferraille, des fûts de deux cents litres et même de vieux réfrigérateurs, bref, tant de métal que détecteurs et magnétomètres faillirent griller.

C'est à moi que revint l'honneur de la seule découverte de la journée : je ratissais un champ de hautes herbes quand je débusquai soudain deux émigrants clandestins que je faillis piétiner. J'essayai de les rassurer, mais ils bondirent sur leurs pieds et détalèrent dans les bois sans m'écouter.

*
* *

En 1988, Gronquist rencontra un autre groupe de Texans qui recherchaient les canons ; Richard Harper et Randy Wiseman, qui les dirigeaient, acceptèrent de joindre leurs efforts à ceux de la NUMA. Bob Esbenson, Dana Larson, Tony Bell et la famille Ross composaient notre équipe. Tout le monde se retrouva à Harrisburg en mars pour commencer à ratisser le terrain : nous prospections le long du bayou pendant que Harper et Wiseman creusaient avec une grosse pelleteuse de location une tranchée de quarante mètres de large sur cinq de profondeur. Sans résultat.

Le lendemain, je déterrai – avec quelques vieilles bouteilles – une jante en fer découverte grâce au gradiomètre Schonstedt ; elle me parut trop étroite pour un affût de canon et convenir plutôt à une roue de charrette. Mais Harper et Wiseman se montrèrent enthousiasmés, persuadés que la jante venait de l'affût du canon des Sœurs jumelles. Ils établirent par la suite que les bouteilles dataient des années 1860.

Le jour suivant, un conflit éclata entre les deux groupes : Harper et Wiseman venaient d'apprendre que l'un de ceux qui nous avaient proposé un détecteur de métaux était un chasseur de trésor connu. Je ne sus jamais la vraie raison de leur fureur. De toute façon, les canons – à supposer qu'on les découvrît – iraient au capitole de l'État à Austin et de là au laboratoire de la Texas A&M. Harper et Wiseman étaient mécontents aussi parce que nous n'avions pas jugé utile de louer une plus grosse pelleteuse puisque, à leur demande, nous avions déjà creusé le long de la voie ferrée. Se posait aussi un problème de droits de jouissance : je réalisai soudain qu'ils estimaient les Sœurs jumelles comme étant leur propriété et nous comme des intrus marchant sur leurs plates-bandes.

Le moment me parut bien choisi pour m'éclipser et je me réfugiai dans le café le plus proche devant une tequila *on the rocks.*

Pour le safari suivant, dans la brousse infestée de tiques des environs de Harrisburg, je fis appel aux services de Connie Young, la célèbre médium d'Enid dans l'Oklahoma. Accompagnés de Craig Dirgo dont c'était la première expédition avec la NUMA, nous traversâmes Harrisburg tandis que Connie déployait ses talents. Elle repéra deux points chauds entre la voie ferrée de la Southern Pacific et le bayou de Bray. Nous poursuivîmes jusqu'à Galveston où Wayne Gronquist et un groupe de volontaires recherchaient l'épave de l'*Invincible*, un navire de guerre de la république du Texas. Connie estimait que l'*Invincible* se trouvait sous le sable de la plage puisque le rivage avait gagné près de huit cents mètres après la construction au début du siècle de longues jetées rocheuses. Un éleveur texan, qui avait proposé ses services, sillonnait la plage au volant de son tracteur tandis qu'assis à l'arrière, je trimbalais un gradiomètre. Connie, Craig et un boy scout nous accompagnaient.

Attendant toujours une réaction des enregistreurs, je me tournai vers Connie pour lui dire :

— Comme le temps passe vite quand on s'amuse!

J'avais à peine fermé la bouche que le tracteur passa, sans ralentir, sur un fossé creusé dans la plage. Craig et moi dégringolâmes du hayon sur lequel nous étions assis. Si Craig roula sur le sable et se releva tout de suite, je fus projeté en l'air et retombai sur la tête en me tassant la colonne vertébrale. La douleur me coupa le souffle. Tout le monde faisait cercle autour de moi, pensant que je m'étais brisé les reins, quand Craig s'approcha en enlevant le sable qu'il avait dans l'oreille.

— Ça n'a pas l'air d'aller, commenta-t-il. (Un maître dans l'art des lapalissades.) Tu peux remuer la jambe? s'enquit-il quand même.

J'y parvins, non sans mal, et il m'aida à me relever.

— Je pense que tu survivras, diagnostiqua-t-il tandis que je me dépliais lentement, mais tu vas devoir faire un saut à l'hôpital.

La radiographie montra deux disques écrasés et me donna une autre précision : j'avais perdu dans l'histoire près de quatre centimètres; en additionnant ceux qui étaient partis avec les ans, j'étais passé, en deux secondes, d'un mètre quatre-vingt-huit à un mètre quatre-vingt-trois; je ne pourrai plus jamais prétendre à la silhouette avantageuse du héros de mes livres, Dirk Pitt. La douleur mit un an et demi à se dissiper.

C'est Craig qui, pendant le trajet entre l'hôpital et le motel, prononça le mot de la fin.

— J'ai bien cru que nous avions tué la poule aux œufs d'or.

— Je m'en tirerai, affirmai-je en serrant les dents.

Craig suivait la route qui longeait la digue de Galveston.

— Il y a du bon dans les motels, poursuivit-il.

— Quoi donc ?

— Les machines à faire des glaçons. Je vais remplir un sac de glace, que je te fixerai autour du torse avec du chatterton.

Opération réussie certes, mais qui me fit ressembler à un bossu.

Incapable de participer à la sortie en bateau du lendemain, je donnai la consigne à Granquist : commencer par les secteurs périphériques et continuer avec le gradiomètre. N'envisageant cependant pas de rester vissé sur ma chaise, je décidai de monter une opération annexe pour me distraire de mes souffrances. Armé d'un petit magnétomètre portable, Connie, Craig et moi gagnâmes Harrisburg pour une petite chasse aux Sœurs jumelles.

Craig balaya le secteur au magnétomètre tandis que Connie cherchait des vibrations. L'enregistreur perçut quelque chose, peut-être une cible enfouie. Craig se rendit en ville pour louer une pelleteuse avec son conducteur. Je souffrais encore le martyre, mais Connie, bénie soit-elle, m'apporta un transat ; je pus ainsi, tout en soulageant mon dos douloureux, assister à l'opération.

Il se mit à pleuvoir : nous nous protégeâmes tant bien que mal avec des journaux, tandis que Craig descendait dans la tranchée à intervalles réguliers pour balayer avec le magnétomètre le fond qui s'emplissait d'eau rapidement. Plus nous creusions, moins la cible se signalait.

Je réglai le conducteur de la pelleteuse, qui avait fait preuve d'une grande patience, et nous regagnâmes notre motel de Galveston. En arrivant, Connie trempée jusqu'aux os, Craig enveloppé d'une gangue de boue, et moi tel le bossu de Notre-Dame, nous tombâmes sur Gronquist et son équipe qui pliaient bagages.

— Que se passe-t-il ? m'informai-je. Nous avions prévu encore quatre jours.

Gronquist ferma sa valise et se dirigea vers la porte.

— Le bateau a chaviré dans les remous, le gradiomètre a été immergé et a court-circuité dans l'eau salée. Alors on renonce et on rentre.

— Vous avez au moins fini de balayer la zone ? demandai-je, furieux.

— Pas du tout, marmonna Gronquist. Nous attaquions la première bande quand une vague nous a fait chavirer.

— Je t'avais dit de commencer par une zone calme et d'aller ensuite vers le ressac !

— J'ai pensé qu'il valait mieux débuter près de l'emplacement probable de l'épave, répondit Gronquist en haussant les épaules.

Je regrettais qu'on ne fût pas dimanche : Gronquist aurait pu faire la grasse matinée.

Craig essuya la boue qui lui maculait le visage et me regarda.

— J'arriverai peut-être à remettre le magnétomètre en état, dit-il. Est-ce que ça t'ennuie si je prends d'abord une douche ?

Dans la soirée, il répara les dégâts avec un séchoir à cheveux et du matériel à souder acheté à la quincaillerie. Peine perdue, car les volontaires avaient vraiment renoncé. Connie, Craig et moi employâmes les jours suivants à rechercher le canon. Vainement.

Ainsi périclita la grande tentative de 1989.

J'aurais dû, une fois de plus, rayer les Sœurs jumelles de ma liste, mais je m'obstinai : nous reviendrions.

Les rounds suivants seront menés par Craig et moi, aidés de mon fils Dirk. Lorsque Craig dirigeait le bureau de la NUMA, il montait deux fois par semaine jusqu'à ma maison de Lookout Moutain à côté de Denver pour me faire son rapport. Nous passions des heures à discuter. L'un de nos sujets de prédilection concernait les Sœurs jumelles. Ne souhaitant renoncer ni l'un ni l'autre, nous relisions les récits et élaborions des stratégies, envolées imaginaires parfois très détaillées.

L'exercice que je préférais consistait à nous aventurer dans les bois, à la tombée de la nuit, munis d'un podomètre. Nous parcourions quatre cents mètres dans une direction choisie au hasard, puis nous laissions des traînées de peinture sur quelques arbres avant de rentrer par un itinéraire différent. La semaine suivante, nous les recherchions... sans jamais les trouver. Mieux encore, en vérifiant à une autre occasion la distance, nous constatâmes que le secteur que nous avions exploré pour y retrouver nos arbres marqués n'était qu'à deux cents ou deux cent cinquante mètres de la maison. Nous avions au moins démontré que, sans instruments précis, estimer des distances dans une forêt la nuit est une entreprise à tout le moins aléatoire.

Nous essayâmes ensuite de porter un sac de ciment, qui pèse beaucoup moins qu'une pièce de six, sur une certaine distance à travers bois. Je crois pouvoir affirmer au vu de cette expérience que si ces hommes avaient porté les canons, ils n'avaient pas parcouru quatre cents mètres, mais tout au plus cent quarante.

En 1989 et en 1994, Craig s'arrêta parfois une journée à Harrisburg, soit en partant pour une nouvelle expédition, soit en en revenant, mais toujours en vain. En 1995, nous profitâmes de ce que la NUMA repartait sur les traces de l'*Invincible* pour faire, Craig et moi, une nouvelle tentative. J'en ris encore. Mon fils Dirk devait arriver de Phoenix dans l'après-midi pour nous donner un coup de main. Nous pensions, Harrisburg n'étant pas loin de l'aéroport, avoir assez de temps devant nous pour commencer notre travail avant de devoir aller chercher Dirk.

Les années passant, notre zone de recherche s'était déplacée et nous nous concentrions maintenant sur un secteur situé au nord de l'ancienne gare de chemin de fer et à l'est de l'actuelle voie ferrée nord-sud. C'est une région extrêmement boisée, envahie de broussailles, où manches longues et machette sont indispensables. Craig et moi traçâmes une grille et entreprîmes notre balayage méthodique. A chaque grésillement du détecteur, il fallait creuser (nous nous étions munis d'une pioche et d'une pelle).

Ma première grande découverte fut un clochard vivant dans ces bois : il se réveilla en sursaut quand je faillis lui marcher dessus ; il s'enfuit comme un chevreuil effrayé par un ours en abandonnant le carton qui lui servait de matelas. Je l'écartai, mais il ne cachait rien.

Malgré la chaleur de plus en plus étouffante – Craig et moi étions en nage – nous persévérâmes. Environ une heure plus tard, Craig déterra un baril de deux cents litres et moi un vieux bloc moteur. Tel était notre bilan en début d'après-midi. Nous avions décidé d'attendre Dirk, qui n'aurait sans doute pas mangé dans l'avion.

Repérant le secteur que nous venions d'explorer, nous ramassâmes pelles, pioches et détecteurs et regagnâmes la voiture de location. Craig, tee-shirt trempé et visage couvert de poussière, jeta les outils dans le coffre et y prit deux boîtes de soda tièdes.

— Pendant ce temps-là, dit-il en me tendant une canette, Tom Clancy boit du champagne.

— Merci.

Craig, en ouvrant la portière pour se mettre au volant, libéra une vague de chaleur qui me dessécha les yeux. Quelques minutes plus tard, nous roulions vers l'aéroport.

— On a tout juste le temps, constatai-je, après avoir consulté ma montre.

Craig se gara facilement. Nous traversâmes le hall surchauffé – Dieu qu'il faisait chaud ! – en direction du tapis de livraison des bagages où, une fois franchies les portes coulissantes, il ne faisait pas plus de quatre degrés. Craig jure encore qu'il crachait de la buée.

Le moins qu'on puisse dire c'est que nous attirions le regard des passagers. Craig n'avait pas l'air de se soucier du spectacle plutôt comique qu'il offrait avec ses brodequins couverts de poussière et de boue, son pantalon et sa chemise trempés de sueur. Pourtant ce n'était pas cela le plus drôle : à peine entré dans le bâtiment, il avait été saisi par le froid et il frissonnait autant qu'un touriste à son premier contact avec la banquise ; il tremblait de tous ses membres et se frottait les mains comme un savant fou qui vient de mettre au point la formule qui anéantira le monde. Les gens s'écartaient sur son passage. Dirk débarqua alors et aperçut Craig ; il s'arrêta net et éclata de rire.

— Bon sang, fit-il entre deux hoquets, qu'est-ce qui vous est arrivé ?

— Ce sont ces foutues Sœurs jumelles, dis-je. On t'expliquera quand on sera dehors.

Ces foutues Sœurs jumelles ! Dirk et Craig les traquèrent encore en 1997 – quand la NUMA recherchait l'*Invincible* à Galveston – en sortant cette fois du périmètre original des recherches et en explorant quelques-unes des propriétés avoisinantes. Le tandem Dirk-Craig au travail rappelle celui d'Abbott et Costello : ils se donnent la réplique, improvisent des sketches consternants et se livrent à de navrantes imitations. Et les Sœurs jumelles les inspiraient vraiment beaucoup.

— Ça va ? Tu as assez chaud ? demanda Dirk avec sollicitude. (Ils commençaient à décharger le matériel.)

— Tant que nous avons de l'eau et une bonne équipe, déclara Craig.

— Bien sûr, approuva Dirk, l'enfer n'en demande pas plus.

— Des volontaires, ajouta Craig en soulevant une pioche, il nous faut des volontaires.

— Passons une annonce, suggéra Dirk en refermant le coffre.

— Recherche candidats appréciant périodes d'ennui intense alternant avec moments d'extrême inconfort. Masochistes bienvenus, proposa Craig.

— Les balades avec un magnétomètre, les bonnes suées et creuser des trous sont vos passe-temps favoris ? La NUMA vous attend.

— Cachez-vous des objets pour le seul plaisir de les chercher plus tard ? Vous êtes le candidat rêvé.

— Acceptez-vous de travailler à l'œil ? ajouta Dirk.

— Et de nous payer pour souffrir ? surenchérit Craig en riant.

Dirk s'interrompit un instant pour signaler un fossé devant une vieille maison en bois. Ils promenèrent le gradiomètre, Craig surveillant le cadran.

— Avez-vous eu chaud au point d'avoir la langue qui transpire ? demanda Dirk.

— Avez-vous jamais été obligé de faire votre lessive dans le lavabo d'un motel ?

— La laverie automatique t'avait fichu dehors ? ironisa Dirk.

— Arrête, lança Craig. Recule d'un pas. Non, c'est faible, continue.

— Aimez-vous la cuisine qui sent le graillon ? reprit Dirk, infatigable.

— Un régime à base de crêpes de mais et de sodas tièdes vous convient-il ?

— Allons plus loin, cette zone est un désert magnétique, déclara Dirk.

— Aussi vide que le cœur d'une putain.

— Aussi vide qu'une salle qui affiche un concert de metal rock.

Voilà en quelques répliques une assez bonne illustration de la première demi-heure de nos explorations, qui laisse augurer de mon état après sept ou huit heures d'un tel déferlement verbal. Quand c'est possible, je les envoie tous les deux seuls, sinon Ralph et moi les exilons à l'arrière.

Plus tard ce jour-là, Dirk détecta quelque chose dans un enclos de chevaux. Les arguments de Craig et une caisse de bières fraîches convainquirent le propriétaire de les laisser creuser. Ils s'escrimèrent presque tout l'après-midi dans la fournaise pour tomber sur une enclume enfouie à deux mètres de profondeur. Ils passèrent donc à la cible suivante. C'est ça, notre travail.

Au début de 2001, Craig prit l'avion pour Phoenix afin de revoir avec moi certains passages de ce livre. Nous restâmes deux heures sur le mystère des Sœurs jumelles sans pouvoir formuler la moindre hypothèse valable. L'avenir nous éclairera peut-être.

Toutefois, Dirk et Craig ont formulé une demande précise à la NUMA : que la prochaine expédition n'ait pas lieu au mois d'août. Mauviettes!

Septième partie

La *Marie Celeste*

Île de la Gonâve

Canal du Sud

Le Marie Celeste

Île des Conques

Récif du Rochelais

MIRAGOANE

GOLFE DE LA GONÂVE, HAÏTI

I

Le bateau mystère

1872

Quand la *Marie Celeste* quitta le quai 50 d'East River, rien ne laissait penser que ce voyage serait différent des précédents. Ce mardi 5 novembre 1872, comme d'habitude à New York au début de l'hiver, il faisait froid et gris mais c'était supportable. Certes, un manteau s'imposait, mais pas au point de tourner le dos au vent. Bref une journée normale, quand l'hiver arrive à grands pas.

Le capitaine Benjamin Spooner Briggs tira sur sa petite barbiche et rectifia légèrement le cap, car la violence du courant de l'East River ramenait son navire à quai. Briggs cria à son second, Albert Richardson de Stockton Springs dans le Maine :

— Ferlez la voile du grand mât!

Le vent gonfla la toile et entraîna le navire vers le milieu du fleuve.

Briggs hocha la tête, comme pour approuver l'obéissance de la *Marie Celeste*. Fils d'un capitaine de marine de Wareham, dans le Massachusetts, et cadet de cinq garçons, il faisait carrière dans la marine comme trois de ses frères. Son enfance avait été bercée par des récits marins et les lettres envoyées de ports lointains. A Sippican Village, où le clan Briggs avait fini par ancrer, on raconte que dans leurs veines coule de l'eau salée. Le capitaine Briggs se sentait aussi à l'aise en mer qu'assis devant la cheminée d'une belle demeure. En partie propriétaire de la *Marie Celeste*, il avait hâte de commencer le voyage.

Il huma l'air et tourna un peu la barre.

173

Les appartements du capitaine se trouvaient dans l'entrepont. Dans la chambre, Sarah Elizabeth Briggs, l'épouse de Benjamin, s'occupait de leur fille de deux ans, Sophia Matilda ; après l'avoir nourrie et installée dans un petit parc en bois, Sarah joua une berceuse sur son accordéon jusqu'à ce que l'enfant s'endormît.

Madame Briggs avait déjà effectué plusieurs voyages avec son mari ; elle n'en connaîtrait pas d'autre.

La *Marie Celeste* se trouvait à un mille de Staten Island quand Briggs ordonna au matelot :

— Les vents sont défavorables. Mettez en panne et jetez l'ancre. Nous attendrons qu'ils tournent.

Une fois son navire immobilisé, Briggs descendit dans la cale pour inspecter sa cargaison : quelques caisses pleines d'effets personnels destinées à un jeune New-Yorkais qui étudiait l'art en Italie, et mille sept cents barils d'alcool à destination de Genève, expédiés par Meisser, Ackerman & Co, au 48 Beaver Street, New York.

Yankee pur sang, Briggs se comportait avec prudence. Les barils avaient beau être bien bouchés et apparemment intacts, il s'inquiétait des éventuelles vapeurs d'alcool. Plus d'un navire avait explosé à cause de ce type de marchandise. Il tenait d'autant plus à éviter tout accident que sa femme et leur bébé se trouvaient à bord.

Rassuré, il regagna sa cabine. Sarah, assise devant une machine à coudre à pédale, ourlait une robe de bébé. De son parc pliant en lattes de noyer, Sophia l'observait. Quand Briggs entra, elle pencha la tête et le regarda d'un air interrogateur.

— Pa, couina-t-elle.

Le capitaine Briggs s'approcha du parc et caressa les cheveux de sa fille. Puis il se tourna vers Sarah en souriant.

— Les vents sont contraires, annonça-t-il. Nous attendrons qu'ils tournent.

— Dans combien de temps, à ton avis ? demanda Sarah.

— Le baromètre annonce un changement, mais quand ? Difficile à prévoir, reconnut Briggs.

Il fallu attendre la matinée du jeudi 7 novembre.

Un pilote guida la *Marie Celeste* de son mouillage jusqu'au chenal et lui fit passer les hauts-fonds ; une fois le navire dans l'Atlantique, le pilote regagna New York à bord du canot venu le chercher ; il rapportait avec lui, comme de coutume, les lettres du bord à poster.

Celles-là seraient les derniers envois du capitaine et de l'équipage de la *Marie Celeste*.

A la barre, Benjamin Briggs mit le cap à l'est. La mer, d'un noir d'encre, était assez mauvaise : on aurait dit que des éclats du marbre noir qu'on utilise pour les mausolées recouvraient la surface de l'eau. La *Marie Celeste* voguait sur des montagnes russes. Les vagues se dressaient avec fureur devant l'étrave puis, quand l'avant les avait brisées, elles précipitaient le navire dans leur creux avec une telle violence que le capitaine, comme assis dans un fauteuil à bascule se cognant contre une cloison, en avait presque la nausée.

A deux mille pieds au-dessous, le fond de la mer. A deux mille milles devant, les Açores.

Briggs avait affronté une mer agitée à de nombreuses reprises, et celle-là ne l'inquiétait pas. Il avait un bateau solide et un équipage trié sur le volet : un second expérimenté, Albert Richardson, vingt-huit ans, le teint clair et les cheveux bruns qui, au sein des volontaires du Maine durant la guerre de Sécession, avait été mis à rude épreuve ; il touchait une solde de cinquante dollars par mois. Le lieutenant, Andrew Gilling, un New-Yorkais de vingt-cinq ans, marin aguerri originaire du Danemark, recevait trente-cinq dollars par mois. Le cuistot et cambusier, Edward William Head, avait vingt-trois ans et il venait de se marier ; il était payé quarante dollars par mois.

Les matelots, d'origine allemande et dont l'expérience leur valait trente dollars par mois, se composaient des frères Boz et Volkert Lorenzen, respectivement vingt-cinq et vingt-neuf ans, d'Arian Martens, trente-cinq ans, et de Gottlieb Goodschaad, le plus jeune, vingt-trois ans. Tous venaient d'Allemagne – tous avaient de l'expérience. Ils habitaient, ainsi que Gilling, le 19 Thames Street, New York, adresse de la Maison des gens de mer.

Edward Head traversa prudemment le pont à la rencontre du capitaine Briggs.

— Capitaine, cria-t-il pour dominer le vent, désirez-vous quelque chose ?

— Je mangerai au changement de quart, répondit Briggs, dans une heure et demie.

— Du café ? suggéra Head avant de s'en aller.

— Du thé bien chaud avec de la mélasse, accepta Briggs, pour me calmer l'estomac.

— Je vous l'apporte, dit Head.

Pendant ce temps, sur les quais de New York, on procédait au chargement d'un autre navire.

Le *Dei Gratia,* une goélette britannique de deux cent quatre-vingt-quinze tonneaux, venait de la Nouvelle-Écosse. Son capitaine, David Reed Moorhouse, surveillait la descente dans la cale de barils de pétrole provenant des gisements de Pennsylvanie. Son second, Oliver Deveau, se tenait auprès de lui.

— Nous devons appareiller le 15, dit Moorhouse. Avez-vous des gens à recommander pour compléter l'équipage?

— Je pense aux matelots Augustus Anderson et John Johnson avec qui j'ai déjà navigué. Je leur en ai parlé.

— Que diriez-vous de John Wright comme lieutenant?

— C'est un bon élément, approuva Deveau.

— Parfait, dit Moorhouse, je vais lui faire une offre.

— Le vent tourne, observa Deveau.

— Bien, nous devrions partir à l'heure, déclara Moorhouse.

La plupart des grandes civilisations ont un point commun : leur puissance maritime. Vikings, Espagnols, Anglais, tous s'accordaient à expliquer leur puissance et leur prestige sur terre par leur domination sur les océans. Et, à une époque où les syndicats n'existaient pas, le capitaine d'un navire en mer jouissait de la toute-puissance. Non seulement il représentait ses armateurs et son pays, mais il répondait aussi de la cargaison de son navire devant les propriétaires. Il est vrai qu'il y avait la couverture des assurances ; ainsi pour la coque de la *Marie Celeste* assurée pour un total de 14 000 dollars par quatre compagnies : 6 000 dollars par la Maine Lloyds, 4 000 dollars par l'Orient Mutual Company, 2 500 dollars par la Mercantile Mutual Company, et, plus modeste, 1 500 dollars par la New England Mutual Insurance Company. Ce qui, en 1872, n'était pas insignifiant ; l'Atlantic Mutual Insurance Company assurait séparément la cargaison pour 3 400 dollars. Prudentes, les compagnies ne couvraient pas un navire sans vérifier son état et la compétence de son équipage. La *Marie Celeste* répondait à toutes ces exigences.

A mi-chemin des Açores, le capitaine Briggs guidait la *Marie Celeste* au-dessus du Rehoboth Seamount, un plateau sous-marin s'étendant par soixante degrés de longitude. Confiant la barre à Richardson, il prit dans un coffret de merisier bien astiqué un sac de daim dont il retira avec précaution un sextant. Visant un point de l'horizon, il détermina leur position.

La *Marie Celeste* maintenait son cap.

— Même cap, dit-il à Richardson. Si vous avez besoin de moi, je serai en bas.

— Très bien, Monsieur.

L'écoutille menant à l'entrepont était à demi ouverte, repliée sur elle-même, et l'échelle permettant de descendre solidement fixée à la cloison. Briggs savait d'expérience l'importance de ces détails : au début de sa carrière, en effet, il avait dégringolé dans la cale à cause d'une échelle mal fixée et s'était fait une vilaine foulure de la cheville. Désormais, il ne laissait rien au hasard.

Pour l'instant, Briggs était plutôt satisfait de son équipage. Les frères Lorenzen parlaient un anglais hésitant avec un terrible accent allemand, ce qui ne les empêchait pas de réagir à ses instructions sans délai ; de plus, ils ne rechignaient jamais à l'ouvrage et occupaient tout leur temps : soit ils entretenaient les voiles, soit ils nettoyaient le pont ; de toute façon ils trouvaient toujours une tâche. De bons matelots.

Moins barvards, Martens et Goodschaad travaillaient dur et obéissaient aux ordres. Richardson avait assez d'expérience pour prendre un commandement et Gilling s'en approchait. Seul Edward Head inquiétait Briggs : il s'acquittait de ses devoirs avec compétence, mais il avait l'air triste.

Descendant sur le pont inférieur, Briggs prit une coursive jusqu'à la cuisine.

— Capitaine, salua Head en relevant la tête des patates qu'il était en train d'éplucher.

— Qu'est-ce que vous nous préparez, Edward ? demanda Briggs.

— Bœuf salé, patates et betteraves pour le dîner.

— Si je vous dis que ça me satisfait, commenta Briggs en souriant, je mentirais.

— J'ai un tonneau de pommes séchées, je pourrais faire une tarte, suggéra Head.

— Votre femme vous manque ? demanda Briggs.

— Beaucoup, capitaine, répondit Head. Je resterai peut-être à terre après ce voyage.

— Les dispositions sont déjà prises pour le retour, précisa Briggs. Une cargaison de fruits dont le chargement n'exigera qu'une brève escale. Dans un mois à peu près, vous serez rentré et vous pourrez vous décider.

— Tant mieux, capitaine.

Moins d'un mois plus tard, la *Marie Celeste* serait à Gibraltar, mais sans ses passagers.

Le capitaine Moorhouse se tenait sur le pont supérieur du *Dei Gratia*. La cargaison était bien arrimée et on s'activait au chargement des dernières provisions.

— Quand ce sera terminé, faites servir une ration de rhum aux hommes, dit Moorhouse à Deveau.

— Bien, capitaine.

On était le 14 novembre 1872. Le *Dei Gratia* quitterait New York le lendemain matin, et Moorhouse descendit consulter ses cartes : il avait une vaste étendue d'océan à franchir et il devait être prêt à tout.

Loin au nord, près du cercle arctique, une tempête se formait : le ciel virait au noir et le vent forcissait ; une neige sèche commençait à tomber jusqu'à devenir une couverture qui aveuglait tout. Un troupeau de bœufs musqués reconnut les signes avant-coureurs et se prépara aussitôt à affronter la tempête : serrés les uns contre les autres pour conserver toute leur chaleur, et la tête tournée vers l'extérieur, les animaux constituèrent une sorte de rempart circulaire autour de leurs jeunes et de leurs malades.

La mer, de plus en plus dure, n'accordait aucun répit ni à la *Marie Celeste*, ni à son équipage. Briggs savait le mois de novembre sujet à des caprices, mais celui-là s'avérait exceptionnel. Il avait cru retrouver une mer calme une fois le soixantième parallèle franchi, mais en fait le temps se détériorait de plus en plus. Il faisait moins froid, ce qui résolvait un problème, mais restait celui posé par les coups que ne cessait d'encaisser la coque. Un baril d'alcool s'était déjà fendu, répandant son contenu dans la cale ; pourvu que ça n'arrive pas aux autres.

— Comment va la petite ? demanda Briggs en entrant dans sa cabine.

— Bien, si elle est dans son berceau, répondit Sarah, le balancement du bateau la calme. Mais dans son parc, elle est bringuebalée dans tous les sens.

Briggs regarda sa femme : elle avait le teint verdâtre.

— Et toi ?

— J'ai été malade, reconnut Sarah.

— Je te fais apporter quelques biscuits par le cuistot, dit Briggs. En général, ça calme l'estomac.

— Merci, chéri.

— Nous avançons bien, ajouta Briggs. Si cela continue, d'ici à une semaine nous entrerons dans la Méditerranée : elle est en général plus calme.

— J'espère, murmura Sarah.

*

* *

Le capitaine Moorhouse portait un grand imperméable en cuir et un chapeau assorti. Ses yeux cernés trahissaient le manque de sommeil ; et il n'avait pas pris un vrai repas depuis New York. Dès le premier jour, ils avaient dû affronter un temps exécrable : d'abord la neige, puis la pluie, le vent omniprésent. Il soufflait de nord-est et poussait le *Dei Gratia* vers son rendez-vous avec le destin. Mais quoi qu'il arrivât, ils avançaient bien.

Respectant l'obligation à laquelle il était tenu, Briggs remplit le journal de bord – on y note le temps, la position, l'état du navire, ainsi que le récit, la date et l'heure de tout événement insolite ; le journal suit le capitaine quand il arrive au port ; en cas de vente, on le remet au nouveau propriétaire. On enregistre triomphes et tragédies dans ce témoignage fidèle de la vie à bord.

23 novembre 1872. Huitième soir de mer. Deux nouveaux barils fendus, légère voie d'eau dans la coque, mais les pompes suffisent. Temps toujours mauvais. Position : 40 degrés 22 minutes de latitude nord, par 19 degrés 17 minutes de longitude ouest. Demain nous devrions voir les premières îles des Açores.

Confiant la barre à Gilling, qui prenait le dernier quart, il descendit, secoua l'eau qui ruisselait de son chapeau et de son manteau puis s'engouffra dans sa cabine pour essayer de dormir. Derrière la cabine du capitaine et séparées par la cale aux approvisionnements se trouvaient les couchettes des matelots. Boz Lorenzen se pencha sur son frère Volkert :

— Volkie, murmura-t-il.

— Oui, Boz.

— Les vapeurs d'alcool ne te donnent pas mal à la tête ?

— Pas tellement, répondit Volkert, mais je faisais un rêve étonnant.

— Lequel ?

— Nous étions à la maison en Allemagne et Mère vivait toujours.

— Un beau rêve.

— Pas vraiment. C'était bien son visage, mais elle avait une pomme de terre à la place du corps.

— Mère aimait beaucoup les patates.

— Si tu ouvrais le hublot ? suggéra Volkert.

— Impossible, l'eau s'y engouffre, expliqua Boz avant de se retourner pour chercher le sommeil.

Le lieutenant du *Dei Gratia*, Oliver Deveau, observait la grand-voile. Montée six mois auparavant lors d'une escale à Londres, elle semblait intacte, même si le temps l'avait quelque peu patinée. Les anneaux de fixation des cordages ne montraient aucun signe d'usure, et les gaines étaient encore intactes. Parfait. Depuis le début du voyage, le *Dei Gratia* avait affronté de violentes bourrasques. Et, si la température s'était radoucie quand il avait atteint des latitudes plus basses, les vents n'avaient pas diminué pour autant.

L'étrave du *Dei Gratia* traçait dans l'eau un double sillage et le vent soufflait dans les cheveux de Deveau. Il aperçut à bâbord un trio de marsouins qui sautaient dans les vagues et il sourit. Le navire avançait à bonne allure et, s'il continuait ainsi, peut-être aurait-il droit à une prime des armateurs reconnaissants.

Deveau toucherait bien une prime, mais pour une raison bien différente.

Le second de la *Marie Celeste*, Albert Richardson, écarquillait les yeux pour apercevoir l'île de Santa Cruz das Flores. Cette terre, et Corvo, son île sœur, seraient les premières devant lesquelles ils passeraient depuis leur départ de New York. On était le 24 novembre 1872.

En bas, dans la cabine du capitaine, Benjamin Briggs et sa femme Sarah savouraient les derniers œufs frais. Le capitaine Briggs les aimait frits, Sarah les préférait pochés et la petite Sophia, tels qu'on les lui proposait. Sarah en posa un sur une tranche de pain et dit à son mari :

— J'ai aperçu un rat. Il faudrait un chat à bord.

— Je ferai nettoyer la coque par les hommes quand nous aurons déchargé l'alcool, dit Briggs, et avant qu'on ne charge les fruits.

— Les fruits ne transportent-ils pas des insectes ? demanda Sarah. Des scorpions ? Des cafards ?

— Peut-être, ma chérie, reconnut Briggs, mais ils ne survivront pas une fois que nous connaîtrons un climat plus froid.

— Je crois que les vapeurs d'alcool affectent Sophia.

— Elle m'a pourtant l'air en forme, répondit Briggs en se penchant pour chatouiller Sophia assise sur les genoux de sa mère.

— En tout cas, elles m'affectent moi. J'ai l'impression d'avoir été embaumée.

— Deux nouveaux barils se sont mis à fuir, admit Briggs. Il faisait froid quand on les a remplis, et je crains qu'ils ne se dilatent davantage quand nous arriverons dans des zones plus chaudes.

— Ce serait ennuyeux.

— En effet, avoua Briggs.

Tandis que le *Dei Gratia* voguait vers l'est, les matelots s'attaquèrent à un rituel vieux comme le monde. On inspecta et on nettoya les voiles. On briqua et on savonna les ponts. On astiqua tout : la rouille avait fait son œuvre. Le ciel se dégageait et permettait de passer plus de temps sur le pont supérieur. Le soleil brillait à travers les nuages sur le visage des marins.

Le voyage ressemblait pour l'instant à la plupart des précédents, mais plus pour très longtemps.

Des vents capricieux avaient dérouté le navire, rien d'extraordinaire pour un voilier, mais cela nécessitait quelques changements. Dans la nuit, la *Marie Celeste* était passée au nord de l'île Ste Mary et non au sud, comme la prudence l'aurait exigé. Ainsi l'accès au détroit de Gibraltar, qui se trouvait maintenant au sud-est de leur position, serait plus facile en prenant au sud des Açores. Ensuite, à tout juste vingt et un milles au nord de Ste Mary, pas bien loin des eaux que traversait maintenant la *Marie*

Celeste, se dressaient les dangereux récifs connus sous le nom des hauts-fonds de Dollabarat. Par gros temps, les vagues se brisent sur eux avec une grande violence ; par temps calme, les rochers sont tapis juste sous la surface de l'eau, prêts à lacérer la coque des navires sans méfiance. Un bon navigateur pourrait s'y faufiler, mais la plupart évitent cette région. Tout d'abord, on n'a guère de raison de passer au nord : on ne trouve en effet sur l'île de Ste Mary ni mouillage, ni point d'eau, ni ville, ni aide.

> *Journal de bord de la Marie Celeste*
> *25 novembre 1872, changement de quart.*
> *A 8 h, Eastern Point au sud-sud-ouest, à 6 milles.*

Dernière indication portée dans le journal sous la signature « Capitaine Benjamin Briggs ».

Le navire doublait la dernière île des Açores et le point est était Ponta Castello, un haut sommet sur la rive sud-est.

Andrew Gilling s'épongea la nuque avec son mouchoir.

— Plus que six cents milles jusqu'à Gibraltar, murmura-t-il.

Il avait presque terminé son quart et il n'en était pas mécontent. Toute la nuit il avait éprouvé un pressentiment, un vague malaise. Étrange. La *Marie Celeste* était sortie des nuages, mais dans la lumière du petit matin, Gilling les avait vus au sud et à l'est – un mur noir qui montait et descendait comme un organisme vivant. A deux reprises durant la nuit, des petites trombes d'eau avaient jailli à proximité du bateau mais s'étaient dissoutes avant de vraiment prendre forme. Et des rafales étaient survenues pour disparaître aussitôt, mystérieusement, comme quand on frappe à la porte et qu'il n'y a personne.

Albert Richardson s'avança sur le pont d'un pas incertain.

— Changement de quart, annonça-t-il en arrivant près de Gilling.

Gilling observa le second : il avait les yeux rouges et injectés de sang et la parole légèrement embarrassée. Il émanait de lui des relents d'alcool presque palpables. Si on demandait son avis au Danois, force lui serait de conclure à l'ivresse de Richardson.

— Où est le capitaine Briggs ? demanda Gilling.

— Dans l'entrepont, malade comme presque tout l'équipage. Les vapeurs d'alcool font des ravages. Juste avant le lever du jour, j'ai entendu madame Briggs jouer de l'accordéon en chantant ; elle a réveillé tout le monde.

— Monsieur, proposa calmement Gilling, j'ai passé toute la nuit au grand air. Je pourrais peut-être continuer mon quart.

— Ça va aller, affirma Richardson, dès que je me serai aéré.

— Très bien, Monsieur. Soyez quand même prudent : nous ne disposons d'aucune carte de la zone que nous abordons ; il se peut qu'elle cache des hauts-fonds qui ne sont pas mentionnés.

— Ne vous inquiétez pas, Andrew, dit Richardson en prenant la barre.

La petite Sophia sourit en regardant la tache noire qui dansait devant ses yeux. Elle se frotta les paupières du revers de la main, mais les petites taches demeuraient. Benjamin Briggs chantait une chanson de Stephen Foster ; il avait peu dormi, pas plus que Sarah qui jouait de son accordéon comme une possédée.

— Encore un refrain, criait-elle.

A l'avant, dans la cabine des matelots, les Allemands jouaient aux cartes. Arian Martens avait fait la donne voilà près d'une heure et personne encore n'avait annoncé de « gin ». Gottlieb Goodschaad essayait de se concentrer sur son jeu : le joker semblait vouloir parler, le neuf ressemblait à un six.

Dans la cambuse, Edward Head renonçait, après bien des efforts, à allumer le fourneau. Il prit alors une côte de viande en conserve et il entreprit de la découper ; en vain, sa main refusant d'obéir aux ordres de son cerveau au point mort, ce qui lui importait peu. Un rat courait sur une étagère ; Head essaya de communiquer avec lui par télépathie. Bizarre, se dit-il, il ne répond pas.

Volkert Lorenzen bourrait du tabac dans une pipe qu'il tendit à son frère Boz et recommença pour lui. Aller fumer sur le pont leur éclaircirait sûrement les idées ; ils en avaient bien besoin : Boz ne venait-il pas de lui répéter pour la dixième fois combien il l'aimait. Volkert savait bien que Boz l'aimait : ils étaient frères. Malgré tout, ils n'avaient jamais éprouvé le besoin de le proclamer ainsi.

La *Marie Celeste ?* une nef de fous prisonniers d'une atmosphère délétère.

A douze pieds sous la surface, droit devant, se dressait, ignorée des hommes et de leurs cartes, une série de plateaux rocheux hérissés d'aiguilles volcaniques qui s'étaient formées il y a des centaines de milliers d'années.

Son tirant d'eau – onze pieds sept pouces – aurait permis à la *Marie Celeste* de franchir cet obstacle si elle n'avait pas suivi les vagues dans leurs creux et dans leurs crêtes et n'était ainsi montée et descendue de quatre bons pieds.

La coque s'avançait vers la roche pour une rencontre catastrophique.

Albert Richardson regardait vers le sud. Le navire passait sous le vent de Ste Mary et seuls quelques jours et six cent milles de mer le séparaient de Gibraltar. Là-dessus, une secousse, un choc, un frottement sur toute la longueur de la coque freinèrent la *Marie Celeste;* mais grâce à son élan, elle se libéra.

— Nous avons échoué! cria Richardson.

Tout éméché qu'il fût, le capitaine Benjamin Briggs savait ce que cela voulait dire.

Sortant en courant de sa cabine, il grimpa sur le pont et se précipita à la barre. Il observa leur sillage et constata que la mer était trouble là où le navire avait frotté sur l'écueil. Il regarda devant lui et vit une eau profonde. Rassuré il se tourna à tribord et aperçut l'île de Ste Mary.

— Pourquoi sommes-nous au nord de l'île? cria-t-il à Richardson.

— La tempête de la nuit nous a déviés au nord, expliqua Richardson.

Les frères Lorenzen, Goodschaad et Martens accoururent sur le pont en même temps que Gilling et Edward Head qui se traînait pourtant un peu. Tous connaissaient ce bruit et tous redoutaient le résultat.

— Restez à la barre, ordonna Briggs. Venez avec moi, dit-il aux matelots.

L'eau s'engouffrait dans la cale par les interstices du plancher. Il y avait déjà deux pieds d'eau dans la coque et le niveau ne cessait de monter. Plusieurs autres barils d'alcool avaient explosé et leurs vapeurs toxiques se mélangeaient aux embruns.

Briggs analysa rapidement la situation.

— Wolkie, Boz, aux pompes! cria-t-il. Arian, vous et Gottlieb, apportez-moi de l'étoupe et du goudron.

Il s'agenouilla et tâtonna jusqu'à trouver une voie d'eau. Il plongea la tête et réussit, malgré l'alcool qui lui brûlait les yeux et la turbidité de l'eau, à voir que l'infiltration importante passait entre les planches – aucune n'était cassée – déplacées. Il sortit la tête de l'eau. Il se sentait mal : dans la bouche un goût d'alcool, la tête qui tournait, incapable de retrouver l'équilibre; submergé par une nausée, il se mit à vomir.

— Voilà, capitaine, dit Martens en tendant à Briggs le tonneau empli de cordes goudronnées.

— Allez dans ma cabine et dites à ma femme de se préparer à abandonner le navire.

Martens s'avança en pataugeant et grimpa sur le pont supérieur.

— Madame Briggs! cria-t-il devant la porte fermée, le capitaine vous demande de vous préparer à quitter le navire!

La porte s'ouvrit sur une Sarah souriante; elle avait les yeux aussi rouges et les joues aussi congestionnées que si elle avait passé la matinée à patiner sur un lac gelé du Kansas. Jetant un coup d'œil à l'intérieur, Martens aperçut la petite Sophia, avachie dans son parc, un filet de bave coulant sur le menton.

— Et Sophia? demanda Sarah.

— Qu'elle soit prête aussi. Elle vient avec nous.

Un filet de vomi flottait à la surface de l'eau, mais Briggs, sans se laisser arrêter par cela, plongea la tête sous la surface et se mit à bourrer de cordage goudronné la moindre fissure qu'il sentait sous ses doigts. Il s'arrêtait juste pour reprendre haleine, et plongea ainsi à plusieurs reprises.

— Les pompes fonctionnent! cria Bow, au moment où il avait la tête hors de l'eau.

— Gottlieb, ordonna Briggs, dites à Martens d'emballer soigneusement mon chronomètre, mon sextant et mon livre de navigation ainsi que le journal de bord du navire. Ensuite, mettez le canot à la mer avec Arian.

D'après la marque que Briggs avait faite sur la coque, le niveau de l'eau, s'il ne baissait pas, ne montait que lentement et leur laissait peut-être une chance de s'en tirer. Briggs se releva; les vapeurs d'alcool lui faisaient tourner la tête et il dut faire un effort pour se reprendre. Une brusque rafale frappa le navire.

— Montez sur le pont, ordonna-t-il aux frères Lorenzen, et mettez le canot à la mer.

Albert Richardson tenait la barre de la *Marie Celeste* et n'en croyait pas ses yeux : en quelques secondes le temps plutôt calme – une légère brume, parfois un coup de vent, une brève averse – s'était déchaîné et deux trombes flanquaient le bateau.

— Utilisez la grande drisse de la corne de charge pour attacher l'amarre, cria-t-il à Martens et à Goodschaad qui s'apprêtaient à mettre le canot à l'eau. (On l'entreposait sur le pont car, avec ses cent mètres de long et ses huit centimètres de diamètre, elle était difficile à déplacer. En choisir une autre aurait obligé les hommes à aller jusqu'au magasin.)

— D'accord.

Goodschaad attacha l'amarre au bossoir puis Martens et lui soulevèrent le canot par-dessus le bastingage et le mirent à l'eau.

Briggs regagna le pont juste au moment où Sarah, portant Sophia dans ses bras comme un ballon, se dirigeait vers l'échelle pour monter le rejoindre.

— Ferlez la grand-voile, ordonna Briggs.

— Chéri, que se passe-t-il? demanda Sarah en s'approchant de lui.

— Nous avons raclé un rocher, expliqua Briggs. Je crois que j'ai arrêté la voie d'eau mais, pour plus de sûreté, je préfère que nous embarquions un moment sur la chaloupe.

— J'ai peur, avoua Sarah, et Sophia se mit à pleurer.

Un mur de pluie balaya soudain le pont et disparut tout aussi rapidement. Briggs s'assura que le coffre contenant ce qui devait être mis en sûreté était prêt à être chargé.

— Ouvrez le panneau principal et ceux du magasin, puis portez-vous à l'arrière! cria-t-il à Martens avant de s'adresser aux frères Lorenzen. Faites monter Sarah et Sophia dans le canot, puis embarquez à votre tour.

— Faut-il que j'attache la barre? demanda Richardson.

— Laissez-la libre.

Depuis quelques minutes, Andrew Gilling assistait à la scène en spectateur; l'esprit plus clair que les autres, il trouvait excessive la réaction de Briggs. Son rôle ne consistant pas à mettre en doute les décisions du capitaine, il se rendit à la cambuse pour aider Edward Head à charger de l'eau et des provisions dans le canot. Quand ce fut terminé, il surveilla l'embarquement de Sarah et Sophia que soutenaient les frères Lorenzen.

— Vous aussi, ordonna-t-il aux frères.

Quelques minutes plus tard, Martens et Goodschaad, puis Head et Richardson, les avaient rejoints. Briggs s'approcha de Gilling et lui tapa sur l'épaule.

— Montez, je passerai le dernier.

Dix personnes confiées à une petite embarcation arrimée à la *Marie Celeste* par un mince cordage.

Une baleine fit surface non loin du *Dei Gratia* et souffla de l'eau par ses évents.

— Baleine à bâbord! cria Deveau.

Moorhouse le nota dans le journal de bord puis visa l'horizon avec le sextant. Ils maintenaient le cap et les délais. Le temps s'était radouci et le soleil perçait à travers les nuages. Une journée en mer ordinaire, estimat-il, puisque rien ne lui permettait de deviner ce qui se déroulait à cinq cents milles de là.

*
* *

La *Marie Celeste* s'éloignait d'eux; cela faisait une heure qu'elle suivait sa route. Briggs en conclut que son calfatage avait dû être efficace et que l'ouverture des panneaux d'écoutilles avait permis la ventilation de la cale. L'air frais lui avait éclairci les idées et il doutait maintenant de l'à-propos de sa décision.

— Je crois qu'on ne risque rien à tirer sur l'amarre et à rembarquer, dit-il à ses compagnons.

Les hommes acquiescèrent: eux aussi avaient les idées plus nettes. Ils se sentaient à l'aise sur l'eau. Pourtant, être entassés sur une petite embarcation loin de toute terre ne leur souriait guère, et ils avaient hâte de remonter à bord de la *Marie Celeste* et de reprendre leurs tâches normales. Ils avaient tous connu un moment de panique, mais rien de plus qu'une histoire mouvementée à raconter à leurs enfants.

— Voulez-vous que Gilling et moi commencions à haler? demanda Richardson.

Briggs n'eut pas le temps de répondre, une autre rafale s'abattit sur eux. A deux cent soixante-quinze mètres devant eux, la *Marie Celeste* bondit comme un lévrier jaillissant de la ligne de départ. L'amarre qui les reliait au navire se détendit, se plaqua contre l'étançon puis cassa, ralentissant aussitôt la petite embarcation et libérant la goélette chargée d'alcool. Richardson montra à Briggs la corde qui pendait mollement.

— Ramez, les gars, ramez! cria-t-il.

Ils dérivaient depuis dix jours, à l'agonie. Ils avaient très vite perdu de vue la *Marie Celeste* et tous leurs efforts pour gagner l'île Ste Mary avaient été vains. Les vivres manquaient depuis une semaine, et la pluie se refusait à tomber maintenant qu'ils avaient tant besoin d'eau.

La petite Sophia, puis Sarah, avaient succombé. On les avait immergées.

Martens, Gilling et Richardson avaient péri eux aussi. Goodschaad était parti doucement dans la nuit et gisait au fond de la chaloupe, tandis que Head avait été victime d'une crise cardiaque après seulement trois jours de dérive; le cœur brisé, pensa Briggs, par la certitude de ne jamais revoir sa jeune épouse.

— Aidez-moi à porter Goodschaad, demanda Briggs vers dix heures du matin, quand il eut retrouvé un peu de force.

Boz et Volkert l'aidèrent à passer le corps par-dessus bord.

Un regard sur les Allemands suffit à Briggs pour imaginer l'état dans lequel il se trouvait lui-même: la peau de leur visage partait en lambeaux, leurs lèvres desséchées et craquelées étaient terriblement gonflées; Volkert avait du sang séché sous le nez, et du pus verdâtre suintait des yeux de Boz.

— Tuez-moi, dit-il calmement aux deux frères.

Boz et Volkert se regardèrent; habitués à ne pas mettre en doute les ordres de leur capitaine, ils prirent chacun une pagaie de bois et, rassemblant leurs dernières forces, ils obéirent.

Ils ne réussirent à pousser le corps de leur capitaine par-dessus bord que deux heures plus tard.

Tous deux moururent à quelques minutes d'intervalle le lendemain matin.

Le capitaine Moorhouse tenait la barre du *Dei Gratia* en cette journée ensoleillée du 4 décembre 1872. La goélette britannique avait doublé les

Açores très au nord sans même apercevoir l'archipel ; elle suivait un cap sud-sud-est pour aborder le détroit de Gibraltar. Moorhouse venait de relever sa position – 38 degrés 20 minutes de latitude nord par 17 degrés 15 minutes de longitude ouest – quand il repéra un navire à six milles à bâbord. Il était treize heures cinquante-deux.

— Passez-moi la longue-vue, demanda-t-il au lieutenant Wright.

Le capitaine déploya la lunette et examina le bateau : ses voiles principales étaient carguées et on ne distinguait personne sur le pont. Cela intrigua Moorhouse.

— Il a l'air chargé et avance avec peine, observa-t-il.

— Nous allons bientôt le croiser, fit remarquer Wright. Dois-je lui envoyer un message pour me renseigner sur la situation à bord ?

— Très bien, approuva Moorhouse.

Mais du vaisseau fantôme qui continuait sa route vers l'ouest, à quelques centaines de mètres du *Dei Gratia,* ne parvinrent ni la moindre réponse ni le moindre signe d'activité. Moorhouse commençait à craindre que la maladie n'ait frappé l'équipage.

Une nouvelle inspection sans plus de résultat, et sa décision était prise.

— Carguez la grand-voile, cria-t-il aux matelots Seamen Anderson et Johnson.

Le *Dei Gratia* ralentit et resta presque immobile sur l'eau.

— Que faisons-nous ? demanda Deveau qui l'avait rejoint sur le pont.

— Préparez le canot et embarquez-vous avec Wright. (Johnson manœuvra.) Ohé du navire ! lança-t-il dans un mégaphone en direction de la *Marie Celeste.*

Pas de réponse.

Du canot, les trois hommes, n'apercevant aucune présence sur le pont et n'entendant, à part le clapotis de l'eau contre la coque, aucun bruit, éprouvaient un sentiment angoissant, comme un pressentiment. Ils approchèrent et découvrirent le nom inscrit sur la poupe : *Marie Celeste.*

— Restez ici, dit Deveau à Johnson tandis que le canot accostait. Monsieur Wright et moi allons voir ce qui se passe.

Lançant une échelle par-dessus le plat-bord, Deveau et Wright montèrent à bord.

— Ohé du bateau ! cria Deveau une fois sur le pont principal.

Toujours aucune réponse.

Wright et lui firent plusieurs découvertes : parmi les grands panneaux d'écoutille posés sur le pont, celui d'avant était malencontreusement à l'envers – les marins, superstitieux, croit qu'un panneau à l'envers porte malheur ; la grand-voile pendait au-dessus du panneau d'écoutille devant la cheminée de la cambuse – inconcevable pour un marin ; le foc et la voile du grand mât étaient fixés sur un cap à bâbord alors que la voile et le mât de misaine avaient été emportés ; le petit hunier en lambeaux ; et enfin, pas une chaloupe sur le pont.

— Descendons, dit Deveau.

Wright et Deveau entrèrent dans toutes les cabines et n'y trouvèrent âme qui vive. Dans celle du capitaine, Deveau remarqua que chronomètre, sextant, journal de bord et livre de navigation avaient disparu ; dans celle du second, Wright retrouva le cahier et l'ardoise du loch ; dans la cambuse, ni préparatifs de repas ni provisions.

— Je me charge des magasins, déclara Wright.

— Et moi de la cale, ajouta Deveau.

Wright découvrit des vivres et de l'eau pour six mois. Deveau remarqua une forte odeur d'alcool et près de quatre pieds d'eau dans la cale ; il était en train d'actionner la pompe quand Wright le rejoignit.

— Personne à bord, déclara Deveau, mais pas de problème grave à part cette eau.

— Avez-vous remarqué quand nous étions sur le pont, demanda Wright, que l'habitacle a été arraché et le compas détruit?

— Vraiment bizarre, reconnut Deveau. Asséchons la cale, et ensuite nous ferons notre rapport à monsieur Moorhouse.

Ils carguèrent aussi les voiles encore utilisables et jetèrent l'ancre.

— Monsieur, annonça Deveau, c'est un vaisseau fantôme.

Wright et lui venaient de rendre compte à Moorhouse qui tirait sur sa pipe en réfléchissant. A moins de cent mètres de là, la *Marie Celeste*, bateau sans équipage, attendait sa décision.

— Je suis avant tout responsable de mon navire et de sa cargaison, déclara Moorhouse.

— Je comprends votre choix, fit Deveau. Toutefois, si vous me donnez deux matelots et quelques vivres, je crois pouvoir atteindre Gibraltar et revendiquer une prime de sauvetage.

— Vous avez vos instruments de navigation?

— Oui, capitaine, fit Deveau qui avait jadis commandé un navire. J'aurais seulement besoin d'un baromètre, d'un autre compas et d'un peu de vivres.

Privé de trois de ses hommes, Moorhouse se retrouverait avec un équipage sérieusement réduit.

— Essayons, décida-t-il enfin, mais au moindre problème, nous reprendrons nos hommes et larguerons la *Marie Celeste ;* nous la signalerons comme perdue en arrivant à Gibraltar.

— Merci, capitaine.

— Prenez Lund et Anderson, dit Moorhouse. Nous attendrons ici que vous ayez mis le navire en état de naviguer.

A vingt heures vingt-six – la lune se levait –, cale asséchée et voiles de rechange hissées, les deux navires attaquèrent les six cents milles qui les séparaient de Gibraltar.

Le temps resta beau jusqu'à l'entrée du détroit où il se dégrada et, pour la première fois depuis qu'il avait pris le commandement de la *Marie Celeste*, Deveau perdit de vue le *Dei Gratia*. Le vendredi 13 décembre, neuf jours après avoir repéré le vaisseau fantôme, Deveau entra en rade de Gibraltar. Le *Dei Gratia* était déjà là.

— Voici votre monnaie, dit l'employé du télégraphe au capitaine Moorhouse.

Le samedi 14 décembre, le responsable des sinistres au bureau de l'Atlantic Mutual Insurance Company de New York reçut de Gibraltar le câble suivant :

AI DÉCOUVERT LE 4 DÉCEMBRE ET AMENÉ ICI LA « MARIE CELESTE ». ABANDONNÉE EN ÉTAT DE NAVIGUER. AI AVISÉ L'AMIRAUTÉ. NOTIFIÉ AUX INTÉRESSÉS OFFRE TÉLÉGRAPHIQUE DE SAUVETAGE. MOORHOUSE.

Première annonce aux Etats-Unis de la tragédie de la *Marie Celeste*.

On ne retrouva jamais trace de l'équipage ni des passagers.

La *Marie Celeste* reprendrait du service mais, douze ans plus tard, le 3 janvier 1885, se briserait sur les récifs de Rochelais près de Miragoane en Haïti.

Ainsi ne devait subsister de la *Marie Celeste* qu'une légende.

II

Paradis perdu

2001

Aucun vaisseau fantôme ne me hante comme la *Marie Celeste*, le plus célèbre de tous les navires retrouvés livrés à eux-mêmes, le plus fascinant.

La *Marie Celeste* m'a jeté un sort il y a au moins vingt ans quand j'ai demandé à Bob Fleming, un chercheur de la NUMA à Washington, d'éclaircir le mystère de sa fin. Victime d'une tempête ou abandonnée à son sort en raison de son inutilité? Seuls, quelques documents et récits – parmi la centaine de livres écrits depuis la tragédie – proposaient une réponse.

La *Marie Celeste,* passant entre les mains de plusieurs propriétaires, naviqua encore douze ans et deux mois après avoir été abandonnée en 1872 dans les Açores. Elle quitta New York pour son dernier voyage en décembre 1884; elle devait rallier Port-au-Prince, en Haïti, sous le commandement du capitaine Gilman Parker. Le 3 janvier 1885, elle voguait cap au sud-est dans un étroit chenal entre la péninsule méridionale de Haïti et l'île de la Gonâve. Le ciel était dégagé et la mer calme comme un lac.

Au beau milieu du chenal se dressait, menaçant, le récif de Rochelais surmonté d'une épaisse barrière de corail. Le barreur l'avait bien repéré sur la carte et le discernait maintenant très bien; il fixa un nouveau cap pour contourner le danger et s'apprêtait à tourner les manettes quand le capitaine Parker le prit brutalement par le bras.

191

— Assez ! Maintenez le cap !

— Mais, capitaine, pour sûr nous allons heurter le récif, protesta le barreur.

— Bon Dieu ! lança Parker. Faites ce que je vous ordonne.

Conscient de mener le navire à la catastrophe, mais aussi de la punition, le barreur garda le cap droit devant, sur le redoutable récif qui, à marée haute, dépassait à peine la surface de l'eau. Le timonier, dans une ultime tentative, lança au capitaine un regard désespéré, mais Parker, inébranlable, désigna du menton l'endroit où les vagues se brisaient sur le récif.

La *Marie Celeste* heurta la barrière rocheuse au beau milieu. Sa quille et le plancher de sa coque labourèrent le corail qui se défendit en entamant de ses pointes acérées le revêtement de cuivre, et en ouvrant les entrailles du navire. Des tonnes d'eau se précipitèrent dans les ponts inférieurs, et l'étrave s'enfonça dans la bordure du récif tandis que l'arrière s'abîmait sous l'eau. Les affres de l'agonie arrachaient à sa coque et à ses membrures écrasées d'horribles gémissements qui finirent par s'éteindre dans l'eau. Le silence retomba sur le navire.

Très calme, le capitaine Parker ordonna à son équipage de monter dans les canots et de ramer jusqu'au port de Miragoane, à moins de douze milles au sud. Malheureusement pour lui, la *Marie Celeste* ne coula pas tout de suite, permettant l'inspection de l'épave et de son chargement : la somptueuse cargaison énumérée dans le manifeste se limitait à du poisson et à des chaussures de caoutchouc. Or le navire était assuré pour 25 000 dollars, somme exorbitante bien supérieure à la valeur du bateau et de son chargement. Bel échantillon de ce qu'on appelle aujourd'hui une escroquerie à l'assurance et qu'en ce temps-là on qualifiait de baraterie, crime passible aux yeux de la loi américaine de la peine de mort.

La malchance ne lâchait pas Parker puisque le hasard avait voulu que Kingman Putnam, un enquêteur de New York, se trouvât alors en Haïti ; les assureurs l'engagèrent pour tirer l'affaire au clair. Son inspection de la cargaison détrempée conduisit à l'arrestation de Parker dès son arrivée à New York. Il fut traîné devant un tribunal mais le jury fut incapable de rendre un verdict ; la cour ordonna aussitôt un nouveau procès. Cela va de soi, Parker mourut avant que la date en soit fixée.

La *Marie Celeste* ne tarda pas à être absorbée par les coraux qui poussaient sur ses membres et tapissaient ses ponts. Sa célébrité ne lui évita pas de disparaître abandonnée et oubliée, rattrapée peut-être sur un récif désolé de Haïti par les fantômes de son équipage disparu.

Armé d'éléments suffisants pour tenter l'aventure, je commençai à faire des plans pour affréter un bateau et me rendre au récif de Rochelais. Je contactai Mark Sheldon, le nouveau propriétaire de mon bateau de

L'Aimable, de l'explorateur français La Salle. *(Artiste : Richard DeRosset)*

Anomalies magnétiques étudiées par Ralph Wilbanks pour trouver *L'Aimable. (Ralph Wilbanks)*

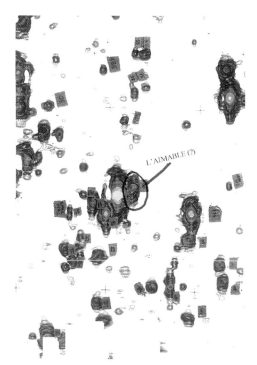

Le New Orleans, le premier vapeur sur le Mississippi. *(Artiste : Richard DeRosset)*

Répliques grandeur nature des *Sœurs jumelles* au Monument San Jacinto lors du 150e anniversaire de la bataille. *(University of Houston College of Technology, et Gary C. Touchton)*

Le premier cuirassé construit aux Etats-Unis, le CSS *Manassas. (Artiste : Daniel Dowdley)*

La bataille de Charleston. En haut à gauche, le *Keokuk*, à droite, le *Patapsco*, et au centre, *Le Weehawken*. *(Clive Cussler)*

Le naufrage du *Keokuk*, coulé par 92 obus confédérés. *(Clive Cussler)*

Photographie du U.S.S *Mississippi*, un jour avant qu'il soit incendié et coulé. *(Louisiana State University Library, Special Collection)*

Tableau représentant l'incendie du *Mississippi. (Artiste : Tom Freeman)*

La *Marie Celeste*, le vaisseau-fantôme dont l'équipage disparut. *(Cumberland County Museum and Archives)*

Le récif de Rochelais, qui porte maintenant le nom de Conch Island. Les vestiges de la *Marie Celeste* se trouvent au large du bateau blanc au centre. *(ECO-NOVA Productions)*

L'équipe d'ECO-NOVA et de la NUMA en Haïti après la découverte de la *Marie Celeste*. De gauche à droite : Robert Guertin, John Davis, Lawrence Taylor, Jean-Claude Dicquemare, Allan Gardner, Clive Cussler, Mike Fletcher. *(ECO-NOVA Productions)*

Le General Slocum s'engageant sur l'East River, juste avant l'incendie. *(Artiste : Richard DeRosset)*

La carcasse calcinée du *General Slocum* après la tragédie. *(Mariners Museum)*

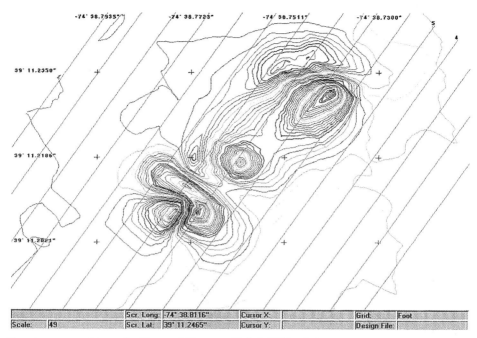

Signature magnétique du *General Slocum*. *(Ralph Wilbanks)*

Le vapeur *Waratah*, qui disparut sans laisser de trace. *(Artiste : Richard DeRosset)*

Le cargo *Nailsea Meadow*, coulé par un sous-marin allemand au large de la côte Est de l'Afrique du Sud. *(Emlyn Brown)*

L'expédition héroïque du *Carpathia* pour porter secours aux survivants du *Titanic*.. *(Artiste : Richard DeRosset)*

Le Carpathia repêchant les survivants du *Titanic*, avec *Le California* au fond. *(Artiste : Richard DeRosset)*

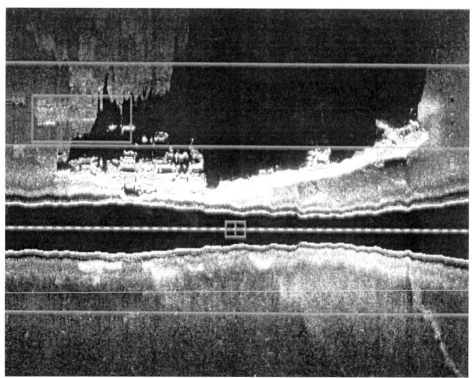

Lecture au sonar de l'épave du *Carpathia*. *(ECO-NOVA Productions)*

Charles Nungesser et François Coli avant leur tentative pour rallier Paris et New York en avion. *(Archives de William L. Nungesser)*

L'Oiseau blanc juste avant son décollage de Paris, mai 1972. *(Archives de William L. Nungesser)*

L'équipe de la NUMA dans le Maine, lors des recherches de *L'Oiseau Blanc*. De gauche à droite : Clive Clusser, Connie Young, Craig Dirgo, Ralph Wilbanks, Dirk Cussler. *(Clive Cussler)*

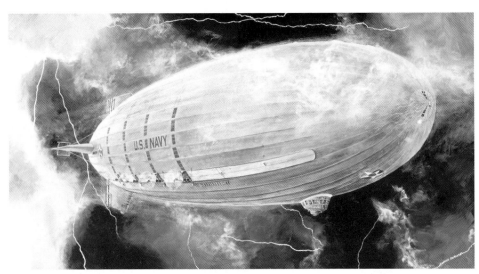

Le dirigeable de la Marine américaine *L'Akron* dans la tempête qui la détruisit. *(Artiste : Richard DeRosset)*

La seule photographie connue du *PT-109* lors de sa cargaison à bord du S.S. *Joseph Stanton* en route vers le Pacifique Sud, le 20 août 1942. *(Naval Historical Foundation)*

L'équipe de recherche du *PT-109* aux îles Salomon. De gauche à droite : Dirk Cussler, Danny Kennedy, Buiku Gasa (un des hommes qui porta secours à John F. Kennedy et à son équipage), Craig Dirgo. *(Dirk Cussler)*

Ralph Wilbanks, Jayne Hitchcock et Sean McLean à la recherche du bateau de Morey. *(Jayne Hitchcock)*

L'équipe de la NUMA qui a découvert le C.S.S. *Hunley*, lors du transfert du sous-marin au Warren Lasch Preservation Center. De gauche à droite : Harry Pecorelli III, Wes Hall, Clive Cussler, Ralph Wilbanks. *(Carole Bartholomeaux)*

prospection préféré, le vieil *Arvor III*. A son bord, j'avais recherché en 1980 le *Bonhomme Richard* ; en 1984, ce fut notre folle équipée en mer du Nord qui s'acheva sur la découverte de seize épaves, mais aussi sur ma défaite devant la marine française de Cherbourg qui me refusa l'autorisation de rechercher l'*Alabama*, un corsaire confédéré.

J'avais prévu de rejoindre le bateau à Kingston puis de traverser le canal de la Jamaïque et de contourner le cap Dame-Marie jusqu'au récif de Rochelais, un voyage d'environ deux jours. Malheureusement, Sheldon tomba malade et son bateau ne devait être de nouveau disponible que l'année suivante.

John Davis, de ECO-NOVA Productions, se proposa alors pour monter une expédition : il s'intéressait d'autant plus à la *Marie Celeste* que, comme son équipe et lui-même, elle venait de la Nouvelle-Écosse. S'y ajoutait l'enthousiasme soulevé par le tournage d'un documentaire qu'il projetait sur le sujet de *Chasseurs d'épaves*.

En avril 2001, John régla les problèmes de logistique, affréta un bateau et m'envoya les billets d'avion aller-retour pour Haïti. J'arrivai le soir à Fort Lauderdale ; un peu surpris de ne trouver personne pour m'accueillir, je pris la navette du Sheraton ; Davis m'attendait dans le hall et s'étonna que l'ami dépêché à ma rencontre m'ait manqué dans la foule des passagers.

Difficile pourtant de ne pas repérer une tête comme la mienne. Pourvu que ce ne soit pas le prélude à une série d'épreuves. Mon ange gardien prenait sûrement des vacances et s'était fait remplacer par un démon maléfique : la preuve, j'avais oublié mon passeport. Ça commençait bien.

John prit la chose en riant.

— Tout ira bien, dit-il gaiement. Les Haïtiens s'en fichent.

L'idée d'être jeté dans une prison haïtienne me traversa l'esprit. J'appelai ma femme, Barbara, et lui demandai de m'envoyer le passeport par le courrier de la compagnie aérienne. Pour plus de sûreté, elle faxa même à mon hôtel les pages qui attesteraient de mon identité devant les services de l'immigration haïtienne, au cas où mon passeport ne me parviendrait pas.

Naturellement, l'avion qui l'apportait avait du retard, ce qui n'était pas trop catastrophique puisque nous avions encore une heure devant nous. Exotic Lynx Airlines, la compagnie qui devait nous emmener à Haïti, constatant que tous les passagers étaient présents, décréta que l'appareil décollerait sans plus attendre. (Je suis persuadé que Lynx a sa place dans le livre des records.) Je fus donc obligé d'avouer que je circulai sans mon passeport ; l'employé qui reçut cet aveu me répondit en riant : « Ils s'en fichent. »

J'avais déjà entendu cela quelque part.

Pourtant, entrer dans un pays du tiers-monde – où les révolutionnaires rôdent dans les collines – sans les papiers requis ne me souriait guère. Mais je n'avais pas le choix et je m'arrangeai avec Craig Dirgo qui, à l'époque, habitait Fort Lauderdale : il récupérerait mon passeport quand il finirait par arriver.

Nous étions dix-neuf passagers sur ce vol à bord d'un avion à hélice DeHavilland. Seul incident notable : un Noir énorme – il ressemblait à Mike Tyson – assis derrière moi, mort de peur, se cramponnait au dossier de mon siège à chaque turbulence. En survolant les îles entourées d'eaux turquoise, je rêvais au paradis tropical baigné de soleil qui m'attendait : des indigènes joueraient du marimba et du tambourin, d'autres distribueraient des piña coladas. L'atterrissage sur un terrain infesté de mauvaises herbes me ramena brutalement à la réalité ; l'aéroport se limitait à quelques baraquements délabrés disséminés autour d'un parking poussiéreux encombré de vieilles voitures françaises et japonaises.

Une fois débarqués, nous nous dirigeâmes vers la baraque de l'immigration. Dieu merci, mon œil attentif avait remarqué à Fort Lauderdale que ma valise et le sac de John avaient été entreposés à l'avant de l'appareil, et que le bagagiste haïtien n'avait retiré de l'appareil que les bagages placés à l'arrière. Nous revînmes donc à l'appareil, déverrouillâmes le panneau avant et récupérâmes nos affaires sans que cela dérange quiconque. Vingt minutes plus tard, ils seraient repartis pour Fort Lauderdale.

J'arborai mon plus beau sourire au fonctionnaire de l'immigration qui tamponna aimablement la copie faxée de mon passeport et me fit signe de passer.

— Vous voyez, dit Davis, je vous l'avais bien dit. Comme sur des roulettes.

— Encore faut-il sortir, marmonnai-je en me demandant dans quoi je m'embarquais.

Davis avait retenu des chambres à l'hôtel de la Plage Cormier, situé dans une crique paradisiaque non loin de la frontière avec la République dominicaine ; l'établissement appartient à Jean-Claude et Kathy Dicquemare qui vivent en Haïti depuis plus de vingt-cinq ans. Nous devions, Davis et moi, y passer la nuit en attendant qu'arrive par mer le reste de l'équipe. Nous passâmes la douane et, pilotés par le neveu de Jean-Claude (dont j'ai malheureusement oublié le nom), nous nous lançâmes dans la cohue au milieu d'un nuage de poussière : des Haïtiens grouillaient par centaines autour de l'aéroport, affairés à je ne sais quoi.

Des gamins nous assaillirent en réclamant sans lésiner, compte tenu de la pauvreté de leur pays, un dollar. Ailleurs, les petits mendiants se contentent en général de pièces.

Nous traversâmes la ville portuaire de Cap-Haïtien dans une petite Honda. J'ai déjà vu la misère, mais rien de comparable à cela. Les pires favelas de Rio de Janeiro ressemblaient à Beverly Hills auprès de cet endroit : les rues complètement défoncées, de vieilles voitures – certaines roulaient au milieu de carcasses garées et dépouillées de tous leurs accessoires ; des constructions croulantes comme pourries de l'intérieur et qui, n'importe où ailleurs, auraient été condamnées depuis des années. La foule se pressait sur les trottoirs, cherchant Dieu sait quoi. Nous passâmes devant un immense dépôt d'ordures – quatre ou cinq hectares – que fouillaient de pauvres hères ; ils entassaient des sacs en plastique pleins de leurs misérables trouvailles dans des brouettes et les rapportaient chez eux.

Nous nous détournâmes enfin de ce spectacle de désolation et attaquâmes la montagne. La route, qu'on n'avait pas entretenue depuis dix ans – non, disons vingt – traversait des bidonvilles où des poulets étiques picoraient une terre stérile, où des files interminables attendaient devant un unique robinet de remplir leur bouilloire en plastique ; ils nous regardaient comme si nous arrivions de la Lune. Devant tant de corps décharnés, mes dix kilos de surpoids me gênaient de plus en plus.

Les nids-de-poule évoquaient des cratères de météore et les ornières des tranchées de la Grande Guerre. Les rares pans de montagne qui avaient échappé au déboisement offraient pourtant un superbe paysage qui permettait d'imaginer la beauté de l'Haïti de jadis.

La petite Honda déboucha enfin sur une crique ravissante plantée de centaines de palmiers : des cabanes s'alignaient le long de la route ; des enfants jouaient tranquillement et leurs mères lavaient du linge dans un ruisseau dégringolant des collines. Le neveu de Jean-Claude nous fit franchir la grille de l'hôtel et nous présenta son oncle et Kathy qui, bien que discrète, tenait sans aucun doute les rênes. Quant à Jean-Claude, j'aurais aimé compter au nombre de mes amis ce personnage authentique ; presque septuagénaire, comme moi, il déployait pourtant deux fois plus d'activité, plongeant au moins une et souvent deux ou trois fois par jour ; il revendiquait cent soixante-cinq plongées à son actif. L'expression *mi-homme/mi-poisson* lui convenait parfaitement.

Des pelouses bien tondues, une longue plage de sable, des bâtiments blancs, dont un restaurant et un bar, couverts de feuilles de palme, donnaient beaucoup de charme à l'hôtel. Seul inconvénient, la proximité – quelques mètres – du corail ; parfait pour un plongeur, mais risqué pour un nageur qui s'y écorchera la poitrine. Le menu du restaurant proposait sept recettes de homard qui différaient par la cuisson ou l'accompagnement exotique, mais qui étaient chacune un délice. On se retrouvait ensuite au bar pour prendre un digestif et évoquer des heures durant des histoires d'épaves.

Le bateau, le *Ella Warley II,* arriva le lendemain. Son propriétaire, Allan Gardner de Highland Beach en Floride, avait spécialement conçu pour la recherche sous-marine ce bateau à coque d'acier de dix-huit mètres, équipé du matériel de plongée le plus récent et d'un appareillage de détection électronique dernier cri. Ce brillant homme d'affaires, à la tête d'une grosse société de technologie informatique, quand il ne dirige pas son empire, se consacre aux épaves des Caraïbes, ce qui lui donne droit à toute ma considération.

Plus sérieusement, Allan est vraiment un homme charmant, à la patience inlassable, toujours souriant, et dont quelques scotches déclenchent vite le rire. De Fort Lauderdale arrivait avec lui l'équipe d'ECO-NOVA : Mike Fletcher, maître plongeur, et les spécialistes de la photo sous-marine Robert Guertin et Lawrence Taylor, tous gens de bonne compagnie et à l'esprit de corps suffisamment développé pour transformer une expédition éreintante en fiers moments de réussite.

John et moi embarquâmes sur un canot amarré dans un lagon qu'utilisait la Carnival Cruise Lines comme point de départ aux balades en mer qu'elle proposait à ses clients surfeurs. Allan et Jean-Claude nous accompagnèrent volontiers ; la connaissance du créole de ce dernier se révéla fort utile pour converser avec les indigènes.

Nous partîmes de bonne heure le lendemain matin pour le récif de Rochelais. La mer était forte, mais j'avais prévu cette éventualité et emporté une bouteille de tequila. Bien que relativement stable, l'*Ella Warley II* roulait sous les coups de boutoir. Son fond plat en fait une plate-forme idéale de plongée certes, mais pas vraiment un yacht de luxe – on ne s'est guère soucié du confort de son mobilier, de la profondeur de sa quille, ni de prévoir un stabilisateur. Sans parler des toilettes toujours promptes à s'engorger.

Les conditions d'hébergement étaient austères : Allan, en tant que propriétaire, disposait de l'unique cabine, deux des membres de l'équipe dormaient dans des couchettes aménagées dans la timonerie, les deux autres sur le pont, à la belle étoile. Jean-Claude et moi partagions le carré, moi sur un lit de camp, lui sur un banc ; on nous avait mis en quarantaine parce que nous ronflions, Jean-Claude de vingt-deux heures à deux heures, que je relayais de deux à six. Je connais maintenant le calvaire de ma pauvre épouse.

Tous avaient l'habitude de naviguer ; personne ne souffrit du mal de mer ; personne, à part moi, ne se plaignit.

Nous jetâmes l'ancre pour la nuit à la pointe nord-ouest de Haïti. Le lendemain matin, nous contournâmes l'île de la Gonâve et approchâmes le récif de Rochelais en milieu de matinée. Je braquai mes jumelles sur l'endroit où le rocher était censé émerger, et en réglai le grossissement.

Me tournant vers Allan et John, je dis :

— Si on ne m'avait pas décrit les lieux, je jurerais un village avec des cases.

Quarante-cinq minutes plus tard, nous jetions l'ancre à une centaine de mètres de cet endroit rêvé aux yeux des anthropologues : on raconte que, il y a environ quatre-vingts ans, deux frères s'installèrent sur le récif pour pêcher les conques et que d'autres indigènes les rejoignirent ; c'est aujourd'hui un îlot qui se dresse à un peu plus d'un mètre au-dessus de l'eau, avec une cinquantaine de huttes bâties sur plus d'un million de coquilles de conques et construites au moyen de tous les débris rejetés par la mer. La population – deux cents habitants environ – vivait dans ce décor minéral auquel nulle végétation n'épargnait un soleil frappant sans merci. Tout l'approvisionnement se faisait par des pirogues à partir de la terre la plus proche, distante de douze milles. Nous avions du mal à croire que des êtres humains pouvaient survivre dans des conditions aussi dures, et encore moins passer toute leur vie là.

John et ses cinéastes gagnèrent à bord du petit canot l'îlot artificiel. Jean-Claude, qui les accompagnait, ne parla pas d'épave aux indigènes intrigués par notre arrivée ; ils auraient aussitôt pensé que nous recherchions un trésor, ce qui aurait causé des problèmes ; il leur expliqua simplement que nous tournions un film et leur donna – ce qui les rasséréna – une cinquantaine de litres d'essence et une caisse de Coca-Cola.

Après avoir superposé à une carte assez précise datant de 1910 un relevé récent, nous constatâmes que les lieux n'avaient pas changé. Chacun des deux documents mentionnait à l'extrémité méridionale du récif un sommet baptisé « le rocher de Vandalia », mais les indigènes nous assurèrent qu'il n'existait pas. Cela devait nous faire perdre par la suite un peu plus de temps à explorer la possibilité qu'un navire du nom de *Vandalia* se fût également échoué là.

Le vent se levant, Allan emmena le bateau dans une petite baie de l'île de la Gonâve où nous nous installâmes pour la nuit. De bonne heure le lendemain matin, Allan passa par-dessus bord son magnétomètre au césium et se mit à patrouiller autour du rocher en quête d'anomalies magnétiques. A cinquante mètres au large, l'écran de son ordinateur n'enregistrait qu'une variation de dix gamma, venant du centre du récif du Rochelais où la *Marie Celeste* se serait fracassée sur les coraux et qui correspondait parfaitement à l'angle sous lequel un navire arrivant du sud-ouest aurait heurté le rocher.

Mon mauvais démon observerait-il une pause ?

Mike Fletcher enfila sa combinaison et bascula par-dessus bord, suivi de Robert Guertin avec sa caméra sous-marine. Les autres s'installèrent à l'arrière pour attendre, tout en profitant de la brise tropicale, la suite des événements. Une demi-heure plus tard, Mike remonta et jeta sur le pont des morceaux d'enveloppe métallique, des pierres de lest et des vieux bouts de bois plantés de pointes de cuivre.

Une épave gisait bel et bien à l'endroit présumé du naufrage de la *Marie Celeste,* mais en l'absence de la cloche, sans doute déjà récupérée, gravée au nom du navire ou de tout autre objet permettant de l'identifier, nous ne pouvions que hasarder des hypothèses. Chacun plongea à son tour pour ne rapporter qu'une maigre moisson. En cinquante ans de plongée j'avais rarement vu coraux plus beaux ; mais j'aurais préféré les admirer ailleurs, car les restes de la membrure du bateau disparaissaient complètement dans les excroissances calcaires qui s'étaient formées sur l'épave. Au bout de cent seize ans, la *Marie Celeste* reposait dans un linceul impénétrable.

Nous retrouvâmes l'ancre et une partie de sa chaîne et nous remontâmes des morceaux de bois – de quoi emplir un seau – et quelques objets incrustés dans le sable. Une barre métallique que je tentai de disputer aux coraux resta coincée. Nous filmâmes chacune de nos trouvailles à leur emplacement, les étiquetâmes et les inscrivîmes dans le catalogue. A notre retour, nous confierions les pièces en bois à des laboratoires qui, grâce à leur extraordinaire technologie, en détermineraient l'âge à quelques années près et l'origine géographique.

Leurs caractéristiques minéralogiques permettraient de dire si les pierres de lest avaient été extraites de Palisades, au nord de l'Hudson, lors de la reconstruction durant l'été 1872 à New York de la *Marie Celeste* ou bien de la Nouvelle-Écosse où elle avait été construite puis lancée sous le nom d'*Amazone*. Le cuivre des pointes ne donnerait sans doute qu'un âge approximatif, mais celui de l'enveloppe pourrait fournir des indications.

Il faudrait dans tous les cas beaucoup de temps pour répondre à toutes nos questions ; inutile donc de prolonger notre séjour sur le récif de Rochelais que nous avions affectueusement baptisé l'île des Conques ; aussi reprîmes-nous la direction de l'hôtel de la Plage du Cormier. La mer, assez forte, nous fit connaître quelques heures difficiles, mais cela finit par nous détendre. J'étais fasciné par la couleur de l'eau dans cette région des Caraïbes : il ne s'agissait plus du bleu turquoise des bas-fonds entourant les récifs et les îles, mais du violet sombre, tirant sur le pourpre, d'une eau profonde – près de mille mètres selon la sonde.

Deux jours plus tard, nous accostions à proximité de l'hôtel ; chacun s'amusa beaucoup de constater chez les autres la démarche incertaine que procure, après un séjour prolongé en mer, l'impression que le sol tangue sous les pieds. Nous nous détendîmes sur la plage puis, au bar de l'hôtel, en discutant jusqu'au milieu de la nuit de nos découvertes. Le lendemain, je fis mes adieux à l'équipe qui reprenait le bateau pour Fort Lauderdale, mon avion décollant dans le courant de l'après-midi. Je pris une douche, bouclai ma valise et poussai un soupir de soulagement : je quitterais Haïti sain et sauf, j'aurais échappé aux morsures des sales bestioles et aux fièvres de la jungle haïtienne.

Je comptais sur la Land-Rover de Jean-Claude pour me conduire à l'aéroport, mais la police locale, estimant que celui-ci ne s'était pas acquitté de son permis de circuler, venait de la lui confisquer. C'est donc dans une petite camionnette Nissan délabrée et couverte de poussière – à la guerre comme à la guerre – qu'un des employés de l'hôtel me fit effectuer la course d'obstacles que constitue le trajet jusqu'à Cap-Haïtien ; il s'arrêtait en chemin pour prendre les auto-stoppeurs, les entassait sur le plateau de la camionnette et s'arrêtait lorsqu'ils frappaient sur le toit de la cabine pour descendre. Je retrouvai la ville, ses rues crasseuses dépourvues de véritables trottoirs, ses voitures surgissant de tous les côtés, et son taux de pollution à provoquer une crise cardiaque chez un environnementaliste. Je ne m'inquiétais plus maintenant que de franchir l'immigration avec mon passeport faxé.

Prudent, je demandai au chauffeur, avant de me rendre à la cabane d'embarquement de Lynx Airlines, de m'attendre pour le cas où le vol serait annulé. (Je comptais les minutes qui me séparaient du beau ciel bleu des États-Unis.)

— Vous arrivez trop tard, me déclara l'employée installée derrière un comptoir que je n'osais même pas toucher de mes mains nues.

— Comment ça, je suis en retard ? répliquai-je avec indignation, m'imaginant dans ma candeur qu'elle plaisantait. Le départ est fixé à douze heures trente. (Je désignai l'heure imprimée sur mon billet.) Il n'est que onze heures vingt.

Elle jeta un coup d'œil sur le billet et haussa les épaules.

— C'est l'heure de Miami.

— Vous n'indiquez pas l'heure locale sur vos billets ? fis-je, commençant à m'affoler.

— Non, vous auriez dû vous présenter il y a une heure. Maintenant c'est trop tard, l'avion décolle dans cinq minutes.

— Laissez-moi parler aux pilotes, insistai-je, désespéré.

Elle hocha la tête et m'accompagna à travers un champ envahi de mauvaises herbes jusqu'aux pilotes qui se tenaient, les mains dans les poches, au pied de l'appareil. Je plaidai en vain ma cause.

Le commandant de bord haussa les épaules.

— Vous ne passerez jamais l'immigration à temps.

— Laissez-moi essayer, suppliai-je.

A ces mots, le commandant de bord et le copilote échangèrent un sourire comme deux voleurs à la tire qui viennent de réussir un coup.

— Pas question. Nous allons décoller.

Je restai là, aussi atterré qu'un gosse à qui on vient de voler sa bicyclette. Je ne trouvai un peu de compassion qu'auprès de l'hôtesse qui me promit un siège sur le vol du lendemain.

— Présentez-vous avec deux heures d'avance, me prévint-elle. Vous entendez?

J'avais entendu.

Jamais de ma vie je ne me suis senti aussi misérable. Dieu merci, j'avais été prévoyant et le chauffeur m'attendait. Sinon, seul au milieu de la foule qui grouillait autour de l'aéroport, que me serait-il arrivé? J'aurais sans doute été mis en morceaux par ceux qui convoitaient mes baskets Nike.

Je repris donc, pour un nouveau voyage au pays de la misère, la route de l'enfer, tel Charles Vanel au volant de son camion chargé de nitroglycérine dans *le Salaire de la peur*. Ma détresse se changea en rage à l'idée d'avoir été abandonné dans le pays le plus pauvre de l'hémisphère occidental. Et encore, j'ignorais que pendant mon séjour en Haïti, un homme d'affaires américain avait été abattu et deux autres pris en otage.

Je passai l'après-midi au lit dans la contemplation des pales du ventilateur accroché au plafond. Je dînai seul puis me dirigeai vers le bar où j'eus la chance de retrouver quelques jeunes Américains de Carnival Cruise Lines. Je profitai de leur conversation et bus quelques bières avant de regagner un lit qui dansait devant moi.

Cette fois, pas de blague : je traînai le chauffeur, qui ne parlait pratiquement pas un mot d'anglais, jusqu'à la camionnette en lui désignant le volant. Mon expression quasi démoniaque lui suffit. Je connaissais maintenant le chemin de l'aéroport mais pas question de dépanner les autostoppeurs. Quand le chauffeur manifestait ne serait-ce que l'idée de s'arrêter, j'écrasais son pied avec le mien en enfonçant l'accélérateur jusqu'au plancher. Nous bringuebalions sur la route comme une voiture de course dans un rallye d'endurance.

Désormais familiarisé avec toute cette misère, je ne me choquais plus que des gens fussent obligés de supporter une existence pareille. Qu'ils fassent taire leurs querelles internes et peut-être un jour retrouveraient-ils leur paradis perdu.

Je m'engouffrai dans le baraquement de la Lynx avec deux heures d'avance. L'hôtesse sourit et me remit une carte d'embarquement. Premier obstacle franchi; restait le second, celui des services de l'immigration. Je m'installai dans une cabane dépourvue de ventilateur – c'était le milieu de la journée – en compagnie de dix-huit Haïtiens, surtout des hommes et des enfants, usant abondamment de parfum et d'eau de Cologne. Je tuai le temps en me documentant sur la bataille de Gettysburg; après tout, reconnus-je, je n'ai peut-être pas tiré le mauvais numéro.

On m'avait expliqué la veille au soir que les pilotes de la compagnie ne laissaient embarquer que les détenteurs d'un passeport en cours de validité, ceux qui ne risquent pas d'être refoulés par les Américains. Dans le cas contraire les pilotes risquaient non seulement une lourde amende, mais aussi de payer les frais de rapatriement en Haïti. Je commençai à tabler sur l'utilité de ma notoriété d'écrivain.

A midi pile, on entendit le vacarme des moteurs ; l'avion se posa et roula jusqu'à la cabane. Quelques minutes plus tard un pilote aux cheveux blonds entra dans la salle d'attente, se dirigea droit sur moi et me tendit une enveloppe.

— J'espère avoir bientôt le temps de savourer votre livre, dit-il en souriant.

— Mon livre ? fis-je en regardant l'enveloppe et en jetant sur lui un regard interrogateur.

— Mais oui, votre ami m'a donné un de vos livres à Fort Lauderdale, en disant que je vous reconnaîtrais grâce à la photo de la couverture.

Craig Dirgo, béni soit-il, lui avait confié mon passeport. Le soleil perça soudain les nuages, les trompettes sonnèrent, les tambours firent entendre leurs roulements et les harpes leurs accords. J'allais enfin rentrer chez moi.

Le fonctionnaire haïtien de l'immigration m'expédia sans problème et je courus plutôt que je ne marchai jusqu'à l'avion. Nouvelle, mais brève attente devant un douanier qui regrettait certainement d'exercer un métier qui l'obligeait à fouiller les valises. Il découvrit dans la mienne le linge sale de deux semaines. Eh bien oui, pourquoi faire soi-même une lessive sur laquelle quelqu'un à la maison va se précipiter ?

Ce décollage fut l'un de mes grands bonheurs, mais je restai attentif au vrombissement des moteurs : surtout qu'un cylindre défaillant ne nous oblige pas à retourner dans le tohu-bohu de Cap-Haïtien.

Un saut de puce jusqu'aux îles Caicos où nous devions prendre du carburant ; par mesure de précaution, on nous demanda de quitter l'appareil. Et voilà que le père Cussler avise une porte – la mauvaise probablement –, entre dans le terminal, y déguste une bière bien fraîche, puis estimant le moment venu, repart en sens inverse pour retourner à son avion. C'est là qu'intervint un garde de sécurité aussi haut qu'un séquoia.

— On ne passe pas par là, m'interpella-t-il sévèrement.

— Je retourne à mon avion.

— Vous devez d'abord passer par l'immigration et les douanes.

Je sentis la bile me monter à la gorge. La situation n'allait tout de même pas se gâter à ce stade. J'envisageais de forcer le passage quand le pilote blond passa par là ; il échangea quelques mots avec le garde et convainquit celui-ci de le laisser m'accompagner jusqu'à l'avion. Je me demandais si je verrais un jour la fin de mes épreuves.

Je plains les gens qui, ne voyageant jamais hors des frontières, ne connaîtront par conséquent pas la joie qu'on éprouve à retourner aux Etats-Unis, et n'apprécieront pas à leur juste valeur les avantages qu'ils estiment naturels. Nous atterrîmes ; j'étais tout sourire.

Je montrai mon passeport au guichet d'immigration, et on me donna le feu vert.

— Bienvenue aux États-Unis, monsieur Cussler, dit le fonctionnaire en souriant aimablement. J'ai lu tous vos livres.

Quel bonheur de rentrer chez soi.

Je fus surpris de l'absence de Craig ; de souche allemande comme moi, il se vante de toujours respecter les horaires. J'étais certain qu'il était censé m'accueillir. Je cherchais du regard un téléphone quand il arriva, une tasse de café à la main. Il me jeta un regard bizarre.

— Tu as une heure d'avance, dit-il.

Je l'étreignis tant j'étais content de voir quelqu'un de connaissance.

— Lynx Air a le chic pour partir et arriver de bonne heure, expliquai-je.

— Bonté divine, on dirait que tu as vu un fantôme. Qu'est-ce qu'ils t'ont fait ?

— Je te raconterai un jour. Pour l'instant, si tu me conduisais à l'hôtel ?

Craig prit mes bagages et se dirigea vers sa voiture.

— On passe à l'hôtel et je t'emmène, dit-il d'un ton sournois, dans un restaurant haïtien que j'ai envie d'essayer. Il sert, paraît-il, un sauté de chèvre qui n'a pas son pareil.

Je laissai mes bagages à l'hôtel, et Craig me pilota jusqu'à... un bon vieux grill américain : il commanda un chateaubriand et moi un steak haché, comme ceux que préparait ma mère.

En guise d'adieu avant le retour de mon ange gardien, le démon me fit perdre le bénéfice de mon billet de première sur le vol pour Phoenix parce que j'avais un jour de retard. Peu m'importait car la perspective de retrouver ma délicieuse épouse et ma maison de briques se précisait de plus en plus. D'ailleurs, le faible remplissage de l'avion me permit de disposer à moi tout seul de trois places.

Il nous sera probablement impossible de prouver à cent pour cent que l'épave que nous avions découverte était celle de la *Marie Celeste*. Un tribunal qualifierait nos preuves d'indirectes. Nous demeurons pourtant persuadés que l'épave prisonnière des coraux est bien la sienne. A cela, un certain nombre de raisons.

Allan Guffman, de Geomarine Associates en Nouvelle-Écosse, coordonna les examens scientifiques du bois et des pierres du lest. Bien que compliquées à mener, les expériences de géochimie des roches et de datage par radiométrie ont établi que le lest présentait bien les caractéristiques minéralogiques et la texture du basalte des monts du nord en Nouvelle-Écosse.

On identifia aussi le bois : du pin du sud, souvent utilisé dans les chantiers navals de New York où la *Marie Celeste* avait été restaurée ; du pin blanc originaire du nord-est des États-Unis et du Canada ; et enfin un fragment de bois qui, pour la plus grande joie de tous, était du bouleau jaune des provinces maritimes auxquelles appartient la Nouvelle-Écosse.

Tout coïncidait.

James Delgado, éminent archéologue et directeur du musée maritime de Vancouver, reconnut dans le cuivre de l'enveloppe du métal de Muntz, un alliage jaune composé de trois cinquièmes de cuivre pour deux de zinc, et qu'on utilisa généralement après 1860 pour protéger les coques des bernacles.

Nous approchions.

Pendant qu'on analysait les objets retrouvés sur place, j'entrepris de rechercher d'autres épaves qui auraient pu s'échouer dans les coraux du récif de Rochelais, afin de prouver que nous n'avions pas découvert un autre bateau. J'engageai des documentalistes aux États-Unis et en Europe pour fouiller les archives. Des compagnies d'assurances coopérèrent à ces recherches, notamment la Lloyd's de Londres. Nous avons remué ciel et terre en tenant compte de tous les naufrages enregistrés. Les résultats furent positifs.

Un navire nommé *Vandalia* avait bien coulé en Haïti cent ans auparavant, mais à Port-de-Paix, soit à soixante milles du récif de Rochelais ; on l'avait d'ailleurs dégagé et mis à la ferraille. La seule autre épave signalée pour cette même période était celle d'un vapeur qui avait brûlé dans le port de Miragoane, à douze milles de là. Ces recherches extrêmement poussées prouvèrent de façon concluante que la *Marie Celeste* était bien le seul navire à s'être échoué sur le récif et à y être resté.

Allan Gardner, John Davis, son équipe d'ECO-NOVA et moi-même pouvions désormais affirmer avec une certaine assurance avoir retrouvé la tombe de la *Marie Celeste*, mettant un point final à la légende du vaisseau fantôme.

Huitième partie

Le vapeur *General Slocum*

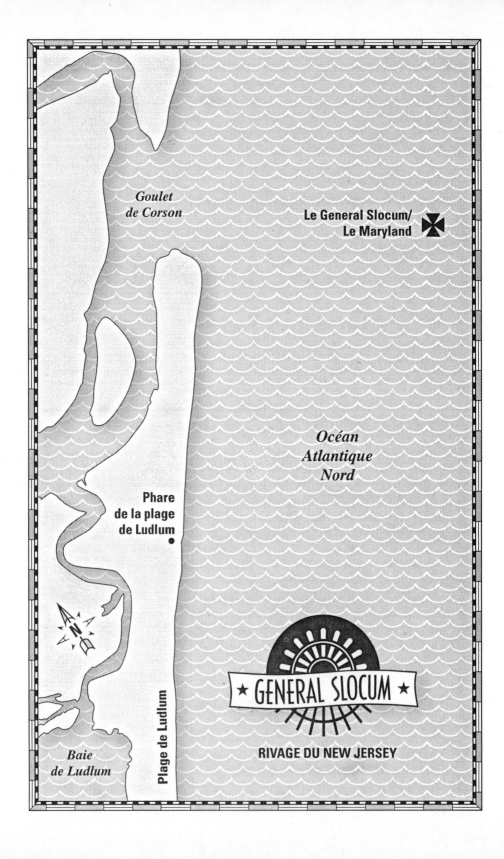

I

Jamais plus

1904

— Foutues grosses sociétés ! tonna le président Theodore Roosevelt. Juste une couverture pour dissimuler leurs agissements. (L'attorney général Philander Knox, habitué aux sautes d'humeur du Président, tirait calmement sur sa pipe : Roosevelt enrageait, bientôt il se calmerait et en viendrait au fait.) Avec les mêmes avantages qu'une personne, mais sans la conscience, poursuivit-il. A cause des trusts, des grosses sociétés... ce pays court à sa perte.

Knox observa le Président : la colère empourprait son visage et ses yeux étincelaient derrière ses lunettes à monture métallique ; de plus elle donnait à cet homme de taille – un mètre soixante-treize – et de poids – soixante-quinze kilos – plutôt banals une stature impressionnante. Ses cheveux bruns et courts dessinaient un petit triangle au milieu de son front. Sa main tirait nerveusement la pointe droite de sa moustache en broussaille.

— J'en conviens, monsieur le Président, admit Knox.

— La Compagnie des vapeurs Knickerbocker n'est rien d'autre qu'une organisation criminelle.

— En effet.

— Je veux que vous vous rendiez à New York avec le secrétaire au Commerce et au Travail, scanda Roosevelt, que vous trouviez les responsables de cette catastrophe et que vous les traîniez en justice.

Knox jeta un coup d'œil aux joues moins rouges du Président : il se calmait ; il but une gorgée d'eau.

— Monsieur le Président, déclara Knox d'un ton uni, je crois que cela dépend de la juridiction de l'État de New York.

Roosevelt cracha un peu d'eau par-dessus le bureau :

— Dans un cas pareil, décréta-t-il d'une voix forte, c'est le gouvernement fédéral qui est responsable.

— Très bien, dit Knox en s'apprêtant à quitter le Bureau ovale. Je contacte le secrétaire et nous prendrons des dispositions pour partir demain.

— Philander ? lança Roosevelt au moment où l'attorney général ouvrait la porte du bureau.

— Oui, monsieur le Président.

— Cognez de ma part sur quelques têtes, suggéra Roosevelt en souriant.

— Comme vous voudrez, monsieur le Président.

15 JUIN 1904. LA VEILLE

Le capitaine William Van Schaick s'appuya sur le pupitre de la chambre des cartes et inscrivit la date dans le journal de bord du *General Slocum*. Ce jeudi débutait sous un ciel bas, une petite pluie et une température avoisinant les vingt-cinq degrés, mais le soleil perçait à travers les nuages du côté de Long Island : une fois la brume dissipée, la journée sera belle, se dit Van Schaick.

Van Schaick était grand – un mètre quatre-vingts – et maigre – soixante-dix-huit kilos. Il portait un uniforme bleu très propre, bien repassé, mais un peu fané et aux épaulettes dorées, un peu ternes. L'œillet blanc fraîchement cueilli qui ornait sa boutonnière faisait le même effet qu'une selle neuve sur un vieux cheval.

Son employeur, la Compagnie des vapeurs Knickerbocker, réduisait de plus en plus les frais, au point que Van Schaick envisageait de proposer ses services ailleurs. L'équipage, inexpérimenté à quelques exceptions près, se composait à vrai dire de pauvres types qui acceptaient de travailler pour un salaire d'esclave, et l'état du *General Slocum* lui-même nécessitait des réparations que la société ne semblait pas prévoir.

Van Schaick se retourna pour jeter un coup d'œil par le hublot et sentit les planches du pont s'affaisser un peu sous ses pieds : elles étaient pourries, et il le nota dans le journal de bord.

Le révérend George Haas, debout sur le quai de la 3ᵉ Rue, contemplait le gracieux bateau d'excursion aux ponts jumeaux peints en blanc : il semblait prêt à emmener le millier de passagers qui avaient pris un billet pour ce petit voyage. Pasteur de l'église luthérienne de St. Mark, Haas se consacrait à sa congrégation – près de deux mille âmes, surtout des immigrants allemands. Il avait organisé cette sortie pour les élèves de l'école du dimanche et ceux de leurs parents qui pouvaient les accompagner, excursion qui les conduirait du quai de la 3ᵉ Rue jusqu'à Locust Grove sur Long Island où ils pique-niqueraient. Haas eut un sourire en entendant l'orchestre entamer « *A Mighty Fortress Is Our God* » de Martin Luther.

Rien ne présageait la tragédie qui surviendrait bientôt.

John Tischner, treize ans, comptait les pièces qu'il serrait dans sa main en attendant son tour devant le comptoir des rafraîchissements du bateau. Les palourdes frites sentaient bon, mais sa mère lui avait préparé deux sandwichs aux saucisses et à l'oignon, ainsi qu'une tranche de gâteau au chocolat. Le caramel frais l'intéressa un instant, mais le temps d'arriver au bout de la file, et il jetait son dévolu sur une glace à la fraise. Curieux choix à neuf heures vingt-cinq, mais c'était jour de fête. Il tendit une poignée de pièces, et reçut sa monnaie et sa glace. Il pourrait même, agréable perspective, s'en offrir une autre au retour.

Van Schaick fit donner le coup de sirène annonçant le départ dans cinq minutes, puis il ordonna à la chambre des machines de pousser la vapeur.

Construit à Brooklyn en 1891, le *General Slocum* – près de quatre-vingts mètres de long sur onze de large – était propulsé par une unique machine construite par W.A. Fletcher ; deux chaudières à charbon fournissaient la vapeur. Ses roues à aubes latérales arboraient sur leurs pales le nom du navire en grosses majuscules. Deux cheminées dispersaient la fumée dans les airs. Sur chaque côté du pont supérieur, accrochés au bossoir, une demi-douzaine de canots de sauvetage à la peinture écaillée. Conçu à l'origine avec une coque blanche et les ponts supérieurs en boiseries, le navire avait été repeint avec des motifs blancs sur blanc qui commençaient à s'effacer. Il gardait cependant dans l'ensemble belle allure.

— Dépêche-toi ! cria Henry Ida à sa bien-aimée, Amelia Swartz, le bateau va partir.

La jeune fille hâta le pas autant que le lui permettaient ses bottines solidement lacées et les baleines de son corset qui l'asphyxiaient presque, et se dirigea vers la passerelle en faisant tournoyer son ombrelle. Henry ne possédant que deux costumes, tous deux en laine, avait pour supporter la chaleur de cette journée d'été laissé le gilet chez lui. Canotier en arrière sur son front et panier en osier à la main, il s'engagea sur la passerelle trois minutes avant que le *General Slocum* quittât le quai. Se frayant un chemin à travers la foule, il leur trouva pour tous deux une place sur le pont.

Darrell Millet sortit d'un baril de bois des verres emballés dans de la paille et les porta au chef stewart qui les réclamait d'urgence pour son comptoir de rafraîchissements, situé à l'arrière. Six voyages aller et retour lui furent nécessaires ; une fois le baril vide, il le traîna jusqu'au magasin avant où il le jeta sur deux ou trois seaux retournés entre des pots de peinture et des lampes à huile ; la paille, bien sèche, sentait la prairie.

Le capitaine Van Schaick lança un dernier coup de sirène puis ordonna de remonter la passerelle ; il poussa le chadburn sur « avant » et barra pour éloigner le *General Slocum* du quai. Un millier de passagers se trouvaient maintenant à sa charge. L'orchestre attaqua les premières mesures de *Plus près de toi mon Dieu.*

Walter Payne, qui occupait les fonctions de chasseur à bord du bateau, entra dans le magasin passablement encombré. S'approchant de l'établi, il entreprit de remplir deux lampes à pétrole, mais le passage d'une barge fit soudain rouler le navire et Payne renversa un peu de pétrole sur le plancher. Son travail terminé, il revissa les capuchons métalliques des lampes, approcha des mèches une allumette, qu'il lança ensuite par-dessus son épaule, puis régla la flamme. Une lampe dans chaque main, il gagna l'arrière du pont.

L'extrémité rougeoyante de l'allumette, à peine plus grosse que la mine d'un crayon, les vapeurs de peinture flottant au ras du sol et celles du pétrole renversé : autant d'éléments qui allaient provoquer un désastre. Le gaz s'enflamma dans une lueur bleutée à l'instant même où le *General Slocum,* fendant de nouveau le sillage de la péniche, roula une fois de plus ; le baril abandonné par Millet dans un équilibre précaire bascula et renversa la paille sur le feu qui allait s'éteindre. Elle s'embrasa aussitôt.

Le capitaine Van Schaick regardait vers l'avant quand il aperçut de la fumée sortant d'un hublot du magasin avant.

— Au feu ! cria-t-il.

Il ordonna alors à son second, Marcus Anthony, de rassembler quelques matelots pour armer les pompes à incendie. Encore cinq minutes et ce serait l'enfer.

Le révérend Haas servait de la soupe aux palourdes à ses jeunes paroissiens lorsqu'un matelot passa en courant, traînant derrière lui un tuyau d'incendie. C'est pour laver le pont, se dit-il, mais, au fond de son cœur, il craignait le pire, et chercha l'endroit où étaient rangés les gilets de sauvetage.

— Mon Dieu, pria Van Schaick, donnez-moi un matelot avec de l'expérience.

210

Son employeur lui avait mis sur les bras un équipage composé d'ouvriers non qualifiés et de bons à rien, et il ne fallait pas s'en étonner : l'économie tournait à plein et le chômage connaissait son niveau le plus bas depuis vingt ans. La conquête, deux mois plus tôt, de Panama par les États-Unis aggravait le problème en attirant vers le Sud où les salaires étaient plus élevés de nombreux gens de mer. La main-d'œuvre était devenue difficile à trouver et la Compagnie des vapeurs Knickerbocker avait la réputation de payer chichement ses employés. Van Schaick découvrit le chaos qui régnait sur le pont ; un matelot sanglé dans un gilet de sauvetage sautait par-dessus bord.

— Ouvrez l'eau ! cria Anthony au moment où, sous l'effet de la fournaise, les pots de peinture explosaient, faisant voler la porte en éclats. Le matelot Brad Creighton tourna le robinet de cuivre qui amenait l'eau des pompes situées dans la cale inférieure aux lances d'incendie ; il vit le tuyau se gonfler ; malheureusement, à mi-chemin du pont, sur le passage extérieur, le caoutchouc vieillissant creva et l'extrémité du tuyau se mit à balayer le pont, tel un serpent blessé.

Henry Ida força la serrure rouillée du compartiment contenant les gilets de sauvetage et se mit à les distribuer aux passagers. La toile de plusieurs d'entre eux, vieille et attaquée par les mites, se déchira sous ses doigts, et les cordons de celui d'Amelia se brisèrent. Des bouts de liège jonchaient le sol.

— Si tu dois te jeter à l'eau, cria Ida au milieu du vacarme qui ne faisait que croître, cramponne-toi au gilet ! (Amelia Swartz acquiesça, son visage exprimant la terreur qu'elle ressentait.) Si nous sommes séparés, reprit son fiancé, nage vers la rive. Je t'y retrouverai.

— Faites la chaîne ! cria Marcus Anthony, et fixez une autre lance au robinet.

Paul Endicott, apprenti cordonnier sans travail – on était riche, on ne donnait plus à réparer ses vieilles chaussures, on en achetait des neuves – et sans argent, s'était engagé pour la journée, sa première journée sur l'eau.

— Où sont les seaux ? demanda-t-il à Anthony.

— Bon sang, dans le magasin avant !

— Que dois-je faire ? demanda Endicott.

— Grimpe jusqu'à la timonerie et explique nos problèmes au capitaine, dit Anthony. Demande-lui de revenir vers le quai.

La situation s'aggravait, la confusion aussi, le révérend Haas le savait : il avait vu le feu s'étendre au pont avant puis, comme le navire continuait d'avancer et que le vent rabattait les flammes, au pont du milieu et au pont arrière ; il avait vu crever à quelques mètres de la prise d'eau l'autre tuyau fixé au robinet ; les gilets de sauvetage qu'il avait réussi à dénicher étaient pourris et quasi utilisables ; aidé de quelques adultes, il en revêtit quand même les enfants qu'il s'efforça d'aligner sur le pont arrière.

— Tentons de gagner l'île de North Brother, nous y échouerons le bateau, décida Van Schaick après avoir écouté le rapport d'Endicott. (L'île était à trois milles.) En avant toute! cria-t-il à la chambre des machines.

Malgré les nuages de fumée et les escarbilles qui jaillissaient de son étrave, le *General Slocum* remonta le fleuve.

Le capitaine McGovern se tenait sur le pont de sa drague, le *Chelsea,* quand le *General Slocum* passa à toute vitesse devant lui. Il vit une centaine de passagers se ruer vers l'arrière du navire et s'entasser le long du bastingage ; le bois céda, les précipitant dans l'eau. McGovern sauta dans sa vedette à vapeur, le *Mosquito,* et fonça porter secours aux malheureux.

Dans l'établissement de bains de la 134ᵉ au coin d'East River, Helmut Gilbey venait de s'installer dans une chaise longue pour profiter de l'air frais et du soleil quand il vit le vapeur en feu remonter le fleuve ; il se précipita dans la rue pour donner l'alerte.

— Un bateau en feu ! s'écria-t-il hors d'haleine au premier officier de police qu'il rencontra.

Michael O'Shaunassey vérifia l'information d'un rapide coup d'œil entre les immeubles. Ce qu'il aperçut lui suffit et il dévala la rue jusqu'au commissariat.

Les locaux se vidèrent aussitôt, les policiers partant à la recherche de toutes les embarcations disponibles. Il en arriva du club de canotage de Seawanhaka, du yacht-club de Knickerbocker, du commissariat de la 12ᵉ Rue, suivis quelques minutes plus tard par le bateau-pompe *Zophar Mills,* le remorqueur du service de santé *Franklin Edson* et deux ferries qui se détournèrent pour repêcher les survivants.

Van Schaick ne gouvernait plus qu'un navire à l'agonie. L'inexpérience de son équipage, le triste état des lances d'incendie et quantité d'autres problèmes avaient causé la perte du *General Slocum.* Foncer à toute vapeur vers l'île de North Brother n'avait pas arrangé la situation : le vent avait, en attisant les flammes, déclenché une véritable tempête de feu. Van Schaick échoua violemment son navire.

John Tischner pleurait à chaudes larmes et tremblait de tous ses membres : son jeune esprit n'arrivait pas à appréhender pourquoi une distraction se transformait en cauchemar. Il tirait sur les courroies pourries de son gilet de sauvetage quand le choc de la quille sur le fond le projeta sur le pont, non loin des roues à aubes qui continuaient à tourner follement. Il se glissa entre les jambes des adultes affolés et parvint au bastingage démoli. Il se laissa tomber ; son gilet de sauvetage s'imbiba aussitôt et l'entraîna vers le fond.

Le bateau échoua avec une telle violence que le pont-promenade s'effondra en précipitant une centaine de malheureux au cœur de l'incendie ; d'autres furent projetés sur les roues à aubes et leurs corps disloqués.

Le révérend Haas parvint à jeter à l'eau près de quatre-vingts enfants parmi les plus jeunes avant qu'une poutre du pont supérieur, enflammée, ne le heurte ; les cheveux en feu, il s'efforça de rouler jusqu'à l'eau mais fut aspiré par les roues à aubes.

— Amelia ! criait Ida sans obtenir de réponse.

Ida n'avait pas vu Amelia Swartz sauter du navire en feu et être repêchée plus morte que vive par le capitaine McGovern à bord du *Mosquito*. Courant vers l'arrière sans cesser de l'appeler, Ida s'avança sur une section du pont en train de brûler qui céda sous ses pas. Bloqué à la hauteur des épaules par le plancher, il fit des efforts désespérés pour se dégager.

L'infirmière Agnès Livingston arrivait devant l'hôpital municipal de l'île de North Brother quand elle aperçut un homme coiffé d'un chapeau émerger d'un petit pavillon au sommet du bateau, passer par-dessus le bastingage et plonger. Elle ne pouvait pas savoir que le capitaine Van Schaick avait abandonné son navire.

— Allons-y ! lui cria le Dr Todd Kacynski qui sortait en courant de l'hôpital.

Livingston le suivit jusqu'au rivage. Aguerrie par des années de service, elle avait l'habitude du sang et des blessures. Pourtant, elle ne supporta pas le spectacle de ces corps noircis et atrocement brûlés qui s'échouaient sur la berge ; elle s'éloigna de quelques pas et vomit dans un buisson ; puis, rajustant son bonnet blanc, elle regagna les lieux de la catastrophe.

Sous les yeux horrifiés de Jim Wade qui dirigeait son remorqueur, le *Easy Times*, vers le *General Slocum*, le pont supérieur s'effondra au milieu du navire, fournissant à l'incendie de nouvelles réserves de combustible : les flammes se lançaient à l'assaut du ciel dans une épaisse colonne de fumée noire. Les roues à aubes, enfin immobiles, servaient de refuge provisoire à quelques-uns qui se cramponnaient aux pales. Wade distingua à tribord les endroits où le bastingage avait cédé et des personnes qui couraient en tous sens.

Dédaignant le danger, il approcha son remorqueur au plus près de la coque en feu.

Du quartier général de la police, un reporter du *Tribune* téléphona à sa rédaction :

— Le *General Slocum*, qui promenait un groupe d'élèves de sortie sur l'East River, a pris feu. Les victimes seront nombreuses, prédit-il à son rédacteur en chef qui envoya aussitôt des photographes et des journalistes sur les lieux.

Le maire McClellan arpentait son bureau.

— Le préfet de police fait savoir que tous ses effectifs disponibles sont sur place, dit-il à son adjoint. Assurez-vous que le chef des pompiers débloque tous les points d'eau. (L'homme se précipita vers la porte.) Le numéro de l'hôpital municipal?

— Gotham 621.

McClellan saisit son téléphone.

— Ici le maire, cria-t-il dans le combiné. Passez-moi le chef des opérations.

— Matelots, tirez-les de là, adjurait Wade, et regroupez-les à l'arrière.

Wade regardait, impuissant, des corps noircis dériver vers ses hélices auxquelles il devait laisser la marge de propulsion nécessaire pour rester à proximité du vapeur ou faire machine arrière à tout moment. Un corps fut aspiré sous ses yeux par leur remous et déchiqueté.

— Retirez-les de là! hurla-t-il.

Une immense émotion s'était abattue sur le quartier de la Petite Allemagne dans le Lower East Side. Des parents se bousculaient sur les quais de la ligne 14e-1re Rue du métro aérien pour attraper une rame remontant vers le centre. Les rumeurs les plus folles faisaient monter la tension. Devant l'église St. Mark, la foule se massait de plus en plus nombreuse : des parents, le visage ruisselant de larmes, voulaient croire encore en un miracle, qui n'arriverait jamais.

Le capitaine du *Zophar Mills* braquait un jet d'eau sur la partie centrale du *General Slocum* : les flammes s'étaient atténuées mais les débris fumaient toujours. Autour de son bateau-pompe, flottaient des cadavres. Son équipage avait réussi à tirer de l'eau une trentaine de passagers qui se recroquevillaient, hagards, sur le pont arrière.

Là-dessus, un grondement sourd s'échappa du *General Slocum* qui se coucha sur le côté.

L'infirmière Livingston, hébétée devant tant de souffrance, regardait le rivage de l'île de North Brother transformé en champ de bataille. Elle ne distinguait plus les plaintes des mourants, dominées par les cris des brûlés et des blessés. Le Dr Kacynski avait déjà épuisé la morphine – cinquante doses – qu'il avait apportée.

— Livingston! cria-t-il pour se faire entendre, retournez à la pharmacie et rapportez-moi tous les stocks d'analgésiques disponibles.

— Bien, docteur, répondit Livingston.

Elle partit en courant vers l'hôpital, laissant un instant l'horreur derrière elle.

Wade ne pouvait faire plus : du *General Slocum,* balayé par les eaux, n'émergeaient plus qu'un morceau de roue et une portion du pont. S'éloignant de l'épave, il fit faire à l'*Easy Time* un virage à quatre-vingt-dix degrés et partit vers New York avec son pitoyable chargement.

L'hôpital de l'île de North Brother était surchargé.

— Au moins cinq cents victimes, peut-être un millier, dénombra le conseiller municipal, John Dougherty, en téléphonant à son maire, McLellan.

— Bonté divine, gémit celui-ci, ce n'est pas possible, il y aura bien quelques rescapés...

— Je ne le pense pas, Monsieur, fit Dougherty. Le navire est échoué.

— Trouvez-moi le commandant de la trente-cinquième compagnie du Génie, ordonna McClellan.

— Monsieur, précisa Dougherty, l'incendie est éteint.

— Je sais, John, fit McClellan d'une voix lasse. Je veux que les pompiers aident le médecin légiste à identifier les cadavres.

— Bien, Monsieur.

— J'envoie des canots : ils ramèneront les corps au quai de la 26ᵉ Rue est, où les familles pourront les retirer, ajouta McClellan.

Les vedettes de la police de New York ratissaient l'East River : à dix-neuf heures, ils avaient repêché plus de deux cents corps. La nuit tombait quand le médecin légiste se pencha sur une nouvelle dépouille noircie.

— Fouillez les poches, dit-il à un pompier.

Celui-ci retourna le cadavre et trouva dans son vêtement un portefeuille en cuir détrempé.

— George Pullman, fit le pompier en déchiffrant le nom sur une carte de bibliothèque, et il y a un chèque de 300 dollars à l'ordre de la Compagnie des vapeurs Knickerbocker.

— Je connaissais George, murmura le médecin légiste. Il était trésorier à l'école du dimanche de St. Mark. (Le pompier acquiesça sans rien dire.) Ce qui me réconforte, reprit-il, c'est que ces salauds ne verront jamais la couleur de cet argent.

La cale du *General Slocum* contenait encore de l'air et le bateau dérivait dans le courant. Après avoir parcouru une centaine de mètres, la carcasse s'échoua à la pointe de Hunt. Un plongeur explora la coque et remonta un par un une douzaine de corps prisonniers de l'épave, dont le dernier, un gamin de neuf ans, serrait dans ses mains un livre de prières.

Le plongeur se débarrassa de son équipement et éclata en sanglots. A

215

l'arrivée à New York, il était toujours prostré sur le pont arrière, accablé par de sombres pensées. Il ne replongea plus jamais.

Le lieutenant de la police municipale de New York, Joe Flarethy, regardait avec un mépris non dissimulé le blessé allongé sur le brancard, qui s'était brisé la jambe en sautant du *General Slocum*.

— Vous êtes le capitaine Van Schaick, lança Flarethy.

— En effet, répondit Van Schaick.

— Je vous arrête sur ordre du maire, reprit Flarethy. Maintenant facilitez-nous la tâche et donnez-nous l'identité des membres de votre équipage.

Van Schaick se redressa sur ses coudes.

— En tant que capitaine, déclara-t-il, je suis seul responsable. Vous voulez identifier l'équipage, faites-le vous-même.

Flarethy se tourna vers le sergent qui l'escortait.

— Relevez l'identité de chacun – les marins doivent avoir des papiers. Passez une étiquette au pied de ceux qui n'en ont pas, nous les trierons plus tard.

Il se retourna vers Van Schaick.

— Un vrai héros, qui protège ses hommes ! (Flarethy montra le fleuve par la fenêtre.) C'était là-bas qu'il fallait vous comporter en héros. (Van Schaick resta muet.) Les menottes pour ce salaud, ordonna Flarethy à un policier qui attendait.

— La morgue de la 26e Rue est pleine, expliqua par téléphone le maire McClellan à Dougherty. Impossible d'accepter de nouveaux corps.

— Attendez, fit Dougherty. (McCLellan entendait des bribes de conversation entre Dougherty et quelqu'un qui se tenait auprès de lui.) Monsieur le maire, reprit-il au bout de quelques instants, à côté de l'hôpital, il y a un hangar à charbon abandonné qui pourrait faire office de morgue.

— Parfait.

— Juste un détail.

— Quoi donc ?

— Il nous faudrait de la glace pour conserver les corps.

— Je m'en occupe tout de suite.

Une faible lumière électrique éclairait le quai de la 25e Rue quand on déchargea des bateaux la première cargaison de cercueils. La glace déposée à l'intérieur pour empêcher la décomposition des corps commençait à fondre et, en coulant par les fissures du bois, souillait la rue. Le visage blême, des centaines de parents attendaient que puissent commencer leurs sinistres recherches. Quelques survivants débarquaient en trébuchant, légèrement blessés, en loques ; adultes pour la plupart, ils baissaient la tête sous le poids de leur honte.

Juché sur une échelle au milieu de la foule, un pompier de la trente-cinquième compagnie du Génie criait au passage de chaque cercueil le nom qui y était inscrit. Les familles affligées ne contenaient plus leur douleur. En attendant que des places se libèrent dans la morgue, on alignait en rangées régulières ceux qu'on n'avait pas identifiés.

Le lendemain de la catastrophe, le jour se leva par un temps doux et clair. Tous les drapeaux de New York étaient en berne. A la mairie, le maire McClellan apprit que l'East River rejetait encore des corps sur ses berges ; il prit les dispositions nécessaires pour qu'on les recueille et qu'on les inhume. Ensuite il se pencha sur les moyens de prévention : comment éviter à l'avenir de tels désastres. Pour commencer, que toute la population sache nager, et il créa un programme de leçons de natation gratuites. Ensuite, que tous les bateaux d'excursion de la rade de New York soient en excellent état, et il ordonna la cessation de toutes leurs activités jusqu'à ce qu'ils aient été inspectés, vérifiés et approuvés. Enfin, il ouvrit une enquête sur la tragédie du *General Slocum*.

Le décompte final s'éleva à mille vingt et une victimes.

Mais le *General Slocum* n'en avait pas terminé.

Son inspection effectuée, le plongeur Jackson Hall, debout sur la portion de coque visible, appela le capitaine du *Francis Ann*, un navire de relevage.

— Vous pouvez me récupérer maintenant ! cria-t-il.

— Qu'en pensez-vous ? demanda le capitaine.

— On peut la relever. Le bas de la coque est intact ; ce sont les ponts supérieurs qui ont été le plus endommagés.

— A quoi ça ressemble à l'intérieur ? poursuivit le capitaine.

— Il y a beaucoup de morceaux de bois noirci entassés au milieu. J'ai failli me faire coincer deux fois. Les chaudières paraissent intactes mais elles sont tordues. La roue à aubes de bâbord est en miettes ; elle supporte le poids de l'épave.

— Quel type de sol en dessous ?

— On dirait de la boue meuble.

— Alors, on peut glisser des courroies sous la coque ?

— Oui, monsieur.

— Bien, nous venons vous récupérer, déclara le capitaine en regagnant la timonerie.

— Enfin, murmura Hall pour lui-même.

Son inspection l'avait mis mal à l'aise. Il avait eu l'impression de profaner un sanctuaire et de déranger, en s'introduisant dans l'épave du *General Slocum,* le millier de fantômes qui l'habitaient. A deux reprises, il s'était cru empoigné par des bras ; un peu plus tard, il lui sembla voir une apparition – juste un bout de toile qu'agitait le courant –, mais Hall, impressionné, termina en hâte son travail.

Trois semaines plus tard, le *General Slocum* fut remis à flot et son épave calcinée remorquée jusqu'à un chantier naval du New Jersey : on rasa les ponts supérieurs, on déblaya les débris entassés dans la coque, bref on en fit une barge et on le rebaptisa *Maryland.*
Nouveau nom, nouveau départ mais vers une fin aussi peu glorieuse.

Les vents d'hiver, quand ils fouettent la surface de la mer, peuvent rendre dangereux les abords de la côte Est des États-Unis. Le capitaine Tebo Mallick, qui commandait le remorqueur *Gestimaine,* était un vieux loup de mer : à cinquante ans, il en avait passé trente-sept en mer et il avait appris à déchiffrer les signes qui s'inscrivaient sur l'eau. Ce soir-là, au large d'Atlantic City, dans le New Jersey, l'aspect de la mer déconseillait à quiconque de s'y attarder. D'énormes vagues déferlaient d'est en ouest, leur crête couverte d'écume blanche. Des rideaux d'une pluie glacée fouettaient les hublots de la timonerie. Il regarda vers la côte.
— J'aperçois à peine le phare, confia-t-il à un chat qui dormait sur la table des cartes.
Puis il pivota et essaya de regarder vers l'arrière. Quelque part dans la brume, amarrée à son bateau par un épais cordage long de cent mètres, suivait une péniche chargée de coke, le *Maryland.* Une vague se brisa sur son étrave. La porte de la timonerie s'ouvrit, faisant vaciller la lampe à pétrole en cuivre accrochée au plafond.
— Je crois que la barge prend l'eau ! cria le matelot Frank Terbill. (Mallick dut donner un coup de barre au *Francis Ann* car il venait de sentir son arrière entraîné vers les vagues.)
— Ça fait une demi-heure qu'elle danse sur l'eau, confirma Mallick. J'espérais que la mer allait se calmer un peu.
Le moteur s'emballa soudain tandis que l'amarre reliant les deux embarcations mollissait.
— Elle va nous aborder ! cria Mallick à Terbill juste avant qu'une vague ne heurte le *Francis Ann* par le travers et ne les projette tous les deux contre la cloison.
Là-dessus, un autre cordage se détacha et vint frapper la timonerie comme un serpent furieux. Le *Francis Ann* fut entraîné à bâbord par le poids et Mallick s'efforça de maintenir son bateau face aux vagues

218

déferlantes. N'y parvenant pas, il saisit une hache à bois fixée à la cloison et la tendit à Terbill.

— Lâchez-moi cette saloperie, cria-t-il, sinon elle nous fera couler!

Terbill se précipita vers la plage arrière et brandit la hache au-dessus de sa tête pour l'abattre de toutes ses forces. La lame trancha le cordage et se ficha dans le plat-bord. C'est ainsi que, isolé par la brume, le *Maryland* sombra, sans témoin.

II

Dangereuse cargaison

1994, 2000

En 1987, Bob Fleming, mon vieil ami documentaliste, m'adressa un rapport du Génie concernant le naufrage et la démolition d'une barge baptisée le *Maryland*. Je ne compris l'intérêt de l'histoire de cette péniche perdue que lorsqu'il m'expliqua au téléphone le passé du *Maryland* : il s'agissait en fait du *General Slocum,* ce bateau d'excursion qui avait fait, en brûlant dans l'East River au cours de l'été 1904, un nombre considérable de victimes.

Comme je l'ai relaté plus haut, l'épave calcinée échouée sur l'île de North Brother avait été renflouée et remorquée jusqu'à un chantier naval. Le bon état de la coque au-dessous de la ligne de flottaison permit à la Knickerbocker Steamship Company de tirer soixante-dix mille dollars de la vente du *General Slocum.* Devenu le *Maryland,* il servit de péniche pour le transport du charbon.

Six ans plus tard, le remorqueur *Asher J. Hudson* halait la péniche et sa cargaison de coke de Camden à Newark dans le New Jersey, quand elle commença à prendre l'eau. La tempête soufflait avec violence ; Robert Moon, le capitaine du remorqueur, savait le *Maryland* incapable de se maintenir à flot ; il ordonna donc son évacuation et coupa les amarres.

Le *General Slocum/Maryland* s'enfonça dans l'océan ; ce serait la dernière fois.

La nouvelle du naufrage du *Maryland* réjouit son propriétaire, Peter

221

Hagen; non seulement l'assurance maritime allait le rembourser, mais de plus il était débarrassé de ce bateau qu'il estimait maudit. Il nécessitait sans cesse des réparations, et son gouvernail avait dû être remplacé juste avant son dernier départ.

— Depuis toujours le *Slocum* porte la poisse, dit Hagen. Sans arrêt des problèmes. Je suis content d'en être débarrassé.

Le rapport annuel pour 1912 du général commandant le corps du Génie déclarait :

> *Épave de la barge « Maryland » coulée dans l'océan Atlantique au large du goulet de Corson, New Jersey. A la date du 15 décembre 1911, un budget de soixante-quinze dollars fut consacré à l'examen de l'épave en vue d'un relevage éventuel, puis le 29 janvier 1912, on débloqua encore cent cinquante dollars. A l'origine, il s'agissait du vapeur « Slocum » incendié jusqu'à la ligne de flottaison et qui avait coulé en rade de New York quelques années auparavant. Une inspection des lieux avait montré que l'épave gisait à environ un mille de la côte sur un trajet fréquemment emprunté par le trafic côtier. Ce navire à coque en bois de soixante-trois mètres de long sur onze de large avec un tirant d'eau de quatre mètres, endommagé durant une tempête, avait coulé le 4 décembre 1911 lors d'un remorquage entre Philadelphie et New York. Après appel d'offres, un contrat fut signé avec Eugene Boehm d'Atlantic City, l'enchérisseur le moins cher à mille quatre cent quarante-deux dollars. Les travaux se déroulèrent du 12 février au 18 février 1912. On disloqua l'épave à la dynamite. Cela fait, on procéda à un balayage soigneux du site sur environ cent cinquante mètres carrés, on constata qu'il ne restait aucun débris.*

Un autre rapport du Génie précisait que l'épave dépassait de cinq mètres au-dessus du fond à un endroit où le fleuve n'avait qu'un peu plus de sept mètres de profondeur : elle présentait donc un réel danger pour les autres navires.

*
* *

Retrouver le *General Slocum*, alias *Maryland*, un jeu d'enfant, n'est-ce pas ? puisque, l'épave reposant au fond, elle serait assez facilement repérée par un sonar. Nous naviguerions jusqu'à un mille du goulet de Corson, nous croiserions dans les parages et, une vingtaine de minutes plus tard, nous crierions « Eurêka ! » Pas compliqué.

Et pourtant...

En septembre 1994, je proposai à Ralph Wilbanks et Wes Hall, qui venaient de terminer un travail de recherche à New York, de tenter leur chance avec le *General Slocum* sur le chemin du retour vers la Caroline. Ils mirent à l'eau la vedette de Ralph, le *Diversity*, et armés d'un sonar ratissèrent deux jours durant le secteur à la sortie du goulet de Corson.

Un examen attentif du lit du fleuve ne révéla rien. Le sonar n'enregistra qu'un fond plat et sablonneux.

Il fallait donc recourir de nouveau aux archives. On en tira quelques renseignements : un rapport qui situait l'épave à deux milles au large du poste de sauvetage de la plage de Ludlum, et des témoignages de plongeurs locaux qui prétendaient tous avoir repéré le *Maryland* sur la côte du New Jersey – ici selon les uns, là selon les autres –, mais qui parlaient tous des vestiges intacts d'une péniche.

Deux autres cibles nous furent fournies par Gene Patterson d'Atlantic Divers à Egg Harbor : l'une se révéla être un vieux vapeur, et l'autre concernait sans doute l'ancre et la chaîne de l'épave puisqu'on les avait repérées dans les parages. Gene nous parla d'une autre possibilité, mais à plus de huit milles du goulet de Corson.

Steve Nagiweiz, le directeur de l'Explorers Club, nous fit parvenir des coordonnées qui, à son avis, correspondaient à celles du *General Slocum*, mais également trop éloignées. Gene et Steve avaient trouvé leurs épaves par une profondeur de douze à quinze mètres, donc trop bas si l'on se référait aux sept mètres indiqués par le Génie.

Personne, en tout cas, n'avait émis l'hypothèse que l'épave puisse être enfouie dans le sable.

Fin septembre 2000, Ralph et Shea McLean s'installèrent à Sea Isle, dans le New Jersey, pour une seconde tentative. Pour mettre toutes les chances de leur côté, ils étendirent leurs recherches du vieux phare de la plage de Ludlum jusqu'au-delà du goulet de Corson. Ils commencèrent à un mille et demi de la côte dans des couloirs qui lui étaient parallèles. Ralph comptait que la cible, quand il passerait au-dessus, présente les caractéristiques d'une épave disloquée avec des vestiges épars. Cela correspondrait au rapport du Génie d'après lequel le *General Slocum/Maryland* avait été dynamité près du fond de la mer.

Les cibles ne formeraient pas de saillie et n'affleureraient pas en tout cas la surface, puisque, la péniche ayant été démolie à coups d'explosif pour éliminer la menace qu'elle constituait pour la navigation, elle s'était très probablement enfoncée dans la vase.

On utilisa un magnétomètre Géométrics à césium dont on remorquait le palpeur. Ralph attendait une signature magnétique indiquant la présence de pièces et d'aiguilles métalliques dans la coque originelle, et non une masse volumineuse car après le tragique incendie, on avait retiré les machines et les chaudières. L'argument irréfutable serait la présence de fragments du coke que la barge transportait quand elle avait coulé.

On repéra plusieurs petites cibles, mais aucune correspondant à la péniche. Au bout d'un moment, une anomalie magnétique parut prometteuse ; Ralph et Shea poursuivirent néanmoins le balayage jusqu'à ce qu'ils aient acquis la certitude qu'il n'y avait rien d'autre. Trois jours durant, ils draguèrent le sable ; ils découvrirent de gros madriers, certains fendus comme si on les avait déchiquetés ainsi que de nombreux fragments épars qui ressemblaient à du coke.

On consacra le dernier jour à relever un contour magnétique du site. On fit des mesures approximatives : soixante-cinq mètres sur onze, soit à peu près les dimensions du *General Slocum* une fois transformé en *Maryland*. Le site était à trois milles au nord du phare de la plage de Ludlum et à un mille au large du goulet de Corson, exactement là où l'avaient signalé les techniciens du Génie.

De retour de Charleston, Ralph consulta un gemmologue et quatre professeurs du collège de la ville : tous s'accordèrent à dire que les fragments qu'il leur avait confiés étaient bien du coke.

Ainsi tomba le rideau sur le dernier acte du *General Slocum*, sorte d'expiation pour l'horrible tragédie d'une belle journée de juin 1904, la pénitence infligée à un navire jadis superbe, orgueil des bateaux d'excursion de New York, étant de finir ses jours dans la coque d'une péniche condamnée à courir les mers, sa cale pleine de résidus de fonderie.

On s'en souvient encore à New York lors des services commémoratifs qui rassemblent les descendants des victimes à l'église luthérienne de la Trinité à Middle Village, dans le Queens, le jour anniversaire de la catastrophe. Soixante et une victimes sont inhumées dans le cimetière voisin de l'église au pied d'une magnifique stèle haute de six mètres.

Lors du dernier service, les survivants connus n'étaient plus que deux.

Neuvième partie

Le S.S. *Waratah*

Pointe
Mpame

Rivière
Xora

Le Waratah ?

Le Nailsea
Meadow

Pointe Breezy

Pointe Mbashe

Rivière
Mbashe

Océan
Indien

SS WARATAH

CÔTE DU TRANSKEI (AFRIQUE DU SUD)

I

Disparu

1909

— Curieuse impression, comme des vibrations dans les haubans, remarqua le capitaine Joshua Ilbery.

Ce 23 juillet 1909, le *Waratah* approchait – à peine une heure – de Durban, sa prochaine étape. Le voyage avait connu plusieurs incidents. Le navire venait de quitter Londres pour son voyage inaugural vers l'Australie via l'Afrique du Sud quand Ilbery avait remarqué la tendance de son bateau à rouler à tribord : la première fois dès son entrée dans la Manche au large de Guernesey, par temps clair, mer calme et vents d'ouest. Une série de trois vagues, chacune plus haute que la précédente, et provoquée par une perturbation sous-marine quelque part au milieu de l'Atlantique, avait ébranlé le navire. Pourtant pas méchantes – entre deux mètres cinquante et trois mètres cinquante sur une mer avec des creux de deux mètres – elles avaient fait réagir le *Waratah* de façon immédiate et déplaisante : comme un boxeur sonné de coups, il avait violemment penché à tribord, presque à se coucher, puis, une fois redressé, avait roulé et tangué pendant près d'un quart d'heure. Mauvais arrimage de la cargaison dans la cale, s'était dit Ilbery et il avait ordonné de mieux équilibrer le chargement. Sans pour autant améliorer la stabilité.

— Une étrange impression sur le *Waratah* ? reprit en plaisantant le second, Charles Cheatum. Vous m'étonnez, capitaine.

Ilbery se tourna vers Cheatum en souriant ; il appréciait beaucoup les

227

efforts que son bras droit avait déployés au cours de cette longue traversée pour maintenir son moral. Quand le *Waratah* s'était immobilisé au large des Açores dans leur descente vers le sud, Cheatum avait parlé de collision avec une baleine, au large du cap de Bonne-Espérance, d'une lame de fond, et enfin lorsque, au beau milieu de l'océan Indien, à deux jours de Sydney, le navire avait soudain été secoué comme s'il allait se disloquer, Cheatum avait encore trouvé une explication : « Brusque changement des gravités ! » avait-il plaisanté.

Pourtant ces étranges incidents n'empêchaient pas le *Waratah* de poursuivre sa route.

Après Sydney, le navire avait fait escale à Melbourne, puis à Adelaïde où on avait embarqué des passagers et chargé une nouvelle cargaison pour le retour à Londres. A l'issue de ce périple de dix-huit mois – certainement rentable pour les propriétaires du *Waratah*, la Lund Blue Anchor Line – Ilbery confierait le bateau à Cheatum ; il estimait avoir trompé le destin une fois de trop.

Le fantôme était revenu avec son glaive médiéval dans une main et un drap taché de sang dans l'autre.

— Va-t'en, cria Claud Sawyer du fond de ce cauchemar désormais familier.

Il se redressa sur sa couchette et s'efforça de retrouver son calme. Posant ses pieds nus sur le plancher, il épongea la sueur glacée de son front, but la moitié d'un verre d'eau et fit quelques pas jusqu'au hublot cerclé de cuivre.

— Terre ! s'exclama-t-il à voix haute en découvrant les falaises qui encadraient le port de Durban. Mon Dieu, que tu m'as manqué !

Il saisit sa chemise et son pantalon, s'habilla en vitesse et, avant de gagner le pont, jeta machinalement un regard à sa couchette : sur le matelas trempé de sueur l'empreinte de son corps rappelait le dessin ensanglanté du drap que brandissait l'apparition. Sawyer empoigna son unique valise et quitta sa cabine en courant ; il regarderait du pont l'accostage du navire. Son voyage se terminait à Durban.

De la timonerie de son remorqueur, le *Transkei*, le capitaine Charles DeRoot observait l'approche du *Waratah*.

— Vilain rafiot, dit-il à son matelot.

— Une boîte de biscuits posée sur une saucière, ajouta celui-ci.

Les courants entraînaient le *Transkei* vers le large. DeRoot poussa les manettes en avant pour rester sur place, puis reprit son examen. La grâce et l'élégance d'un navire se voient de loin ; celui-là avait l'allure d'un danseur de quadrille empêtré d'un pied bot. DeRoot connaissait l'histoire du

Waratah – il ne remorquait jamais un navire sans se renseigner sur son pedigree – et savait que celui-là n'avait rien d'un pur-sang.

Les armateurs anglais de Barclay, Curle & Company l'avaient construit pour être le bateau-jumeau du *Geelong*, ce qui augurait mal de son avenir. En effet, le *Geelong* connaissait des problèmes de stabilité que, selon son cahier des charges, le *Waratah* devait pallier. (Pour se protéger, les constructeurs avaient précisé dans le contrat « si possible ».) Ce qui n'était pas le cas parce que tous deux avaient tout simplement été mal dessinés, et cela ne se corrigeait pas.

Et puis, son nom, porté depuis 1848 par trois autres navires qui avaient tous fait naufrage. La superstition est courante chez les gens de mer, voilà pourquoi DeRoot se méfiait de ce nom maudit conjugué avec une conception défectueuse.

— Machine arrière! cria DeRoot à l'équipage.

Il vira de cap, poussa l'aiguille du chadburn sur arrière, puis reprit son observation.

Gros bateau pour l'époque que le *Waratah* : près de cent cinquante mètres de long et un déplacement de 9 339 tonnes. Sa coque d'un noir de jais portait après un an et demi passé en mer quelques traînées de rouille. Ses ponts supérieurs étaient peints en jaune pâle. Sur la cheminée, unique, qui évacuait la fumée des chaudières à vapeur actionnant les deux hélices jumelles se superposaient, à partir de la base, trois bandes, une noire, une blanche et de nouveau une noire. Les deux mâts – l'un à l'avant, l'autre sur la plage arrière – ne corrigeaient pas l'aspect trapu du bateau.

DeRoot voyait de plus en plus dans le *Waratah* un vilain canard se dandinant sur la mer.

— Ralentissez et envoyez un message au bateau-pilote, ordonna Ilbery à Cheatum.

Le timonier s'exécuta et envoya ses instructions en faisant des signaux à bras.

Quelques minutes plus tard, le remorqueur accosta et déposa le pilote.

— Pilote de Durban, annonça-t-il d'une voix forte en frappant à la porte de la timonerie.

— Autorisé à entrer, répondit Ilbery.

Le pilote entra et s'approcha d'Ilbery la main tendue.

— Peter Vandermeer, c'est moi qui vais vous piloter dans le port.

— Bienvenue à bord du *Waratah*, capitaine Vandermeer.

— Merci, capitaine. Estimez-vous devoir me signaler quelque chose avant le départ? s'informa Vandermeer.

— Il a des réactions un peu lentes, observa Ilbery.

— Une grosse cargaison, hein ?

— Pas vraiment, je le trouve simplement un peu flemmard.

Vandermeer, intrigué – il est rare qu'un capitaine dise du mal de son bateau –, supposa qu'Ilbery plaisantait.

— C'est noté, dit-il.

— Pilote aux commandes, lança Ilbery en lui laissant la barre.

Vingt minutes plus tard, tiré par le remorqueur *Transkei*, Vandermeer amenait le *Waratha* à quai, ayant parfaitement compris ce qu'avait voulu dire Ilbery ; même un canoë lui paraissait plus stable.

Debout près de la passerelle, Claud Sawyer, dansant d'un pied sur l'autre comme si le pont était en feu, et ne cessant de faire passer sa valise d'une main dans l'autre, attendait avec impatience qu'on la descende. La sirène du *Waratha* retentit enfin et cinq minutes plus tard, on abaissa la passerelle. Sawyer, à peine la chaîne retirée, se précipita vers le quai et s'agenouilla à l'écart de la foule pour embrasser le ponton. A deux mètres de lui, un cycliste aux cheveux roux le regardait.

— Mon bon monsieur, prévint-il, vous vous trouvez encore sur le pont et au-dessus de l'eau. Si vous voulez baiser la terre... il vous faut encore avancer d'à peu près six mètres, indiqua-t-il en tendant le bras.

Sawyer releva la tête en souriant. Il saisit sa valise, gagna la terre ferme, s'agenouilla une nouvelle fois et resta ainsi dix bonnes minutes.

Le capitaine Ilbery examinait le manifeste : du blé des fermes du nord, du suif et des peaux provenant des vastes élevages du centre de l'Afrique du Sud, du minerai de plomb qui serait transformé au Cap. Ainsi que deux cent onze passagers supplémentaires à destination soit du Cap, soit de Londres.

Le poids de la cargaison de plomb brut préoccupait Ilbery ; il pèserait sur une surface restreinte et, à cause des stocks embarqués en Australie, on ne pourrait pas correctement centrer le chargement, ce qui accentuerait l'instabilité du *Waratah* de façon inquiétante. Sans parler du temps.

Ilbery avait navigué assez dans l'océan Indien pour connaître sa duplicité ; il savait quels sombres secrets pouvaient dissimuler un ciel bleu bien dégagé et des vagues plates se brisant sur la plage ; loin, invisible, une perturbation provoquait des courants déferlants et bientôt les vagues se casseraient, la mer s'agiterait jusqu'à devenir mauvaise.

— Arrimez bien la cargaison, ordonna Ilbery à Cheatum. Je descends à terre.

— Très bien, capitaine.

On était le 25 juillet 1909, un peu après seize heures, et le *Waratah* appareillerait aux premières lueurs du jour. Ilbery suivit le quai pour se rendre à la capitainerie. Un vent sec et brûlant soufflait du lointain désert de Kalahari ; le sable grinçait sous ses dents. Épongeant quelques gouttes de sueur sur son front, il ouvrit la porte et entra dans le bureau.

— Bonjour, monsieur, dit l'employé.

— Je suis le capitaine Ilbery, du *Waratah*. Avez-vous les prévisions météorologiques ?

Le préposé fouilla parmi les papiers étalés sur le bureau et en tira un simple feuillet.

— Je n'ai pas grand-chose, reconnut-il. Pretoria nous signale des tempêtes de sable et des orages dans l'intérieur jusqu'au 28. (Ilbery hocha la tête.) Nous avons reçu depuis votre arrivée deux autres bateaux : à midi le clipper *Tangerine* venant de Madagascar qui a traversé des conditions difficiles dans le canal du Mozambique : des averses de grêle ont mis sa grand-voile en lambeaux et touché ses ponts.

— De grêle ? s'étonna Ilbery.

— Je sais, dit l'employé. Très bizarre.

— Et l'autre bateau ?

— Le cargo *Keltic Castle* en provenance de Port Elizabeth, qui assure la liaison régulière entre Le Cap et Durban. Le capitaine a rencontré une grosse mer entre les rivières de Xora et de Mbashe. (Il jeta un nouveau coup d'œil à son rapport.) Il a aussi parlé de nombreux débris dans l'eau. C'est à peu près tout ce que j'ai.

— Je vous remercie, dit Ilbery en portant la main à sa casquette. Les remorqueurs sont toujours prévus pour sept heures, comme convenu ?

L'employé consulta des papiers fixés sur une planchette.

— Le *Waratah*, sept heures.

— Merci, répéta Ilbery en se tournant pour prendre congé.

— Capitaine, dit l'agent au moment où Ilbery ouvrait la porte, bonne chance et bonne mer.

Affichant un sourire sinistre, Ilbery le salua de la tête puis sortit.

Six heures, six pintes de bière et six verres de whisky plus tard, Claud Sawyer voyait des étoiles. Le Royal Hotel offrait un certain confort : éclairage électrique, ventilateur au plafond, eau courante à chaque étage, et Sawyer avait trouvé dans sa chambre un grand lit à colonnes, une moustiquaire, des draps de coton et des gants éponge ; la salle de bains était au bout du couloir. Lavé et vêtu d'habits propres, Sawyer s'était allongé. Renonçant au bout de quelques heures à trouver le sommeil, il était descendu au bar. Depuis il n'avait pas bougé du comptoir, une pièce de près de six mètres de long taillée dans une essence tropicale, éclairée par des ampoules électriques dissimulées derrière des vitraux et posée sur des carreaux de grès devant des sièges sculptés. Comme la nuit apportait une certaine fraîcheur, Sawyer se décida enfin à faire quelques pas dehors.

— Monsieur, lui annonça le barman en le rejoignant dans le patio, nous allons bientôt fermer.

Sawyer détourna son regard de la Voie lactée.

— Ce sera tout, merci, dit-il en souriant.

Le barman rentra.

Sawyer n'avait rien mangé depuis le déjeuner que, d'ailleurs, à peine arrivé, il avait rendu dans les toilettes du hall. Il éprouvait une légère sensation de vertige. L'alcool n'avait pas eu l'effet escompté car le *Waratah* continuait à l'obséder. Il se dirigea d'un pas chancelant vers sa chambre dont il ne parvint à ouvrir la porte qu'après plusieurs tentatives. Il entra ne souhaitant plus qu'une chose, perdre connaissance.

Le capitaine Ilbery fumait la pipe tout en contemplant la mer du gaillard d'avant du *Waratah*. Le parfum de son tabac ne masquait pas l'odeur de l'océan, âcre comme celle d'une pièce de cuivre qu'on fait chauffer dans une poêle de fonte. Tapotant le culot de sa pipe, il se dirigea vers sa cabine.

Ses draps étaient trempés de sueur et ses pieds empêtrés dans la moustiquaire. Sawyer était tombé dans une sorte de stupeur, un oreiller de plumes pressé contre sa bouche lui permettant tout juste de respirer. Il secoua la tête pour reprendre haleine.

Le *Waratah* fonçait dans la tempête. Sawyer le voyait aussi nettement que s'il s'était tenu à la lisière de l'orage. Puis le navire devint tout petit – parce qu'il l'observait du haut des cieux. Une lame de fond déferla et se brisa contre le flanc du bateau qui disparut, remplacé par un chevalier en armure.

— Évite le *Waratah*, lui recommanda le chevalier de façon pressante.

Sawyer se redressa d'un bond, faisant tomber son oreiller par terre. Il ne dormit plus de la nuit.

Le capitaine DeRoot amena le *Transkei* le long du *Waratah* qu'il entreprit de tirer pour l'éloigner du quai. Le bateau, encore plus récalcitrant que dans son souvenir, fut particulièrement difficile à manœuvrer.

Le *Waratah* sortit de la rade et franchit la barre, guidé par le chef pilote, Hugh Lindsay, le capitaine Ilbery à ses côtés. Ilbery trinqua avec Lindsay au succès de sa manœuvre, puis le laissa repartir; il reprit alors les commandes. Il ordonna de longer la côte, essayant de chasser ses funestes pressentiments.

Le caporal Edward « Joe » Conquer, dont l'unité, l'escadron des fusiliers du Cap, était en manœuvre non loin de l'embouchure de la Xora, sortit de sa tente ; la pluie tiède qui tombait depuis une heure filtrait à travers la toile et détrempait le plancher mal raboté. Conquer avait attendu que la tempête se calme pour s'aventurer sur la falaise ; si le ciel au-dessus de lui était pour l'instant dégagé, il n'en allait pas de même au large où un véritable mur de nuages noirs se formait. Des rafales de vent balayèrent subitement le camp, faisant chuter la température – supérieure à trente degrés – d'une dizaine de degrés. Conquer enfonça solidement son chapeau sur sa tête avant de retourner dans sa tente pour y prendre son épée qu'il passa à son ceinturon.

— Allah miséricordieux, supplia l'Africain, protège-moi.

Sans prévenir, la tempête déchaîna ses tourbillons destructeurs ; formée de vents chauds et humides qui s'étaient amassés sur l'océan Indien, elle progressa vers l'ouest avec la détermination d'une armée en marche. A sa lisière, l'ouragan soufflait à plus de cent cinquante kilomètres à l'heure et, au centre, aspirait dans ses trombes toute la faune marine. Des éclairs zigzaguaient entre l'eau et le ciel et le fracas du tonnerre roulait sur la mer furieuse.

Urbuki Mali arrivait au mauvais endroit au mauvais moment.

Son dhaw, le *Khalia*, transportait une cargaison de cannelle et de perles dont la vente, avait prévu Mali, lui permettrait de prendre enfin sa retraite. Un négociant de Londres avait accepté d'en acheter la totalité ; à Mali de la livrer à bon port. Aiguillonné par la cupidité, Mali bravait le mauvais temps ; son avarice lui coûterait la vie.

Il aurait pu, sans cette tempête indomptable, distinguer la côte à douze milles de là. Une violente rafale arracha son mât de misaine.

— Ma fortune pour des vents favorables, suppliait Mali quand le ciel lâcha soudain sur lui une pluie de poissons. Le *Khalia* chavira.

A bord du *Waratah*, le capitaine Ilbery livrait une bataille perdue. La frange de l'ouragan, bien qu'encore à des milles au large, faisait déjà sentir ses effets dans la timonerie. Des vagues furieuses déferlaient contre la coque et par deux fois déjà son navire avait piqué dans les creux comme aspiré par la mer. Et puis, tout d'un coup, le *Waratah* avait donné de la bande à tribord et était resté suspendu sous un angle de quarante-cinq degrés ; il ne s'était redressé que trois bonnes minutes après.

— Sainte Mère de Dieu ! s'écria Ilbery.

Charles Cheatum, le teint gris, ne maîtrisait plus son angoisse.

— Capitaine, c'est mauvais, dit-il d'une voix forte, en contenant une violente nausée.

— Bon sang, je le sais. Descendez vérifier la cargaison dans la cale. Je crois qu'elle s'est déplacée.

Cheatum essaya de surmonter la tension qui lui nouait les muscles, fit quelques pas vers la porte, mais les spasmes qui vrillaient son estomac l'emportèrent et il vomit sur le plancher de la timonerie.

— Nettoyez-moi ça ! cria Ilbery à un matelot.

Cheatum s'essuya la bouche avec son mouchoir et franchit la porte tant bien que mal.

Les passagers, entassés pour une bonne moitié d'entre eux dans la salle à manger, étaient projetés d'une cloison à l'autre aussi souvent que le navire donnait de la bande. On ne comptait plus les bleus ni les écorchures récoltés en se cognant aux meubles ou en tombant de son siège. La peur était palpable. Carl Childers, un robuste éleveur australien qui effectuait son premier voyage à Londres, s'efforçait de calmer les esprits.

— J'ai vu la terre à bâbord ! cria-t-il.

Cette nouvelle n'apporta aucun réconfort à Magness Abernathy, un négociant en diamants de Sydney.

— Il vaudrait mieux que la côte soit accessible à la nage, parce que nous n'aurons bientôt plus d'autre solution.

Un matelot entra dans la salle à manger, les bras chargés de gilets de sauvetage. On commença par équiper les enfants, puis les femmes et les vieillards.

— Maudit bateau, mais qu'il cesse donc de rouler et de tanguer ainsi, jura Ilbery, en se cramponnant à la barre pour tenter de maintenir le cap du *Waratah*.

Du fond de la chambre des machines, le chef mécanicien Hampton Brody trouvait que la situation prenait une mauvaise tournure. Dès que le *Waratah* donnait de la bande, une des deux hélices sortait de l'eau ; ne rencontrant plus de résistance, l'arbre se mettait alors à tourner trop rapidement et imposait de terribles efforts à la chaudière qui assurait la propulsion ; en effet, une soupape de sûreté de la chaudière tribord sauta et libéra des nuages de vapeur brûlante qui envahirent le local.

Cheatum, enfin parvenu dans la cale, se précipita au centre, là où avaient été entreposées les caisses chargées de minerai de plomb. Trois d'entre elles, éventrées après avoir basculé de la rangée supérieure, avaient répandu plusieurs tonnes de leur contenu à tribord. Cheatum ne pouvait rien faire d'autre que de signaler ce qu'il avait vu. Tournant les talons, il se dirigea vers l'échelle.

— Chambre des machines, cria Ilbery dans le tuyau acoustique, j'ai perdu la propulsion à tribord !

Ses appels répétés restèrent sans réponse.

La vapeur avait fait douze victimes, dont Brody ; ébouillantées, la peau cuite sur les os, elles gisaient sous le regard horrifié des rescapés, trois chauffeurs africains qui, de toute façon, ne comprenaient pas les mots qui tombaient du tuyau acoustique.

L'œil vissé à sa longue-vue dont il devait essuyer sans cesse l'objectif, Joe Conquer regardait le cargo approcher : superstructures noires et trapues, ponts jaunes, cheminée noire avec une bande blanche au milieu. Vraiment pas beau, se disait-il quand, subitement, il interrompit ses considérations d'ordre esthétique ; sous ses yeux, le bateau venait de donner de la bande et resta dans cette position quelques instants.

On ne sait jamais quel visage choisira le destin pour frapper ; pour le *Waratah*, il adopterait l'aspect d'une lame de fond.

Ilbery savait son navire blessé et ne pouvait espérer rien de mieux que de l'échouer sur la côte ou de revenir tant bien que mal jusqu'à Durban avec une seule machine. Il attendit un répit puis tourna la barre pour la bloquer.

A un mille de là, la lame de fond grossissait – cinq mètres, puis six, elle ne cessait de prendre de l'ampleur. A un demi-mille, elle aurait dû se briser sous l'effet de la tension à la surface de la mer ; ce ne fut pas le cas : au contraire, les dizaines de milliers de litres d'eau de mer, au lieu de se déverser depuis la crête de la vague, s'agrégeaient comme collés. Entre la vague géante et la rive, un seul obstacle.

— Sainte Mère de Dieu, exhala Ilbery.

Le *Waratah* s'efforçait de virer sur une seule machine et venait tout juste d'effectuer un demi-tour.

Le capitaine Ilbery regarda par le hublot. C'était la mort qu'il voyait : il le savait. Les secondes s'écoulaient et il attendait que le destin frappât.

Du haut de la falaise, Conquer dominait la scène : le cargo, au premier plan, derrière, la mer. Il ne perdit rien de la ruée de la vague géante ni de son déferlement sur le navire meurtri.

Cramponné à l'échelle métallique de la cale, Cheatum sentit le *Waratah* pencher violemment à tribord et prendre une gîte qui s'accentua jusqu'au point de non-retour. L'eau ruissela sur les ponts supérieurs et des dizaines de milliers de litres envahirent les cales. Cheatum lâcha prise et fit une chute de plusieurs mètres ; son cou se brisa aussi facilement qu'une brindille ; et l'obscurité s'installa, zébrée d'éclats lumineux.

Personne n'eut le temps de réagir : ni les passagers réfugiés dans la salle à manger ni ceux qui étaient restés dans leur cabine. Les quelques hommes d'équipage qui se trouvaient sur le pont eurent la chance d'être précipités à la mer : ainsi ne furent-ils pas prisonniers du navire... la mort fut seulement plus longue à venir.

Le capitaine Joshua Ilbery maudissait la vague de son poing brandi quand le *Waratah* bascula. Sa tête heurta l'habitacle dont le verre, en se brisant, le scalpa ; il se noya. Le *Waratah* s'emplit d'eau et coula à pic en même temps qu'il se redressait ; sa quille se posa sur le fond.

Joe Conquer n'en croyait pas ses yeux : trois minutes s'étaient écoulées entre le moment où la vague avait frappé le navire et celui où l'extrémité de sa coque avait été ensevelie, comme si un trou s'était ouvert dans la mer pour avaler le bateau tout entier. Essuyant une nouvelle fois son objectif, il scruta la surface de l'eau : quelques débris épars, une tache brillante laissée par le mazout... Puis la tempête, dans un nouvel assaut, nettoya la surface de la mer et contraignit Conquer à replier sa longue-vue ; il eut juste le temps de gagner sa tente avant le déluge. Prenant sa plume, il rédigea un rapport des événements dont il avait été témoin.

Les autorités, ne voyant pas le navire arriver au Cap, continuaient à espérer tout en redoutant le pire ; l'instabilité du *Waratah* était connue et l'ouragan qui avait balayé la côte avait été l'un des plus violents de la dernière décennie. On pleura les deux cent onze passagers et on fit sonner la cloche du Lloyd de Londres, mais on n'élucida jamais le mystère de la disparition du *Waratah*.

SEIZE ANS PLUS TARD

Selon son habitude, le lieutenant D.J. Roos parlait tout seul, comme pour expliquer – il y trouvait un certain réconfort – sa conduite à un co-pilote.

— J'enrichis le mélange d'essence, dit-il en tournant la manette.

Le vrombissement du moteur se fit plus régulier.

Roos était aux commandes d'un appareil expérimental de l'aviation sud-africaine assurant la liaison courrier entre Durban et East London ; l'avion tenait parfaitement son cap.

— Je crois que je vais lui offrir un petit tour au-dessus de la mer.

Roos avait décidé de profiter de cette journée exceptionnelle ; des conditions pareilles – un ciel limpide, une visibilité idéale et l'océan Indien calme comme un lac – ne se rencontraient peut-être qu'une fois par an. Au comble du bonheur, il contempla la mer par le hublot latéral et y découvrit une douzaine de silhouettes en forme de « T ».

— Des requins-marteaux, remarqua-t-il calmement tout en suivant la côte.

Roos alluma une cigarette et tira une bouffée.

— Réservoir d'essence aux trois quarts, température normale.

Il aperçut une baleine, puis un petit voilier. Dix minutes plus tard il poussa le manche et descendit de deux cents pieds.

— Oh ! s'exclama-t-il.

A une soixantaine de mètres au-dessous de la surface de l'eau, un navire... à portée de la main ! Bien droit, il semblait faire route vers un port inaccessible. Un mirage, Roos n'était pas dupe. Il vira de bord et fit un tour.

— Bon sang !

Il s'agissait bien d'un bateau, d'un gros bateau. Pas loin de cent cinquante mètres, estima Roos, et la cheminée est encore en place. Il régla le cap et survola un côté. Les ponts doivent être jaunes, se dit-il, voilà pourquoi je les ai confondus avec le sable. Probablement victime d'une tempête. Il marqua la position sur sa carte et reprit sa route vers East London, où il rapporta ce qu'il avait observé.

A son retour, le lendemain, il passa à trois reprises au-dessus du secteur mais la mer, trop agitée, l'empêcha de retrouver le vaisseau fantôme.

II

Où est-il ? Ici ou là ?

1987-2001

Qu'est-il advenu du *Waratah* et de ses deux cent onze passagers ? Les spécialistes de l'histoire maritime se posent la question depuis plus de quatre-vingt-dix ans, depuis cette tempête de 1909. Pourtant, personne ne parla de le rechercher jusqu'en 1985 où, dans le cadre d'une tournée de promotion de mes livres, je rencontrai Emlyn Brown en Afrique du Sud.

Emlyn m'avait abordé à la fin de ma conférence au Cap pour me demander si je connaissais l'histoire du *Waratah*. Que j'envisage de me mettre un jour à sa recherche parut le surprendre. Nous nous retrouvâmes plus tard au Mount Nelson Hotel pour réfléchir à la possibilité d'unir nos déterminations. Cette rencontre – elle déboucha sur une amitié qui dure encore aujourd'hui – fut une vraie chance pour moi, car Emlyn est un être rare. Courtois, actif et déterminé, il fonda en 1990 une branche sud-africaine de la NUMA.

Emlyn croyait à l'hypothèse d'une lame gigantesque s'abattant sur le *Waratah* et l'entraînant au fond. Selon sa théorie, le glissement rapide des plaques continentales et la force du courant des Agulhas conjuguée à une violente tempête étaient à l'origine des vagues géantes qui avaient englouti le *Waratah*. Son instabilité foncière n'avait rien arrangé.

Brown recueillait depuis des années toutes les informations concernant le *Waratah,* s'intéressant particulièrement aux rapports relatant son naufrage. La plupart des historiens de marine, se fiant aux témoignages oculaires des marins qui avaient survécu à cette tempête, situaient la catastrophe beaucoup plus au nord. Mais Brown, lui, tabla sur les observations de Joe Conquer et de D.J. Roos. Il rencontra ce dernier peu après sa découverte d'un navire gisant au fond à l'embouchure de la Xora ; ils comparèrent leurs observations et se mirent d'accord sur un site que Roos marqua d'un « X » sur un croquis.

Cet endroit se trouvait à quatre milles au large de la Xora, là où elle se mêle à la mer au large du rivage inhospitalier du Transkei ; la mer y est souvent mauvaise.

Les années suivantes, Roos effectua plusieurs vols dans les parages, mais jamais au-dessus d'une mer assez claire pour distinguer une épave sur le fond ; de plus, ennuis de moteur et mauvaises conditions météorologiques jouèrent contre lui. Puis, par malheur, il se tua en voiture et la carte qu'il avait tracée disparut elle aussi ; plusieurs années après, sa famille la retrouva au fond d'un tiroir.

En 1977, un groupe de travail d'une université sud-africaine repéra grâce au sonar une épave inconnue par mille mètres de fond à quelques milles de la rivière Xora. Cette découverte donna lieu à bien des hypothèses, mais pour la plupart des historiens il ne s'agissait pas du *Waratah*.

Brown, après avoir vainement exploré le secteur de prédilection des historiens, plus au sud, acquit la certitude que Conquer et Roos, lorsqu'ils juraient avoir vu une épave au large de la côte du Transkei, parlaient du *Waratah*.

Convaincu moi aussi, je finançai dès 1987 l'inspection intensive du secteur entreprise par Emlyn à six milles de la côte. Après plusieurs passages, l'équipage d'Emlyn estima que les dimensions relevées ressemblaient beaucoup à celles du navire disparu.

Emlyn revint au début de 1989 pour descendre des caméras sur l'épave, mais en vain, car elles en furent détournées par le puissant courant Agulhas et ne donnèrent que des images floues du fond de la mer.

Au cours de la même année, il accompagna sur son navire d'exploration *Deep Salvage I* le capitaine Peter Wilmot qui, utilisant une cloche à plongée perfectionnée, descendit jusqu'à l'épave. Cette fois encore, le courant empêcha des images vidéo qui auraient permis l'identification.

Le mystère restait entier.

Mais Emlyn n'était pas homme à renoncer : en 1991, il revint sur le site avec le *Deep Salvage I,* mais accompagné cette fois du professeur Hans Fricke, un savant de réputation mondiale, équipé de son sous-marin *Jago* capable de plonger à près de trois cents mètres – c'est d'ailleurs à son bord que, le premier, le professeur Fricke observa et filma des cœlacanthes vivants.

Mais, une fois de plus le courant gâcha les opérations en interdisant dix jours d'affilée, soit la durée de la mission, de mettre le *Jago* à la mer.

Retour à la case départ.

En 1995, Emlyn reçut la visite de Rehan Bouwer; ce plongeur professionnel pensait pouvoir l'atteindre en effectuant une plongée Trimix – elle combine trois mélanges respiratoires différents – soigneusement calculée.

Le mauvais temps annula la première tentative et ce ne fut qu'en janvier 1997 qu'Emlyn et les plongeurs spécialisés de Bouwer purent recommencer. Poussant au maximum les échelles de décompression des mélanges gazeux, Bouwer et Steve Minne, ceux-là mêmes qui avaient atteint l'*Oceanos,* paquebot coulé non loin de l'épave que recherchait Emlyn, s'enfoncèrent dans les eaux agitées.

Mais ils ne parvinrent pas à atteindre le fond, car, à une dizaine de mètres au-dessus de l'épave, le courant incessant les balaya. A cette profondeur, la lumière naturelle ne filtrant plus guère, ils devaient avoir recours à des projecteurs de plongée. Le peu qu'ils distinguèrent leur permit malgré tout d'affirmer que le vaisseau au-dessus duquel ils avaient dérivé avait les dimensions du *Waratha*. Il reposait droit sur le fond avec une faible gîte. La plupart de ses superstructures avant semblaient avoir disparu, comme détruites par une vague monstrueuse. Durant trente-cinq secondes, Minne se trouva à proximité et, selon lui, le bastingage de la plage arrière pouvait être celui du *Waratha*.

Le plan de plongée ne laissait que trois minutes pour atteindre le fond de la mer, à un peu plus de cent mètres, où ils disposaient de douze minutes. Ensuite ils devaient remonter en suivant des paliers de décompression complexes, le tout prenant deux heures. Au cours de ces arrêts, le courant entraînait les plongeurs bien en aval du site de l'épave. J'ai rarement vu des techniques de plongée en profondeur mises aussi sévèrement à l'épreuve, et ce sans le moindre accroc.

Les deux jours suivants, l'équipe de plongée effectua trois nouvelles descentes mais sans parvenir à approcher suffisamment pour identifier de façon catégorique le navire qui reposait au fond.

Hélas! en juin 1998, Rehan Bouwer disparut dans un accident de plongée.

Opiniâtre, Emlyn s'associa en 1999 avec le Dr Ramsey et son équipe de la Marine Geoscience Unit pour effectuer un examen au scanner à haute résolution de l'épave gisant au large de la rivière Xora. Personne ne doutait que, avec un matériel aussi perfectionné, on ne réussît à prouver qu'il s'agissait bien du *Waratah*. L'expédition partit en juin, au début de l'hiver austral.

Elle rapporta des images extraordinaires. Selon les premières indications et après un examen poussé de l'imagerie sonar, dimensions et caractéristiques de l'épave s'avérèrent identiques à celles des plans du constructeur du *Waratah*.

On monta sur le sonar une caméra noir et blanc qu'on descendit à sept mètres au-dessus de l'épave – seule façon envisageable de contrecarrer la violence du courant. Pour éviter de perdre du matériel coûteux, on ne l'approcha pas aussi près qu'Emlyn l'aurait souhaité. Il découvrit pourtant de bonnes images correspondant aux hublots, aux ponts, aux machines et aux treuils grâce à la caméra qui jouait les cerfs-volants au-dessus de la plage arrière.

Convaincu qu'il s'agissait bien de l'épave du *Waratah* et décidé à prouver une fois pour toutes que le navire disparu était à portée de sa main, Emlyn mit sur pied ce qui, selon lui, permettrait de clore le chapitre du *Waratah* : il engagea donc les services de Delta Oceanographic et fit acheminer par avion des États-Unis leur sous-marin à deux places.

L'excitation commença à monter au sein de l'équipe. On testa tout l'appareillage qui se révéla fiable. Les conditions météorologiques – temps clair, brise n'excédant pas quatre nœuds, mer calme – grisaient Emlyn, marqué par celles qui avaient fait échouer l'une après l'autre les tentatives des dix-huit dernières années ; jusqu'au célèbre courant Agulhas qui semblait avoir faibli, autant de signes qui suggéraient qu'une bonne fée se penchait enfin sur lui.

Dave Slater, le pilote du submersible, et Emlyn se glissèrent par l'écoutille et s'installèrent dans l'espace exigu. Le treuil les mit à l'eau et des plongeurs libérèrent le câble. Une fois autonome, Slater conduisit le sous-marin jusqu'au fond de la mer. Grâce à une visibilité supérieure à trente mètres, les superstructures bien droites leur apparurent, déclenchant un enthousiasme qui céda la place au fur et à mesure qu'ils se rapprochaient à l'inquiétude, puis à la stupeur et à l'incrédulité, quand ils reconnurent un char blindé dans ce qui gisait au fond de la mer.

— Ce n'est pas le *Waratha* – je répète, pas le *Waratah* –, annonça par radio Slater à ceux qui attendaient à bord du bateau.

Slater et Emlyn longèrent la coque et s'élevèrent même jusqu'au pont principal : arrimés depuis que le bateau avait quitté le port, des chars pointaient leurs canons dans la pénombre. Comment le *Waratah* a-t-il pu transporter des chars alors qu'il a coulé six ans avant que n'éclate la Première Guerre mondiale ? s'étonna naïvement Emlyn. Impossible, il le savait bien. Mais c'était dur d'admettre qu'il ne s'agissait pas du cargo britannique le *Waratah*.

Preuve supplémentaire que les yeux ne voient que ce qu'ils veulent voir. S'appuyant sur la similitude des caractéristiques générales et des dimensions des deux navires, on avait simplement mal interprété les récits du plongeur et les enregistrements du sonar. Tous les efforts déployés par

Emlyn l'avaient, selon toute probabilité, conduit jusqu'à un cargo de la Seconde Guerre mondiale torpillé par un U-boat allemand. Cela fut d'ailleurs vérifié.

Emlyn et Slater dénombrèrent onze chars ; à côté, entassées, ils trouvèrent aussi des armes de petit calibre, mais aucun indice qui permît d'identifier le cargo coulé.

Découragé, Emlyn regagna Le Cap avec son équipe. Le navire qu'il avait pris pour le *Waratah,* découvrit-il par la suite, était en réalité le *Nailsea Meadow*, jaugeant 4 926 tonnes : il transportait, vers l'Egypte via le canal de Suez, une cargaison de chars et du matériel militaire destinés à la VIIIe armée du général Montgomery lorsqu'il fut torpillé en 1942 par le U-196. Comme bien des navires découverts par la NUMA, il ne se trouvait pas à l'endroit où le situaient des archives fiables, à savoir à quatre milles plus au nord.

Alors, quid du *Waratah* ? Pourquoi toutes les preuves collectées pendant des années de recherches intensives convergeaient-elles vers cet emplacement ? On pense maintenant que le vieux cargo repose bien plus près de la côte, théorie que j'ai toujours soutenue parce qu'il me paraissait improbable que, de son avion, Roos ait pu distinguer le *Waratah* de si haut.

Joe Conquer avait certainement vu un navire avec une cheminée noire et des superstructures kaki chavirer et couler au cours d'une violente tempête. Si on tient pour exacts son témoignage et celui de Roos, le *Waratah* repose bien plus près de la côte que l'endroit où Emlyn a découvert le *Nailsea Meadow.*

Emlyn n'a toujours pas renoncé et je partage sa détermination à percer le mystère. Au début de 2001, il a entrepris un voyage de prospection au-dessus des eaux de la rivière Xora là où nous estimons qu'on a le plus de chances de retrouver le *Waratah ;* il s'agissait avant tout de tracer des lignes en vue des recherches au sonar qui seront engagées dès que les conditions météorologiques le permettront.

Emlyn et son équipe de la NUMA conservent toute ma confiance, les recherches vont continuer mais, pour l'instant, le *Waratah* défend son secret.

Dixième partie

Le R.M.S. *Carpathia*

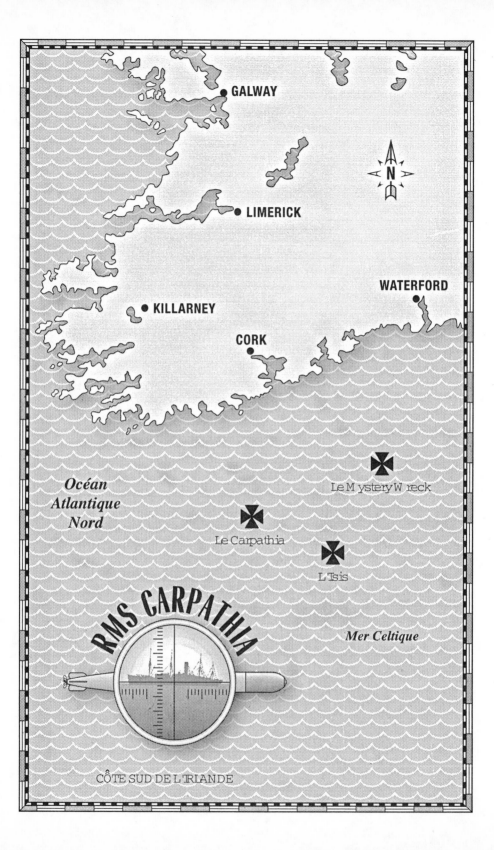

I

Sauveteur des mers

1912, 1918

— Passerelle! cria l'opérateur radio Harold Cottam dans le tube acoustique.

— Passerelle, je vous écoute! tonitrua Milles Dean, le second du *Carpathia*.

— J'ai reçu un QCD, dit l'opérateur.

— Un appel de détresse? De quel navire?

— Je règle ma radio, une seconde, je vous prie.

Dean avait beau tendre l'oreille, le tube acoustique ne lui transmettait que de faibles modulations qui semblaient venir de très loin alors que la cabine radio se trouvait à moins de cent mètres. Gardant l'oreille collée au tube, Dean braqua ses jumelles sur l'eau; la pleine lune rendait la visibilité parfaite et permettait à Dean de repérer les redoutables glaces flottantes. Par deux fois déjà dans le courant de la soirée, il avait dû ordonner un changement de cap et il voulait être prêt si cela s'avérait de nouveau nécessaire.

— Monsieur, j'ai un message complet maintenant, prévint Cottam.

— Allez-y, fit Dean.

— Il s'agit du *Titanic*, Monsieur, dit lentement le radio,

— Que lui arrive-t-il? demanda Dean.

— Il a heurté un iceberg et signale qu'il est en train de couler.

— Quelle est sa position?

247

— Latitude 41 degrés 46 minutes nord, lut l'opérateur, 50 degrés 41 minutes ouest.

— Attendez, fit Dean en se précipitant vers la table des cartes. (Il repéra l'emplacement.) Télégraphiez au *Titanic* que nous nous trouvons à quarante-huit milles, reprit Dean, mais que, à cause de toutes les glaces dérivant dans le secteur, il nous est impossible de mettre toute la vapeur.

— Combien nous faudra-t-il de temps ? demanda le radio. Que dois-je leur dire ?

— Au moins quatre heures.

— Bien, monsieur.

Dean se tourna vers l'officier de quart.

— Réveillez le capitaine Rostron. Dites-lui que nous avons reçu un appel du *Titanic* et que j'ai mis cap au nord. (L'homme sortit en courant de la timonerie et traversa le pont à toutes jambes.) Timonier, poursuivit Dean, un demi à tribord et augmentez la vitesse d'un quart.

Le timonier répéta les ordres tandis que Dean scrutait de nouveau la surface de l'eau à la jumelle.

— Dieu du ciel, murmura-t-il, faites que nous arrivions rapidement et sans dommage.

Le niveau de l'eau dans le *Titanic* montait sans cesse, mais aussi longtemps que cela serait possible, John George Phillips, le chef opérateur radio, continuerait à émettre un QCD suivi d'un MGY, le signal d'appel du paquebot.

— Avez-vous essayé le nouveau signal ? s'informa son adjoint, le radio Harold Bride.

— Le SOS ? demanda Phillips tandis que la moquette sous ses pieds se détrempait.

— C'est ça.

— Non, répondit Phillips, mais je vais le faire.

Et il pianota le premier signal de détresse radiotélégraphique jamais envoyé.

En même temps, des matelots du *Titanic* tiraient en l'air des fusées qui explosaient dans un crescendo de blancs.

Les passagers du palace flottant réduit désormais à une sinistre carcasse aveugle et glacée avaient subi un traumatisme d'une violence inouïe.

Sous les yeux de Molly Brown, réfugiée dans un canot de sauvetage, se déroulait l'horrible tragédie qu'on aurait pu, de loin et sans les hurlements des mourants, prendre pour une farce macabre : des milliers de litres d'eau s'engouffraient dans la coque défoncée.

Puis, tout d'un coup, l'immense poupe du *Titanic* se dressa dans les airs comme pour un ultime adieu, avant de s'abîmer dans la mer.

A dix milles du *Titanic*, le capitaine du *Californian* avait choisi, par mesure de sécurité, d'immobiliser son navire ; il attendrait les premières lueurs de l'aube pour guider parmi les glaces flottantes les six mille tonnes du disgracieux *Californian*. Le navire appartenait aux Leyland Lines et, s'il pouvait accueillir jusqu'à quarante-sept passagers, il transportait surtout du fret. Ses cabines, pour ce voyage, qui devait l'emmener de Londres à Boston, étaient inoccupées. Mais, pour l'instant, le navire restait prisonnier des glaces qui lui interdisaient tout mouvement.

Harold Stone, le second, en guettant le lever du jour de la passerelle, regardait à la jumelle un navire qui lui aussi avait stoppé au loin. Stone ne pouvait pas savoir que le *Titanic* avait heurté un iceberg : l'opérateur radio du *Californian* avait éteint son récepteur pour la nuit et n'avait donc pas capté l'appel de détresse ; quant aux marins de quart, ils supposaient que le navire qu'ils apercevaient à l'horizon attendait simplement lui aussi le jour pour reprendre sa route.

Le capitaine Rostron attachait les derniers boutons de sa chemise blanche amidonnée quand il déboula dans la timonerie.

— Capitaine sur la passerelle ! cria Dean.

— A quelle distance nous estimez-vous ? interrogea Rostron sans préambule.

— A quarante-six milles et un peu moins de quatre heures, capitaine, répondit Dean.

— Vigie ? cria Rostron.

Un matelot était planté près du hublot, ses jumelles braquées sur la mer.

— Capitaine, j'ai des icebergs des deux côtés, répondit le matelot.

— Quelle vitesse avez-vous ordonnée ? s'informa Roston en se tournant vers Dean.

— En avant trois quarts, capitaine.

— Très bien. Maintenant, sonnez l'alarme pour réveiller l'équipage, et alertez la cuisine pour qu'on prépare rapidement autant de soupe et de boissons chaudes que possible.

— Bien, capitaine, fit Dean.

— Ensuite postez en vigie deux matelots à l'avant et un dans le nid-de-pie.

— Bien, capitaine. (Rostron se tourna vers un autre tube acoustique.) Salle des machines.

— Ici le mécanicien Sullivan, répondit une voix ensommeillée.

— Sullivan, cria Rostron, le *Titanic* a heurté un iceberg à quarante-cinq milles d'ici ; il demande du secours.

— Bien, capitaine, s'empressa de répondre Sullivan.

— Je vais avoir besoin de toute la vapeur que vous pouvez me donner. On a réveillé l'équipage.

— Je comprends, capitaine, déclara le mécanicien. Vous pouvez compter sur nous.

— Alors, monsieur Sullivan, enchaîna Rostron, en avant toute.

— En avant toute ! répéta-t-il.

On estimait la vitesse maximale du *Carpathia* à quatorze nœuds mais, en un quart d'heure, Sullivan réussit à lui faire dépasser les dix-sept nœuds.

Tout l'équipage du *Carpathia* était en pleine activité. Le navire filait sur l'eau comme un pur-sang ; sa cheminée crachait un épais panache de fumée et de cendres. Rostron manœuvrait l'encombrant Carpathia – cent soixante-dix mètres de long sur vingt mètres de large – parmi les glaces flottantes comme il l'aurait fait avec un yacht. Les 13 555 tonnes du navire laissaient derrière lui un large sillage ; son étrave fendait l'eau glacée comme un rasoir. Par deux fois déjà, le capitaine Rostron avait senti la quille frotter des glaces immergées tandis que son bateau s'approchait des icebergs. Malgré tout, il refusa de ralentir.

— Message de la vigie avant, cria le timonier, glace à bâbord.

— Un huitième à tribord, ordonna Rostron.

Patrick Sullivan, le chef mécanicien, s'essuya le front avec un chiffon puis examina une nouvelle fois les cadrans alignés sur la cloison ; il vouait une véritable passion au *Carpathia* et à toutes ses machines, il aimait l'impression de puissance qui faisait maintenant vibrer sa coque. Construit par C.S. Swan & Hunter, et équipé de machines conçues par la Wallsend Slipway Company pour la Cunard, le *Carpathia* dressait son immense cheminée à quarante bons mètres de hauteur, ce qui, pour Sullivan, était une vraie bénédiction car elle créait un formidable appel d'air pour les foyers qui alimentaient sa puissance et qui, pour le moment, avaient été poussés à fond.

Sullivan se tourna vers le ballet bien orchestré qu'offraient les équipes de chauffeurs alimentant, tonne après tonne, les chaudières. Deux hommes s'approchaient de la gueule béante de chacune d'entre elles, y déversaient leur pelle pleine de charbon, puis s'écartaient pour repartir vers la soute en cédant la place aux deux suivants qui faisaient de même et ainsi de suite. Chaque chaudière comptait trois couples de chauffeurs, soit quarante-deux hommes en tout qui, torse nu, couverts de sueur et de poussière, accompagnaient leur ronde incessante d'un chant entonné à pleins poumons.

Un froid mordant, une peur palpable régnaient sur l'endroit où gisait maintenant le *Titanic*. Quelques canots – les rares qui avaient pu être mis à l'eau – emmenaient parmi les bouts de liège, débris de mobiliers, corps sans vie sanglés dans leur gilet de sauvetage ou agonisants, ceux qui avaient eu de la chance et dont on ne devinait la présence que grâce à la buée qu'ils exhalaient. Dans le ciel, une auréole glacée nimbait la lune.

A bord du *Carpathia*, le capitaine Rostron n'hésita à aucun instant.

Il donna l'ordre de pousser les machines en avant toute au milieu des icebergs, risquant de connaître un sort identique à celui du *Titanic*. Le 11 avril, le *Carpathia* avait quitté New York pour Gibraltar, Gênes, Trieste et Fiume ; il emmenait sept cent vingt-cinq passagers, en première ou seconde classe, en quête de chaleur et de soleil. Or ce fut le froid – dès que le *Carpathia* avait mis cap au nord, la température avait considérablement chuté – qui réveilla certains d'entre eux cette nuit-là.

Stone, le second du *Californian*, avait vu les fusées du *Titanic* éclairer le ciel nocturne. Il alerta le capitaine Lord qui sommeillait dans le canapé de la salle des cartes. Lord demanda si toutes les fusées étaient blanches. Après la réponse affirmative de Stone, il s'était rendormi.

Puis, les lumières du paquebot s'étaient abaissées à l'horizon comme s'il s'éloignait.

Il était 2 h 45.

A 4 heures, Stone fut relevé par le premier maître Frederick Stewart. Il lui rapporta les étranges événements dont il avait été témoin puis descendit dormir.

*
* *

A 4 heures du matin, le *Carpathia*, crachant des torrents de fumée et tirant des fusées de tous les endroits possibles, atteignit le point que signalaient les coordonnées et où le capitaine Rostron s'attendait à trouver le *Titanic* encore à flot. Il fit stopper les machines et demanda aux vigies d'inspecter le secteur barré au nord par une banquise ininterrompue et parsemé de glaces flottantes.

Rien.

Il ne restait rien du paquebot immense – deux cent soixante-cinq mètres de long – et superbe – le plus beau jamais construit à ce jour.

Le ciel s'éclaircissait, les étoiles s'éteignaient au fur et à mesure que le jour gagnait sur l'obscurité. Peu à peu, le paysage se précisa, et une fusée verte s'éleva dans le ciel.

— Tribord un quart, ordonna Rostron.

Manœuvrant avec prudence, le *Carpathia* arriva à la hauteur d'un canot de sauvetage dans lequel madame Walter Douglas cherchait désespérément à attirer l'attention.

— Le *Titanic* a coulé avec tout son équipage ! hurlait-elle.

On arrima la chaloupe et on débarqua ses passagers tandis que Rostron scrutait la mer dans les premières lueurs de l'aube : il distinguait maintenant des canots de sauvetage dérivant parmi des débris de toute sorte, échappés d'un navire désormais disparu : un manteau de fourrure, une malle-cabine, des transats, des planches, des gilets de sauvetage inutilisés... des blocs de glace ainsi que deux ou trois icebergs dominant de soixante mètres les plus hautes superstructures du *Carpathia*. Des coussins, des tapis, des centaines de feuillets sur lesquels s'inscrivait une histoire que personne ne lirait jamais. Une caisse de champagne, une autre pleine d'escargots en conserve, des bouteilles, des tonneaux.

Une bible, un carton à chapeau, quelques paires de chaussures. Un cadavre.

— Installez les survivants dans le salon, ordonna Rostron.

L'un après l'autre, les canots s'approchèrent.

Les doutes qui assaillaient Stewart commencèrent à se faire plus précis ; il réveilla le radio du *Californian*, Cyril Evans, et lui rapporta le récit de Stone. Sortant avec peine de son sommeil – il était cinq heures quarante –, Evans fit chauffer son émetteur et manipula le cadran : la tragique nouvelle tomba presque instantanément.

— Le *Titanic* a coulé ! cria-t-il à Stewart, lequel se précipita aussitôt sur la passerelle pour donner l'alerte et réveiller le capitaine Lord.

Quelques minutes plus tard, le *Californian* mettait le cap sur la dernière position du *Titanic*.

Le soleil, maintenant au-dessus de l'horizon, réchauffait un peu l'atmosphère.

Une intense activité s'était emparée du *Carpathia ;* de nouveaux canots arrivaient sans cesse et il fallait accueillir leurs occupants. Trébuchants, exténués, ils se massaient sur le pont, dans des tenues disparates, qui en habit de soirée, qui en kimono de soie, qui en smoking de velours, mais tous ou presque – c'était la mode – portaient chapeau : feutre, melon, haut-de-forme ou casquette de tweed pour les hommes ; pour les femmes, bonnet de fourrure russe jusqu'à l'élégante capeline de paille noire ; les chaussures aussi étaient hétéroclites : ballerines, bottes en caoutchouc, escarpins vernis ou sandales de soirée à talons. Tous, également trempés, souffraient du froid.

Les passagers du *Carpathia* vidèrent leurs valises pour y prendre des vêtements secs et les donner à l'équipage qui entreprit de les distribuer. Dans les cuisines, on avait préparé des bassines de soupe, de café ou de chocolat et on avait empilé sur des plateaux en argent des sandwichs au jambon, des tranches de dinde et de rosbeef. Rares pourtant furent les survivants capables d'avaler quelque chose ; le choc, le froid, les visions d'horreur, les avaient anéantis.

A 8 heures 30, on arrima le dernier canot, le numéro 12. Parmi ses occupants, se trouvait Harold Bride, le courageux opérateur radio du *Titanic*, resté à son poste jusqu'au dernier instant pour émettre les appels de détresse ; il avait fallu lui ordonner d'embarquer dans une chaloupe dont les matelots du *Carparthia* le tirèrent à moitié mort ; arrivé sur le pont, il s'évanouit. Le médecin du *Carpathia* lui administra des stimulants pour lui permettre de recouvrer la force de parler.

Le capitaine Rostron avait recueilli sept cent cinq survivants. Que faire de ces malheureux ? L'*Olympic*, le bateau-jumeau du *Titanic,* qui approchait, suggéra par radio qu'ils prissent place à son bord.

— Il n'en est pas question, déclara catégoriquement Rostron à son second. Vous imaginez le choc pour ces pauvres gens si on leur propose d'embarquer sur une réplique de leur paquebot ? Non, ils ont assez souffert.

— Que fait-on, alors capitaine ? demanda Dean.

— Cap sur New York, répondit Rostron. Nous faisons demi-tour et nous les ramenons chez eux.

— Très bien, capitaine.

— Mais d'abord, demandez aux ministres de chaque culte de monter sur la passerelle.

A 8 h 50, après une brève cérémonie œcuménique à la mémoire des disparus, le *Carpathia* – il avait accompli tout ce qui était en son pouvoir –, mit le cap sur New York. Le soleil brillait.

Quatre jours de navigation à toute vapeur.

Le *Carpathia,* avec à son bord les survivants du *Titanic,* passait au pied de la statue de la Liberté quand le capitaine Rostron découvrit la foule – une dizaine de milliers de personnes massées autour de la Battery – et réalisa alors que c'était le sensationnel naufrage du grand paquebot qui avait attiré le public.

— Dean, regardez-moi cette foule, maugréa Rostron.

— Les rescapés n'ont vraiment pas besoin de ça.

Rostron hocha la tête. Durant ces quelques jours il avait, en les observant attentivement, remarqué chez les survivants deux réactions bien distinctes. La surprise d'une part : abasourdis par la rapidité avec laquelle ils avaient été précipités d'un palace flottant dans un enfer de glace ; d'autre part, le chagrin conjugué au remords : ils pleuraient les victimes et éprouvaient du remords d'avoir survécu.

— Veillez à les débarquer à la quarantaine, dit Rostron à Dean, et empêchez les journalistes de monter à bord.

— Bien, capitaine, répondit le second.

Un pis-aller certes, Rostron le savait, mais quand même un répit supplémentaire pour les rescapés avant, aussitôt le pied posé sur le quai de la White Star, d'affronter la horde.

L'existence pénible qu'elle avait menée dans les camps de mineurs du Colorado avait donné à Molly Brown une force intérieure telle qu'elle s'en était mieux tirée que la plupart de ses compagnons. Quand le *Carpathia* quitta les bâtiments de la quarantaine et remonta l'East River, entouré de remorqueurs et d'embarcations de plaisance, elle réalisa que son existence était désormais liée à un événement marquant de l'ère industrielle qui mettait en évidence ses failles. Le paquebot que « Dieu lui-même ne saurait couler » gisait dans les profondeurs glacées de l'Atlantique Nord en entraînant avec lui la foi aveugle que l'on accordait jusqu'alors aux créations de l'homme.

Crachant dans l'eau par-dessus le bastingage, elle se tourna vers un matelot.

— A partir d'aujourd'hui, déclara-t-elle, on ne m'identifiera plus que par rapport à ce désastre.

— Comment ça, madame Brown ? demanda l'homme d'équipage.

— Tout ce que j'entreprendrai désormais fera pâle figure en comparaison, précisa-t-elle, et quand je mourrai, on ne parlera pas de Molly Brown mais d'une personne – qui portait mon nom – qui a survécu au naufrage du *Titanic*.

— Vous et les autres, reconnut le matelot.

— Pourquoi m'en suis-je tirée et pas les autres ?

— A mon avis, répondit calmement le matelot, Dieu seul peut répondre à cette question.

A 20 h 37 le jeudi, le *Carpathia* commença à décharger les chaloupes du *Titanic* qui gênaient son amarrage à quai.

A 21 h 35, on en avait fini ; le voyage était terminé. Le capitaine Rostron et tous les membres de l'équipage du *Carpathia* s'étaient acquittés avec honneur de leur tâche.

— Abaissez la passerelle, ordonna Rostron.

Trois minutes plus tard, les premiers survivants débarquaient. Aucun n'imaginait que leur sauveur connaîtrait un sort identique.

SIX ANS PLUS TARD

Le 15 juillet 1918, deux remorqueurs de Liverpool commençaient à éloigner le *Carpathia* de son quai. C'était une typique journée estivale anglaise : il pleuvait ; il ne s'agissait pas de la pluie qui, le reste de l'année, s'abat sur la mer du Nord, mais simplement d'une averse venue du nord, puis tournant d'est en ouest, entrecoupée d'éclaircies.

De la passerelle, le capitaine William Prothero suivait la manœuvre des remorqueurs entraînant son navire vers le large.

Depuis près de quatre ans la Grande Guerre faisait rage dans toute l'Europe ; quinze mois auparavant les États-Unis étaient entrés dans le conflit, tirés de leur neutralité par les sous-marins allemands qui, en 1915, avaient coulé le *Lusitania,* suivi depuis par des dizaines d'autres bateaux. Leurs actions, gênantes au début, menaçaient maintenant la conception même de la liberté des mers.

Cargos, paquebots, navires de guerre, tout était devenu proie pour les U-boats ; les pertes étaient passées de cent mille tonnes par mois à près d'un million.

Le capitaine Prothero, de constitution robuste, une petite brosse noire plantée sur sa lèvre supérieure en guise de moustache, était reconnu par tous ses subordonnés comme un vrai professionnel, sévère mais juste. S'il respectait le protocole, cela ne l'empêchait pas de manier l'humour.

— On parle de pluie pour cette après-midi, dit-il à son second, John Smyth.

— En Angleterre ? fit Smyth en souriant. En été ? J'ai du mal à le croire.

Prothero remercia le steward qui lui apportait une théière en argent sur la passerelle, puis remplit une tasse en y ajoutant du lait et du sucre.

— Voudriez-vous voir avec le radio, dit-il à Smyth, s'il a reçu les derniers bulletins.

— Très bien, capitaine.

Prothero but une gorgée de thé et regarda la carte. Il n'oubliait jamais les sous-marins allemands guettant le moment où les navires, après avoir gagné le large, se trouvaient en eaux assez profondes pour rendre tout sauvetage impossible. Pour réduire leurs pertes, les Alliés avaient décidé de former des convois escortés par des canonnières qui zigzaguaient autour des navires aussi vite que possible, de manière à esquiver les torpilles allemandes. Malgré ces précautions, il ne se passait guère de jour sans qu'un bateau fût coulé ou attaqué. La bataille de l'Atlantique Nord tournait sur l'eau à la guerre d'usure.

Un rai de lumière perça les nuages et éclaira un coin de mer juste devant le *U-55*. Le commandant Gerhart Werner regarda l'eau à la jumelle. Comme la plupart des sous-marins de la flotte allemande, le *U-Boat 55* passait en surface autant de temps que le permettait la sécurité ; on en profitait pour recharger les batteries et laisser l'air frais remplacer l'atmosphère confinée de la coque.

Malgré tous ses efforts, l'équipage ne parvenait pas à dissiper les relents de mazout, de sueur et de peur qui imprégnaient tous les recoins du *U-55*. Cette odeur faisait partie du métier dont le moins qu'on puisse dire était qu'il présentait des risques certains.

Werner balaya ensuite l'horizon ; cinq jours plus tôt, il avait arraisonné un petit cargo au large de Cork et il espérait en trouver un autre. Avant de le saborder, les Allemands avaient fait main basse sur les stocks de vivres frais : jambon et bacon, patates et produits laitiers, changement bienvenu dans le régime à base de boîtes de conserve auquel était soumis l'équipage. Il arrivait, rarement, que le cuisinier fît du pain frais ; dans l'atmosphère de la cambuse, la farine s'aigrissait rapidement et la levure se couvrait d'une étrange moisissure qui ressemblait à de la fourrure.

L'ordinaire à bord d'un sous-marin n'était pas prévu pour satisfaire les gourmets.

Pivotant dans l'espace exigu du kiosque, Werner se tourna vers l'arrière. Un matelot halait un tonneau perforé qui contenait les vêtements de l'équipage et une bonne dose de savon en poudre ; une fois bien secoués par le courant et rincés par l'eau de mer, ils étaient remontés et suspendus à une corde qui courait du kiosque jusqu'à la rambarde de l'arrière.

Werner espérait que le temps – le ciel s'éclaircissait à l'ouest – se maintiendrait assez longtemps pour permettre au linge de sécher et qu'aucun navire ne l'obligerait à plonger. Sur ces entrefaites, Franz Dieter, le second, émergea par le panneau, salua Werner et lui tendit un bout de papier.

— Un convoi se rassemble au large de Liverpool, lut Werner.

— Bien, capitaine.

— Il se trouve donc encore à quelques heures de nous, observa Werner. Ordonnez qu'on vérifie torpilles et batteries. Puis faites éponger le pont intérieur ; ensuite vous organiserez une rotation à l'extérieur ; quatre par quatre, les hommes seront autorisés, à condition qu'aucun navire ne passe en vue, à rester dix minutes à l'air libre.

— Bien, capitaine, fit Dieter en redescendant.

Le *Carpathia* traversait la mer d'Irlande et approchait du cap Carmel. Quelques heures plus tard, il entrerait dans le canal St. George puis suivrait la courbe de la côte sud de l'Irlande. Une fois passé le rocher de Fastnet à l'extrémité sud-est, le convoi ferait route à l'ouest, cap sur Boston.

Le capitaine Prothero quitta la passerelle et jeta un coup d'œil vers le sillage laissé, maintenant que la vitesse de croisière était atteinte, par les puissantes hélices jumelées en fouettant l'eau. Loin derrière et à près d'un demi-mille devant, deux destroyers britanniques accompagnaient le convoi dans le canal St. George ; ils rebrousseraient ensuite chemin en laissant les sept navires du convoi livrés à eux-mêmes.

A leur tête se trouvait le *Carpathia,* choisi en raison de l'expérience de son capitaine : Prothero avait déjà maintes fois traversé l'Atlantique ; il avait même eu l'honneur l'année précédente de transporter vers la Grande-Bretagne les premières troupes américaines qui allaient participer à la Grande Guerre. Après les avoir débarquées, le *Carpathia* avait fait route vers Londres où il devait se réapprovisionner quand, au large de Star Point on lui avait tiré une torpille ; Prothero avait ordonné une manœuvre d'évitement et l'engin avait raté non seulement le *Carpathia* mais aussi un pétrolier américain qui naviguait à proximité.

Peu après, Prothero avait cru apercevoir sur l'eau un canot de sauvetage ; il s'agissait en réalité d'un U-boat allemand qui avait fait surface pour récupérer l'embarcation. Prothero découvrit ainsi que les Allemands utilisaient des leurres ; il le signala, ce qui permit de sauver quelques navires supplémentaires.

Malheureusement, on comptait peu de capitaines aussi expérimentés que Prothero.

Le commandant Werner avait hâte de quitter le kiosque. Né dans une famille de fermiers, il était habitué aux grands espaces et se sentait vraiment à l'étroit à l'intérieur d'un U-boat. Aussi passait-il le plus de temps possible à l'air libre. Cela ne l'empêchait pas d'être un officier compétent qui, avec l'équipage de son *U-55*, pouvait se vanter d'avoir coulé un certain nombre de navires.

— C'est la dernière rotation, annonça Dieter. Les hommes vont maintenant dîner à tour de rôle.

— Quelle est notre position ? demanda Werner.

— A peu près à cent milles du rocher de Fastnet.

— La nuit va bientôt tomber, remarqua Werner. Profitons-en pour rester en surface. Vous prenez le premier quart ?

— Bien, capitaine.

— Si rien ne s'y oppose d'ici là, reprit Werner, nous attendrons le prochain convoi.

Werner descendit les premiers échelons qui menaient au centre du kiosque.

— Capitaine ? fit Dieter.

— Oui ?

— Il ne nous reste plus que quatre torpilles.

— C'est noté, répondit Werner.

Le *Carpathia* doubla le roc de Fastnet à vingt-trois heures par une nuit noire.

Quelques problèmes s'étaient déjà déclarés : l'un des bâtiments n'arrivait à maintenir les dix nœuds prescrits qu'au prix d'un panache de fumée visible à près de vingt milles à la ronde, véritable balise pour tout U-boat à l'affût dans les parages ; au lever du soleil, ils auraient pénétré de soixante milles dans l'Atlantique et si le ciel était clair, ils seraient une véritable cible ambulante... Prothero savait que ses mécaniciens cherchaient à y remédier mais il pensait aussi que c'était peine perdue car, vraisemblablement, les soutes étaient bourrées de mauvais charbon qu'on ne pouvait remplacer aussi longtemps qu'on serait en mer.

Prothero traversa les différentes coursives jusqu'à sa cabine. Il s'occuperait de ce problème le lendemain matin.

Cela sentait les pieds. L'oreiller de Werner sentait les pieds. Roulant sur le dos, il contempla le plafond au-dessus de son hamac. Sitôt utilisées les quatre dernières torpilles, le *U-55* pourrait retourner à la base sous-marine de Bremerhaven pour un nettoyage et une remise en état bien nécessaires. Avec un peu de chance, sa permission lui permettrait d'aller voir sa femme. Excellente cuisinière, elle ne servirait pas à Werner de la viande en conserve, et parfaite maîtresse de maison, cela ne sentait jamais les pieds chez elle.

Le kiosque était plongé dans les ténèbres. Franz Dieter fixait le ciel en attendant des étoiles qui, ce soir, restaient dissimulées derrière les nuages. L'air pesait comme une chape de plomb. Dieter ouvrit la gamelle posée auprès de lui et en tira du fromage légèrement moisi et un morceau de boudin qu'il grignota lentement.

La nuit promettait d'être longue.

Le convoi faisait route vers l'ouest, mais en zigzaguant d'un cap à l'autre, et en laissant derrière lui un sillage en dents de scie. Pour ceux qui se trouvaient à bord, ces constants changements de direction signifiaient la sécurité.

Le *Carpathia* transportait deux cent quinze passagers et membres d'équipage qui, mis à part les matelots requis par leur tâche, dormaient dans leur couchette.

— Capitaine, chuchota Dieter.

Werner se redressa d'un bond en se frottant les yeux. L'haleine de Dieter sentait la charcuterie.

— Oui, Dieter.

— Destroyer à l'horizon.

Werner regarda sa montre : à peine une heure trente.

— Avez-vous donné l'ordre de plonger ? demanda-t-il.

— Non, capitaine. Ils sont encore loin.

— Quelle est notre position ?

— Environ à cent dix milles du Fastnet.

— Les destroyers ne vont pas tarder à quitter le convoi, observa Werner. Restez en surface et maintenez la distance. Ne perdez pas de vue la proie en attendant le bon moment pour intervenir.

Là-dessus, Werner se retourna et se rendormit : la chasse durerait des heures.

Sur le *Carpathia*, on servait le petit déjeuner à huit heures : flocons d'avoine et lait, poissons frits et oignons, pain, beurre et marmelade, le tout accompagné de thé ou de café. Les passagers et les hommes d'équipage mangeaient tranquillement, sans se douter qu'un invisible prédateur les traquait.

Le capitaine Prothero se tourna vers le bâtiment qui fumait toujours ; les réparations n'avaient eu guère d'effet car un cordon noir traînait dans le ciel loin derrière le navire.

— A bâbord un quart, dit-il.

Le timonier changea de cap et fit route au nord.

*
* *

Le petit déjeuner à bord du *U-55* se composait d'œufs en poudre et de café parfumé au mazout.

— D'après sa cheminée unique et sa largeur, je pencherais pour le *Carpathia*, déclara Werner après avoir observé le navire de tête.

— Le paquebot de la Cunard ? demanda Dieter.

— Exactement.

— C'est la cible que vous avez choisie ?

— C'est le bâtiment de tête et le plus gros. Autant essayer de toucher ce qu'il y a de mieux.

Un homme d'équipage tendit à Dieter un bout de papier.

— Capitaine, dit-il, la dernière position, comme vous l'avez demandé.

— Alors ? demanda Werner.

— Quarante-neuf degrés, quarante et une minutes nord, lut Dieter. Dix degrés, quarante-cinq minutes ouest.

— Bien. Sonnez l'alarme et faites parer les torpilles, décréta Werner, pour un tir jumelé en surface.

— Oui, capitaine.

Werner examina dans son objectif le navire au loin.

— Envoyez-en deux ! cria-t-il dans le tube acoustique quelques secondes plus tard.

Neuf heures quinze du matin. Le capitaine Prothero scrutait l'eau avec une paire de jumelles, mais il n'aperçut le sillage de la première torpille qu'au moment où elle était presque sur eux ; elle lui laissa à peine le temps de sonner l'alarme avant de frapper le *Carpathia* juste au-dessous de la passerelle. Une minute après, la seconde explosa dans la chambre des machines, faisant cinq victimes.

— Sonnez l'alerte ! cria le capitaine Prothero, et signalez-moi les dégâts.

— Bien, monsieur, fit Smyth. (Cinq minutes plus tard il appelait de la chambre des machines.) Capitaine, dit-il dans le tube acoustique, nous avons cinq morts : trois chauffeurs et deux soutiers.

— Quels dégâts ?

— Sérieux, mais réparables. Le chef mécanicien a mis les pompes en marche et tente de combler la voie d'eau au-dessous de la ligne de flottaison. Il a peut-être une chance de nous tirer de là.

— Bien, fit Prothero, tenez-moi informé.

Scrutant la mer à la jumelle, il aperçut un U-boat allemand – un des nouveaux modèles, long de cent cinquante mètres –, mais hors de sa portée ; inutile donc, conclut-il, d'ouvrir le feu.

— Ils peuvent nous voir, dit Werner. En plongée.

Le *U-55* s'enfonça sous les vagues en se rapprochant du *Carpathia*.

Sortant le périscope, Werner examina sa proie.

Les torpilles avaient beau avoir atteint leur but, l'une sous la passerelle et l'autre, d'après Werner, dans la chambre des machines, le navire était toujours à flot. Werner voyait les pompes éjecter l'eau à un rythme de plus en plus soutenu ; si cela continue ainsi, pensa-t-il, le *Carpathia* va réussir à se faire prendre en remorque par un autre navire qui le ramènera à bon port.

— Parez à tirer une autre torpille, ordonna-t-il alors.

— Il ne nous en restera plus qu'une pour le voyage de retour, fit observer Dieter.

— Alors, priez pour qu'elle l'envoie par le fond, sinon je tirerai la dernière aussi et il ne nous en restera plus.

— Bien, capitaine.

— Larguez-la dès que vous serez paré ! cria Werner.

— Je crois que ça s'arrange ! avertit Smyth dans le tube acoustique.

— Un navire va nous accoster dans quelques minutes, dit Prothero. Nous essaierons de gagner l'Irlande.

— J'aurais besoin de quelques hommes supplémentaires en bas, précisa Smyth.

— Entendu.

Puis il se remit à inspecter la mer. Et il vit, impuissant, la mort arriver : la surface de l'eau se gonflait au passage de la torpille qui fonçait vers eux.

— Droit au but, apprécia Werner. Ça devrait régler notre affaire.

La torpille se rapprochait du *Carpathia :* les hélices jumelles de la torpille fouettaient l'eau et l'engin, son nez conique bourré d'explosifs et son fuselage plein de carburant, avançait à toute allure. Werner retenait son souffle : plus que quelques mètres, quelques pieds, quelques pouces.

La charge frappa la coque à la hauteur de la soute à munitions, elle explosa et fit voler le blindage en éclats comme un vulgaire sac en papier qui crève.

L'explosion mit le feu à la poudre et aux obus entreposés dans la soute ; la brèche s'agrandit encore et laissa pénétrer plus d'eau que les pompes ne pouvaient en évacuer. Le *Carpathia* commença à s'enfoncer.

Nul besoin d'expliquer au capitaine Prothero la gravité de la situation : il donna l'ordre d'abandonner le navire ; ceux qui avaient survécu à l'explosion purent être sauvés. Juste après onze heures, le *Carpathia* s'abîma définitivement dans l'océan.

II

Ce n'est jamais facile

2000

L'oubli engloutit avec une facilité déconcertante des navires au passé mémorable et dont personne ne se demande pourtant ce qu'ils sont devenus après avoir connu la tragédie ou le triomphe. C'était le cas, nous l'avons vu, de la *Marie Celeste* et sans doute aussi celui du *Carpathia ;* navire auteur du plus extraordinaire sauvetage des annales maritimes, qui n'hésita pas à affronter les glaces meurtrières pour se porter au secours du *Titanic ;* pour la plupart, il avait, après avoir fait son temps, fini à la ferraille comme bien d'autres cargos.

Intrigué par son histoire incomplète, je décidai d'élucider les circonstances de la fin du *Carpathia* ainsi que celle du *Californian*, le cargo tristement célèbre pour son inertie face à la disparition dans les eaux glacées de l'Atlantique – et à quelques milles de lui – de quinze cents âmes ; qu'il n'ait pas volé au secours du *Titanic* donne à réfléchir.

Si l'on passe sous silence ces deux navires à tout jamais associés au célèbre transatlantique, on ne restitue pas tout à fait la tragédie du *Titanic*. Contrairement à Smith, son capitaine, Lord Stanley avait opté pour la prudence : plutôt que de naviguer de nuit entre d'énormes icebergs, il avait préféré laisser son *Californian* dériver, machines stoppées, jusqu'au lever du jour. Certains dans l'équipage avaient bien vu, après minuit, des fusées s'élever au-dessus de la banquise vers le sud ; hélas ! l'opérateur radio, parti se coucher, n'entendit pas les SOS frénétiques du *Titanic ;* quant au capitaine Lord que son équipage avait alerté, il pensa qu'on tirait un feu d'artifice sur le paquebot; il n'y vit absolument pas les prémices d'une catastrophe.

Le *Californian,* s'il avait réagi tout de suite, aurait-il pu sauver les malheureux passagers du *Titanic*? N'était-il pas trop éloigné pour arriver à temps? La controverse fait toujours rage. Les révisionnistes attribuent, eux, les lumières aperçues par les officiers du *Titanic* durant le naufrage à un voilier, le *Samson,* qui pêchait de façon illégale et qui, prenant l'éclairage du paquebot pour celui d'un patrouilleur des douanes de Halifax, avait pris la fuite. On découvrit seulement un mois plus tard le rôle qu'ils auraient pu jouer dans la tragédie.

Étrange coïncidence historique, le *Carpathia* et le *Californian* furent tous deux torpillés par des U-boats allemands au cours de la Première Guerre mondiale : l'un repose en Méditerranée, l'autre dans l'Atlantique, nul ne sait où exactement...

Pour obtenir un début de réponse à ces questions, je m'adressai à la source la plus fiable, Ed Kamuda, de la Société historique du *Titanic* à Indian Orchard dans le Massachusetts. Ed me fit parvenir non seulement des cartes montrant la position approximative des épaves, mais aussi des rapports sur leur naufrage.

Le S.S. *Californian* fut torpillé le 11 novembre 1915 au large du cap Matapan, en Méditerranée, à trente milles de la côte grecque, alors qu'il se rendait de Salonique à Marseille. Il sombra à sept heures quarante-cinq. Par chance, ce transport de troupes était vide quand il fut frappé par une torpille. La quasi-totalité de l'équipage s'en tira sain et sauf et un patrouilleur français prit le bateau en remorque. Mais, dans le courant de l'après-midi, l'obstiné capitaine du U-boat lança une autre torpille qui envoya le navire par près de quatre mille mètres de fond.

Je rayai le *Californian* de ma liste, les positions indiquées par les officiers du navire, le patrouilleur et le commandant de l'U-boat ne correspondant pas. Cela s'explique par la difficulté de faire un relevé au sextant – c'était bien avant l'époque du LORAN et du GPS – en pleine catastrophe. Et il ne faut pas compter sur la chance quand il s'agit de chercher au fond de la mer une épave gisant à de telles profondeurs; suivre une grille de deux cent milles uniquement au jugé relève de la folie.

En revanche, nous avions une chance de retrouver le *Carpathia* : à cent voire cinquante contre un, je laisse tomber, mais, à dix contre un, je marche toujours. (Ce qui explique peut-être ce tapis rouge qui se déroule toujours sous les pas de Cussler à Las Vegas. Pas compliqué, je remets mon argent au croupier et au donneur, et puis je m'en vais. Pourquoi perdre mon temps dans la contemplation de mes jetons qui s'envolent? Ma méthode est bien plus simple.)

Je découvris que le *Carpathia* avait été torpillé par le *U-55* au matin du 17 juillet 1918 alors que, transportant deux cent vingt-cinq militaires et hommes d'équipage, il menait un convoi. Le U-boat lui avait expédié deux torpilles : cinq hommes de la chambre des machines avaient été tués mais le *Carpathia* était resté à flot. Le capitaine William Prothero avait donné l'ordre de mettre les canots à la mer et d'abandonner le navire. Impatient d'en finir, le commandant de l'U-boat avait ordonné une troisième torpille ; dix minutes plus tard le *Carpathia,* gravement endommagé, avait coulé. Détail intéressant, le *Lusitania,* qui avait sombré dix-huit minutes après avoir reçu une seule torpille, gît à une quarantaine de milles à l'ouest du *Carpathia.*

Les rapports concernant le naufrage du *Carpathia* différaient selon qu'il s'agissait de celui du H.M.S. *Snowdrop*, le bateau qui avait sauvé les deux cent vingt-cinq survivants, ou de celui de l'officier du *Carpathia* qui donnait une position distante de quatre milles, ou encore celui du commandant de l'U-boat qui situait le naufrage à six milles plus au nord. Les cartes de l'Amirauté montraient une épave dans les parages, à environ quatre milles de l'endroit où l'on avait vu le *Carpathia* pour la dernière fois, mais cela ne correspondait pas avec les autres repères. La grille de recherches formait maintenant une zone de douze milles de côté, soit pas moins de cent quarante mille kilomètres carrés.

Beaucoup moins facile que je ne l'avais prévu !

Ce fut à peu près à cette époque que Keith Jessup me contacta ; ce plongeur britannique est entré dans la légende en découvrant l'emplacement et en dirigeant les opérations de sauvetage du H.M.S. *Edinburgh*, le croiseur britannique coulé dans la Baltique au cours de la Seconde Guerre mondiale avec à son bord des millions en lingots d'or russes ; des plongeurs vivant dans une chambre de décompression à deux cent quarante mètres de profondeur en remontèrent plus de quatre-vingt-dix pour cent.

Au cours de la conversation, je demandai à Keith s'il connaissait quelqu'un susceptible de me louer un bateau pour partir à la recherche du *Carpathia.* Il me parla alors de son fils Graham qui travaillait dans la recherche d'épaves et qui serait certainement ravi de faire équipe avec moi. Graham et moi nous entendîmes fort bien ; nous entreprîmes de monter une expédition que je financerais et que Graham dirigerait par l'intermédiaire de sa compagnie, l'Argosy International. J'aurais donné beaucoup pour la conduire moi-même, mais je croulais sous le travail, ma femme Barbara traversait de graves problèmes de santé et des négociations se déroulaient pour la vente de mes livres à Hollywood. Cela m'était tout simplement impossible.

Graham trouva un bateau de recherches, l'*Ocean Venture,* avec pour capitaine un navigateur expérimenté, Gary Goodyear. Après avoir chargé à bord le véhicule d'opérations à distance (le VOD) pour prendre des vidéos et des photos sous-marines, le navire et son équipage appareillèrent vers la mi-avril de Penzance, en Angleterre.

Le mauvais temps rendit particulièrement difficile le trajet jusqu'à la zone de recherches, dans l'Atlantique Nord, au large de la pointe sud de l'Irlande.

Une fois sur le site, on commença à explorer des couloirs dans une zone délimitée d'après les positions fournies par le *Carpathia*, le *Snowdroop* et le *U-55*; on utilisa deux sonars, l'un à longue portée pour balayer les partages à l'avant du bateau et l'autre multifaisceaux émettant des signaux acoustiques des deux côtés de la coque pour détecter tout objet dépassant du fond. On disposait également d'un magnétomètre pour déceler les anomalies magnétiques.

Le second jour, le sonar à longue portée repéra une cible ayant à peu près les dimensions du *Carpathia* et située à près de sept milles de la dernière position relevée. Le sonar multifaisceaux montra un navire qui semblait reposer à l'envers avec des débris épars le long de la coque. (Les navires basculent souvent avant de toucher le fond.)

Très excité, l'équipage s'apprêta à explorer l'épave; la profondeur, cent soixante mètres, interdisait aux plongeurs d'intervenir; ce serait donc au VOD et à ses caméras d'inspecter ce qu'on espérait être les restes du *Carpathia*. Une tempête s'annonçait et les vagues risquaient d'entraver une telle opération; on filma donc dans la précipitation quelques images et on regagna l'abri du port.

Le capitaine Goodyear positionna l'*Ocean Venture* au-dessus du site. Pour réduire la longueur de câble reliant le bateau au VOD et diminuer les effets d'un violent courant, on employa un système de longe : en même temps que le VOD, on envoie à proximité de l'épave une cage au bout d'un treuil plus court afin d'empêcher le véhicule de rebondir et de s'empêtrer dans les débris.

Ce fut malheureusement à cet instant que Graham, mettant la charrue avant les bœufs, annonça à la radio qu'on avait retrouvé le *Carpathia*.

Ce n'était pas le cas.

Les caméras vidéo révélèrent une grande épave qui lui ressemblait et qui reposait sur ses superstructures écrasées, le gouvernail et les hélices dressés vers le ciel comme des doigts grotesques. Les hélices – à quatre pales et non trois – fournirent le premier avertissement; l'arbre, trop court de trente mètres, confirma.

Tout cela ne se présentait pas bien. A moins de tomber sur un débris portant un détail précis, impossible de procéder à une identification positive. On envoya le VOD et ses caméras filmer tous ces objets qui traînaient comme des déchets au bord d'une autoroute.

Là-dessus, nous fîmes une sinistre découverte : celle d'un os humain émergeant de la vase, visible rappel de ceux qui avaient coulé avec le navire. Bien que la NUMA ne soit pas spécialisée dans la récupération d'objets, l'équipage décida de remonter aux fins d'identification un fragment de porcelaine reposant sur le sable non loin de cet ossement. L'opérateur fixa un fil de fer au VOD et parvint à accrocher ce qui s'avéra bientôt être une soupière. On la remonta et on la nettoya avec précaution ; une inscription apparut : *H.A.L.*

Enterrée, l'hypothèse du *Carpathia*. Mais alors d'où venait cette épave ?

Les délais étant dépassés, l'*Ocean Venture* dut rentrer au port ; j'en profitai pour consulter les archives.

Au terme de nos recherches, on identifia l'épave comment étant celle de l'*Isis*, un navire de la Hamburg American Lines, un cargo mixte de 4 454 tonnes construit à Hambourg et lancé en 1922. Des articles de presse signalaient qu'il avait coulé au cours d'une violente tempête le 8 novembre 1936, faisant trente-cinq victimes. Seul le garçon de cabine qui s'était attaché au siège d'un canot de sauvetage avait survécu, assistant horrifié au déferlement de l'énorme vague qui abattit les superstructures du navire et le fit chavirer avant de l'envoyer par le fond.

On pourrait nous reprocher de faire la fine bouche, car mieux vaut une épave quelconque que pas d'épave du tout. Mais nous voulions le *Carpathia*, pas une compensation.

Il nous fallait un coup de dés plus chanceux.

Pour sa nouvelle tentative, Graham fut rejoint par John Davis et son équipe cinématographique d'ECO-NOVA accompagnée du maître plongeur Mike Fletcher. L'*Ocean Venture* quitta Penzance pour la seconde fois ; lors d'une escale dans le port de pêche de Baltimore, en Irlande, Graham et John bavardèrent avec les précieux auxiliaires que sont les pêcheurs locaux ; ils notent en effet sur leurs cartes tout objet dépassant du fond et qui risque d'endommager leur coûteux matériel de pêche.

Ils eurent la gentillesse de nous fournir la liste des dix-huit emplacements où ils avaient accroché leur filet ; parmi eux figurait celui où un pêcheur espagnol avait déchiré son chalut – alentours de la zone de recherche du *Carpathia*. Le nouveau propriétaire du chalutier nous fournit des sites précis grâce à de précieuses coordonnées GPS : l'un d'eux, estimait-il, offrait de fortes possibilités et il nous conseilla de commencer par là.

Mais... le célèbre vieux paquebot résistait et ne voulait pas être retrouvé. Le sort lui vint en aide sous la forme d'un temps exécrable qui nous fit frôler le désastre.

Notre première cible fut identifiée grâce au VOD de l'*Ocean Venture :* il s'agissait d'un gros chalutier coulé lors d'une tempête en 1996. On n'aurait pu repérer une cible avec plus de précision, mais ce n'était pas la bonne.

Là-dessus le câble de liaison se rompit et l'eau salée provoqua des courts-circuits dans le délicat appareillage électrique. Finies les images sous-marines pour ce voyage-là : le câble n'était pas réparable et nous n'en avions pas d'autre à bord. Dans la déception générale, le navire dut retourner au port.

J'ai parfois envie d'étrangler le type qui a écrit : « Si vous ne réussissez pas du premier coup, essayez, essayez encore. » Certes, j'ai parfois suivi son conseil. J'ai simplement l'impression qu'aucune des entreprises de ce personnage n'a connu le succès.

La prochaine fois – à condition que ma main ne soit pas paralysée par les crampes que lui infligeaient les multiples signatures de chèques pour couvrir cette folie –, nous laisserions tomber les grilles de recherches, compte tenu des caprices de la mer et du temps.

Étant donné l'exactitude des positions signalées par le pêcheur, il semblait plus expéditif de vérifier simplement chaque croix marquée sur les cartes. La méthode des couloirs équivalait à chercher une aiguille dans une meule de foin. Maintenant la saison des tempêtes approchait et il nous faudrait nous cramponner avant une nouvelle tentative.

Graham Jessup, ayant équipé un nouveau bateau, était parti sur le site du *Titanic* pour remonter des objets; mais, heureusement, John Davis qui m'avait fait participer au documentaire des *Chasseurs d'épave*s me proposa une troisième expédition de recherche du *Carpathia;* il dirigerait les opérations et amènerait une équipe de cinéma pour filmer le fond de la mer en utilisant un nouveau VOD plus moderne et plus grand – et avec plus de possibilités – que celui dont nous disposions précédemment.

En décembre, profitant d'une accalmie et réapprovisionné en vivres, en eau et en carburant, l'*Ocean Venture,* avec à la barre le solide Garry Goodyear, reprit la mer. Les dix-sept marques fournies par le pêcheur avaient été enregistrées dans l'ordinateur de bord. Nous comptions partir de l'extrémité nord puis descendre vers le sud en zigzaguant d'un repère à l'autre.

La première cible demeure encore un mystère. Les enregistrements au sonar indiquaient un destroyer amputé, en quelque sorte, de trente mètres, dont nous ne retrouvâmes aucune trace. Sans doute torpillé, il n'avait pas coulé immédiatement; l'arrière s'était détaché et avait sombré, mais le reste du bateau avait flotté assez longtemps pour être remorqué jusqu'au moment où il était à son tour parti par le fond. Aucune trace à ce jour d'un navire de guerre disparu dans cette région. Plus tard peut-être.

Les jours suivants, chou blanc; sollicités vingt-quatre heures sur vingt-quatre, navire et équipage commençaient à donner des signes de fatigue. Pourtant l'impatience était grande quand l'*Ocean Venture* approcha de la dix-septième et dernière cible.

268

Là, les dieux nous sourirent : le sonar enregistra la présence d'un gros navire au-dessous. Dans la timonerie, tout le monde attendait sans rien dire ; les dimensions de la cible se précisaient, augmentaient...

— Voilà votre bateau, déclara enfin Goodyear.

Chacun de nous s'abandonna à l'optimisme, sans oublier cependant qu'à côté de tout chasseur d'épaves rôde l'échec. Malgré les progrès technologiques et les projections obtenues grâce à l'informatique, la chasse aux épaves n'est pas pour autant devenue une science exacte. L'*Isis,* et au moins deux autres épaves que la NUMA n'était pas parvenue à identifier au cours des vingt dernières années, hantaient tous les esprits. On refit plusieurs passages au-dessus des vestiges ; les dimensions correspondaient. Au tour maintenant de l'engin robotisé et de ses caméras d'inspecter la carcasse.

Pendant que le second de Goodyear manœuvrait les propulseurs de l'*Ocean Venture,* en luttant contre le courant et les vagues pour stabiliser le navire au-dessus de l'épave, on descendit le VOD dans une mer qui, sous les nuages menaçants, virait au gris. Dans la timonerie, Goodyear, assis devant un moniteur vidéo, une télécommande sur ses genoux, manipulait les manettes et les boutons qui actionnaient les moteurs et les caméras du véhicule sous-marin.

Les regards ne quittèrent pas l'écran aussi longtemps que dura la descente du VOD à travers les ténèbres. Après ce qui me parut être une éternité, on aperçut enfin la vase qui tapissait le fond de la mer.

— Je crois que nous sommes à environ quinze mètres au nord, dit Davis.

— On tourne au sud, reconnut Goodyear.

Du plancton et des sédiments agités par un courant violent tourbillonnaient comme des particules de poussière prises dans une tempête ; la visibilité était médiocre, pas plus de deux mètres, comme lorsqu'on regarde par une fenêtre à travers un rideau de dentelle agité par la brise.

Puis une énorme masse sombre commença à apparaître avant de se matérialiser sous la forme d'un navire bien droit, contrairement à l'*Isis.* Il me fit d'abord penser à un château hanté puis, plus précisément, à l'inquiétante maison occupée par Norman Bates et sa mère dans *Psychose.*

Sa peinture noire avait disparu ; sa coque en acier et les cloisons qui subsistaient étaient depuis longtemps recouvertes de coquillages et de vase.

— Contourne l'arrière pour qu'on puisse compter les lames des hélices, demanda John Davis.

— Je vais vers l'arrière, répondit Goodyear en manipulant les commandes.

De grandes brèches aux bords déchiquetés apparurent ; des débris semblaient chercher à s'en échapper.

— Peut-être l'impact des torpilles, suggéra Fletcher.

Puis se profilèrent un énorme gouvernail et des hélices de bronze.

— Trois palmes, observa Davis tout excité.

— Le nombre de fusées qui maintiennent le gouvernail a l'air de correspondre, ajouta Goodyear.

— Ça doit être le *Carpathia*, lança Fletcher.

— Qu'est-ce qu'il y a dans le sable à côté de la coque ? fit Davis en montrant l'écran.

Tout le monde examina l'objet à demi enfoui dans la vase.

— Bon sang, une cloche de navire, murmura Goodyear, la cloche du *Carpathia*.

Il fit un zoom avec les caméras du VOD, mais les lettres en relief qui auraient permis d'identifier le navire, masquées par tous les crustacés qui s'y étaient incrustés avec le temps, étaient indéchiffrables. Quelle contrariété de ne pas pouvoir procéder immédiatement à une identification positive. Le VOD se souleva et longea la coque morte, passant devant des rangées de hublots dont certains avaient gardé leur vitre, devant les panneaux par lesquels étaient entrés les survivants du *Titanic* en cette aube glacée six ans avant la fin du *Carpathia*. Chacun à bord de l'*Ocean Venture* pensait certainement aux quelque sept cents personnes – quelques hommes, rares, des épouses au cœur brisé et des orphelins – et les imaginait gravissant péniblement les échelles ou hissés sur le pont du *Carpathia*.

Des douzaines de chaluts étaient pris dans l'épave, ce qui rendait très délicate la tâche de Goodyear. Le haut des superstructures et la cheminée avaient disparu dans les débris de l'épave. Un énorme congre jaillit d'un fatras de poutres et de tôles métalliques pour observer l'intrus qui s'aventurait dans son domaine. Le VOD passa au-dessus du gaillard d'avant, braquant ses objectifs sur les treuils du pont et découvrant le mât avant abattu.

Soudain le câble se coinça dans le métal tordu du pont principal, comme si le *Carpathia* entrevoyait là la possibilité de briser enfin quatre-vingts années de solitude. Très délicatement, Goodyear manœuvra les manettes de la télécommande jusqu'à ce qu'il réussît à libérer le câble de liaison. Avec un soupir de soulagement, il remonta l'engin avec les premières images du *Carpathia* depuis 1918.

Ne pouvant rien faire d'autre, l'équipage, épuisé mais ravi, rangea à regret VOD, sonar et magnétomètre avant de mettre le cap sur Penzance. La déception causée par l'*Isis* pesait toujours, et la grande question était de savoir s'ils avaient vraiment découvert le *Carpathia* ou s'il s'agissait d'un navire de même conception.

Ce fut quelques semaines plus tard à Halifax que James Delgado donna la preuve absolue : le célèbre archéologue sous-marin compara systématiquement les images vidéo avec les plans originaux du *Carpathia ;* le gouvernail, les hélices, l'étambot, la position des hublots, tout concordait. Delgado déclara alors :

— Vous avez trouvé le *Carpathia !*

Grâce à l'équipage de l'*Ocean Venture* et de John Davis, les recherches avaient abouti : il s'agissait bien du navire associé pour toujours à cette fatale nuit d'avril 1912. Je ne peux m'empêcher de me demander qui sera le suivant à observer ces vestiges. Le navire ne contient aucun trésor, en tout cas pas au sens habituel du terme. Toutefois, une vitrine du bureau du commissaire de bord expose les innombrables médailles, coupes, plaques et souvenirs commémorant son rôle courageux dans le sauvetage des rescapés du *Titanic.* Mais je doute qu'on réussisse à récupérer des objets aussi profondément enfouis sous l'amoncellement des superstructures. Les trophées du *Carpathia* resteront sans doute là à jamais.

Il gît par cent cinquante mètres de fond à environ trois milles des coordonnées originales du *Carpathia* et à cent vingt milles de Fastnet en Irlande. Après tout, pourquoi n'aurait-il pas rejoint dans les profondeurs de la mer cruelle le paquebot de la White Star ?

La NUMA et ECO-NOVA sont fiers d'avoir retrouvé un fragment d'Histoire dans ce *Carpathia* auréolé de sa légende exaltante et chéri par tous ceux qui aiment la mer et ses traditions riches en épisodes éblouissants.

Onzième partie

L'Oiseau blanc

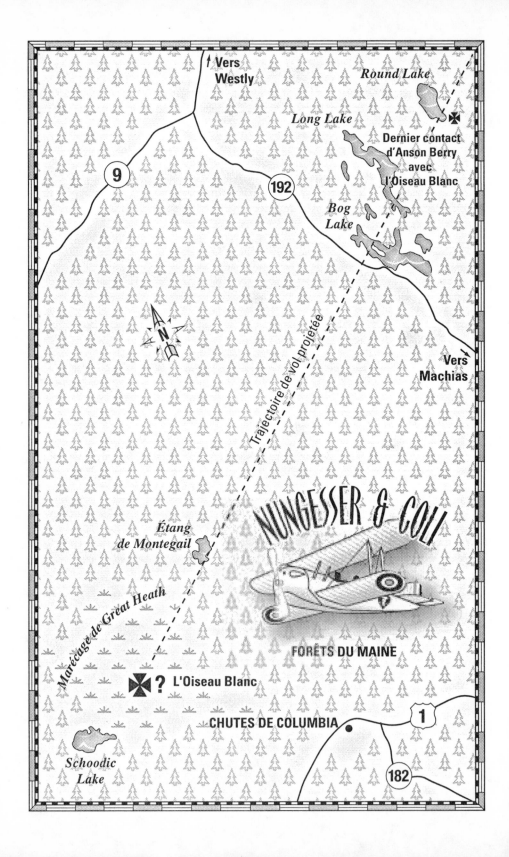

I

L'Oiseau blanc

1927

— Cinquante-cinquante, observa Charles Nungesser.

— Que veux-tu dire ? demanda François Coli.

Les deux hommes piétinaient le sol boueux de l'aéroport du Bourget, dans la banlieue de Paris : Nungesser, un bel homme à l'air un peu canaille, portait au menton le souvenir d'un de ses nombreux crashs en avion au cours de la Première Guerre mondiale, mais son regard brûlait encore d'une flamme qui ignorait la peur. Quant à Coli, plus trapu, air blasé et moustache en broussaille, il avait perdu un œil dans le conflit et il dissimulait son orbite vide derrière un bandeau noir ; son visage s'était un peu empâté et son double menton reposait sur une écharpe de soie.

— Soit ce monstre bourré de carburant décolle, développa Nungesser, soit il s'écrase.

— A pile ou face, résuma Coli.

— Ou bien nous nous envolons vers la gloire, poursuivit Nungesser, ou bien nous entrons dans l'histoire en cramant.

— Vraiment tentant, commenta Coli d'une voix désabusée.

Si Nungesser et Coli entreprenaient le vol risqué de Paris à New York, c'était bien pour la gloire, et pas par appât du gain : depuis 1919, le prix Orteig – et la somme correspondante – attendait qu'un lauréat vienne réclamer les vingt-cinq mille dollars offerts par Raymond Orteig, propriétaire des élégants hôtels Brevoort et Lafayette à Paris, au premier appareil qui réaliserait la liaison Paris-New York ou New York-Paris sans escale.

Vingt-cinq mille dollars, une belle somme certes, mais bien en deçà de la valeur des acclamations qui salueraient les vainqueurs.

Celui qui remporterait le prix Orteig acquerrait du même coup une célébrité mondiale.

L'année précédente, leur compatriote René Fonck, le grand as de la Première Guerre, avait fait une tentative qui s'était terminée en catastrophe : le Sikorsky S-35 de Fonck s'était écrasé en décollant de Roosevelt Field avec un équipage de quatre hommes ; Fonck et son copilote avaient survécu mais l'opérateur radio et le mécanicien avaient péri dans les flammes.

Le commandant Richard Byrd, le célèbre explorateur du pôle Nord, constitua une équipe d'élite pour tenter l'aventure. L'appareil choisi était un trimoteur Fokker modifié, identique à celui avec lequel Byrd avait survolé le pôle Nord. Le 16 avril, Anthony Fokker, Byrd, le pilote Floyd Bennett et un radio s'étaient écrasés à l'atterrissage lors du dernier essai : aucune victime mais trois blessés.

Dix jours plus tard, autre tentative : parrainé par un groupe d'anciens combattants, l'American Legion, le capitaine Noel Davis acheta un Pathfinder de la Keystone Aircraft Corporation ; lors des derniers essais sur le terrain de l'Anglais en Virginie, le Pathfinder tomba, tuant Davis et son copilote, Stanton Wooster.

Le suivant fut Clarence Chamberlin à bord d'un WB-2 Wright-Bellanca. Chamberlin et son copilote Bert Acosta essayèrent l'avion baptisé *Columbia ;* ils tinrent en l'air un peu plus de cinquante et une heures – établissant un nouveau record du monde – et plus de temps qu'il n'en fallait pour rallier Paris. Mais l'un de leurs derniers vols d'entraînement se solda par la perte de la roue gauche après le décollage. Chamberlin parvint à atterrir, mais réparer les dégâts serait long.

A peu près en même temps, à San Diego, à la Ryan Aircraft Company, l'ancien pilote de l'Aéropostale Charles Lindbergh attendait les basses pressions qui lui permettraient de franchir les Rocheuses avant de voler vers l'est en solitaire. Assis sur une chaise pliante dans le hangar auprès de son avion, le *Spirit of St. Louis*, il étudiait les derniers rapports météo quand on lui apprit que Nungesser et Coli s'apprêtaient à décoller de Paris.

On était le 8 mai 1927.

— Monsieur, fit doucement le mécanicien, c'est l'heure.

Il était trois heures et il faisait nuit noire. Nungesser et Coli étaient allongés dans un coin du hangar du Bourget sur des palettes en bois recouvertes d'un épais matelas de crin. Nungesser avait les mains crispées sur sa décoration préférée ; Coli avait ôté son bandeau. Ils s'éveillèrent immédiatement. Nungesser saisit la tasse de café brûlant que le mécanicien lui tendait tandis que Coli se redressait pour contempler l'appareil grâce auquel ils figureraient dans les livres d'histoire.

L'Oiseau blanc, un biplan Levasseur PL-8 de fabrication française aux roues détachables – on les larguerait après le décollage – avait un ventre étanche en contreplaqué traité qui lui permettait de se poser sur l'eau comme un hydravion ; il était propulsé par un douze-cylindres Lorraine-Dietrich à refroidissement d'eau qui développait quatre cent cinquante chevaux et était pourvu d'une grosse hélice qui se pliait au moment de l'atterrissage. Son élégante silhouette blanche évoquait une colombe en vol.

— Quelle superbe maîtresse, apprécia Coli en replaçant son bandeau.

— D'autant plus avec son emblème, renchérit Nungesser.

Coli se contenta de sourire à cette démonstration de vanité de la part de Nungesser qu'il lui pardonnait à cause de ses talents de pilote ; il n'avait d'ailleurs pas protesté quand Nungesser avait insisté pour faire peindre sur la carlingue son emblème personnel : un cœur noir avec deux chandeliers entrecroisés portant une bougie allumée braquée vers les arrondis du cœur ; entre les deux bougies, un cercueil surmonté d'une croix et, au-dessous, le vieux symbole de la tête de mort et des tibias disposés en croix. On avait peint le blason juste en dessous et légèrement en retrait du cockpit ouvert d'où Nungesser piloterait l'appareil.

Coli se leva et enfila sa combinaison de vol en cuir.

— Préparons-nous, suggéra-t-il, le président ne va pas tarder.

— Il attendra, rétorqua Nungesser en buvant son café.

Des millions d'étoiles parsemaient le ciel. Une brise légère soufflant de l'ouest caressait le terrain et, s'ils avaient de la chance, soutiendrait *L'Oiseau blanc* dans sa traversée de l'Atlantique. Mais André Melain ne se souciait ni des étoiles ni du vent ; juché sur un petit tracteur muni d'un projecteur rudimentaire branché sur la batterie, il aplanissait les trois kilomètres de terre battue qui serviraient au décollage. Mettant son engin au point mort, il descendit de son siège pour ôter quelques branchages ; il les déposa à l'arrière dans un coffre métallique, se rassit et reprit son travail méticuleux.

Chamberlin avait réparé le *Columbia* et décollé, avait-on dit à Gaston Doumergue, le président de la République ; il ne partit pour le terrain d'aviation qu'une fois la nouvelle démentie par l'ambassade de France à Washington.

Le prix Orteig avait été fondé par un Français et l'orgueil national exigeait qu'il récompensât des aviateurs eux aussi français. Pourtant, à cet instant, Doumergue maudissait les ingénieurs français : la 40 CV Renault 1925 dans laquelle il avait pris place stationnait sur le bas-côté de la route à cinq kilomètres du Bourget ; le chauffeur avait relevé le capot arborant l'écusson en losange de la firme et contemplait le moteur ; il tripota quelques fils, se rassit et mit le contact.

Le moteur ronronna doucement.

— Toutes mes excuses, monsieur le Président, murmura le chauffeur en embrayant.

Moins de dix minutes plus tard, ils arrivaient devant le hangar.

François Coli buvait une gorgée de Merlot et attaquait une tranche de pain croustillant tartinée de brie bien coulant. Charles Nungesser, lui, avait refusé le vin et préféré une autre tasse de café avec de la crème et du sucre ; il mordait alternativement dans une tartine de pâté et dans un œuf dur qu'il tenait dans sa main gauche.

— On a bien chargé le sac de courrier ? s'assura-t-il auprès d'un mécanicien qui passait.

— Oui, à l'avant comme vous l'avez demandé.

Nungesser remercia. Il s'agissait de cartes postales spéciales qui seraient postées de New York et vendues ensuite comme souvenir avec un joli bénéfice. Il se tourna vers son navigateur : dans sa combinaison de vol en cuir, Coli ressemblait un peu à une saucisse ; pourtant, malgré leurs différences, Nungesser avait toute confiance en Coli. Issu d'une famille de marins installée à Marseille, il avait la navigation dans le sang. Peu après la guerre, il avait effectué la première liaison sans escale Paris-Casablanca en survolant la Méditerranée. Un accident, dans lequel son avion avait été démoli, avait anéanti son projet de tenter le prix Orteig, car sous ses airs tranquilles, Coli avait la même soif d'honneurs que Nungesser.

La Renault passa devant la foule et se dirigea vers le hangar. Le chauffeur arrêta le moteur et descendit ; il recula jusqu'à la portière arrière qu'il ouvrit pour le président Doumergue. Celui-ci s'approcha de la porte latérale du hangar et attendit pour la franchir que le chauffeur l'ait ouverte.

Jetant un coup d'œil vers la droite, il aperçut le Levasseur tout blanc et, peintes sur la queue de l'appareil dans la partie la plus proche du cockpit, les couleurs du drapeau français. A l'horizontale, au-dessus de l'empennage, on pouvait lire en grosses majuscules noires : P. LEVASSEUR TYPE 8. Juste au-dessous, on avait peint une ancre. Le capot métallique arrondi protégeant le moteur était également blanc et le nez de l'appareil criblé de panneaux d'accès avec, de chaque côté, quatre prises d'air et deux tuyaux d'échappement.

Malgré l'éclairage plutôt faible, Doumergue aperçut Nungesser et Coli qui se tenaient un peu à l'écart. Il se dirigea vers eux et leur serra la main.

— C'est la première fois que je vois l'avion d'aussi près, observa-t-il.

— Et qu'en pensez-vous, monsieur le Président? demanda Nungesser.

— Je ne pensais pas le cockpit autant sur l'arrière, avoua Doumergue.

— Juste sous les ailes, à l'arrière du moteur, on a monté trois réservoirs en aluminium pour trois mille cinq cents litres de carburant, expliqua Coli en souriant. On ne voudrait pas tomber en panne d'essence avant d'arriver à New York.

— Sage précaution, approuva Doumergue.

— Avez-vous des nouvelles de Chamberlin? demanda Nungesser en se tournant vers le président.

— Les rumeurs n'étaient pas fondées, répondit Doumergue. Aux dernières nouvelles, il se trouvait encore à New York.

— C'est donc que les vents sont contre lui et qu'ils nous sont favorables, s'exclama Coli.

— C'est ce qu'il semble, répondit le président.

Nungesser se tourna et cria à un mécanicien :

— Accrochez *L'Oiseau blanc* à un tracteur et remorquez-le jusqu'à la piste. Monsieur Coli et moi avons un rendez-vous à New York.

La douzaine de mécanos qui travaillaient dans le hangar applaudirent à tout rompre.

*
* *

Les premières lueurs de l'aube pâlissaient le ciel à l'est quand Nungesser et Coli étaient montés à bord de *L'Oiseau blanc*. On mit le moteur en marche, déclenchant une cacophonie qui déferla sur la foule rassemblée pour assister au départ de ce voyage historique : pétarades, toussotements, crachotements, et enfin un rugissement rassurant. Des bouffées de fumée jaillissaient des tuyaux d'échappement.

Nungesser embraya l'hélice.

Dans un sourd grondement, les lourdes pales de bois commencèrent à brasser l'air. Puis, dans un crissement de pneus, Nungesser augmenta les gaz et fit rouler *L'Oiseau blanc* sur une courte distance.

— Pression et température à l'échappement OK! cria Nungesser à Coli.

— Bien reçu, dit Coli.

— Volets OK... Jauge sur plein.

— Bien reçu, dit Coli.

— Paré pour le départ, annonça Nungesser.

279

— Paré, cria Coli, prochain arrêt New York.

Nungesser roula jusqu'à l'extrémité de la piste, décrivit un demi-cercle, puis s'arrêta et emballa le moteur tout en serrant le frein. La foule avait suivi l'avion sur le terrain pour le contempler aussi longtemps que possible. Nungesser leva le bras aussi haut que le lui permettait le cockpit et salua la foule.

— Au revoir! cria-t-il.

Il mit les gaz et s'engagea sur la piste. Il était 5 h 17.

André Melain regarda *L'Oiseau blanc* passer à côté de lui, puis le suivit avec le tracteur. Juché sur son siège, il avait une meilleure vue que la plupart des spectateurs. *L'Oiseau blanc* prenait de la vitesse, il passa la marque d'un kilomètre. L'appareil s'arracha lentement de la piste puis retomba. Un frémissement parcourut la foule. Cent mètres plus loin, la béquille quittait de nouveau le sol et Melain put voir le ventre de *L'Oiseau blanc* s'élever doucement; au bout d'un kilomètre, il n'était qu'à vingt mètres en l'air. Puis Nungesser largua le train d'atterrissage que guettait Melain; il mit son tracteur en marche et partit récupérer ce trophée.

— Côte droit devant! cria Nungesser.

Coli pointa sa carte.

— Tu suis le cap.

L'Oiseau blanc aborda la Manche à 6 h 47.

Nungesser examina les jauges : tout semblait en ordre. Cap sur l'Irlande, il songea à sa vie remplie de défis et d'aventures. A quinze ans, il préférait la boxe, l'escrime et la natation, uniquement des sports individuels; il étouffait entre les quatre murs de l'école et aspirait à vivre au grand air. A seize ans, il abandonna l'école et persuada ses parents de l'autoriser à rendre visite à un oncle au Brésil, lequel était parti pour l'Argentine – il fallut près de cinq ans à Nungesser pour le retrouver – mais, au Brésil, Nungesser put satisfaire son amour de la mécanique. Puis il participa à des courses de moto, et plus tard d'automobile, comptant pour vivre sur ses talents de plus en plus affûtés de mécanicien. Il jouait, boxait pour de l'argent et menait une existence de bon vivant, mais quelque chose lui manquait. Il commençait à s'ennuyer.

Il se rendit donc en Argentine pour retrouver son oncle. Ce fut là qu'il découvrit sa vraie passion, celle qu'il cherchait depuis si longtemps. Un jour qu'il se trouvait sur un terrain d'aviation, il aborda un pilote qui venait d'atterrir et lui expliqua que ses brillantes aptitudes à la course automobile le qualifiaient parfaitement pour voler; l'homme lui rit au nez, comme s'il le prenait pour l'idiot du village, avant de s'éloigner. Nungesser en profita pour grimper dans le cockpit ; il fonça sur la piste et décolla. Il vola quelques minutes, fit une manœuvre d'approche impeccable puis se posa sous le regard du propriétaire de l'avion qui hésitait entre la fureur et la stupéfaction.

Dès cet instant, Nungesser ne vécut plus que pour l'aviation.

Après quelques semaines de leçons de pilotage et une brève tournée d'acrobatie aérienne en Argentine, il revint en France juste au moment où le souffle de la guerre se levait. Affecté dans la cavalerie, il réussit à se faire muter dans l'aviation où il débuta une carrière brillante mais dangereuse. Nungesser adorait le combat aérien et l'abordait avec une passion qui frisait la témérité. Après s'être écrasé bien des fois, avoir abattu quarante-cinq appareils allemands et écopé de maintes blessures, il termina la guerre avec une poitrine couverte de décorations, une plaque dans le crâne et une cheville en argent.

Après l'excitation de la guerre, sa vie civile lui parut bien calme et monotone.

Il connut des revers financiers et des échecs. Après un voyage aux États-Unis, il fit de l'acrobatie aérienne et obtint un rôle de vedette dans un des premiers films muets, mais la gloire et l'admiration qu'il recherchait tardaient à venir. Il était maintenant sur le point de l'obtenir, dès que Coli et lui auraient atteint New York.

— Dans quelques minutes, cria Coli, nous devrions voir l'Irlande !

Coli, lui aussi, avait entendu l'appel de l'aviation. Il s'était fait muter de la marine et avait, pendant la guerre, commandé une escadrille aérienne. Mais, là où Nungesser faisait preuve d'une folle témérité, Coli préférait la persévérance et la méthode. Sitôt donné son accord pour tenter le vol transatlantique, il avait insisté pour un entraînement rigoureux. Les deux hommes avaient suivi un programme de culture physique utilisant haltères, medecine-balls et courses à pied. Ils s'entraînaient à rester éveillés pendant de longues périodes pour mieux comprendre les effets de la privation de sommeil : leur record était de soixante heures. Pour être sûr qu'il saurait suivre le cap, Coli étudia des cartes marines et terrestres, il vérifia les courants, le régime des vents et les informations météorologiques dont on pouvait disposer. Lors de vols d'essai à bord de *L'Oiseau blanc*, il nota vitesse et altitude de façon à mieux préparer le trajet. Et il observa aussi Nungesser et son style de pilotage : il remarqua que son partenaire semblait bien plus à l'aise au-dessus de la terre que de la mer, ce dont Coli avait tenu compte dans ses plans. Dès l'instant où ils auraient atteint l'Amérique du Nord, ils survoleraient autant que possible les terres. Prenant un panier pique-nique, il ouvrit un bidon de thé brûlant et s'en versa une tasse. Il fit de même pour Nungesser.

— File, dit calmement le vieil homme.

Shamus McDermott était assis dans un fauteuil à bascule juste devant la porte de son magasin de filets sur le port de Castletown Bearhaven en Irlande. Il venait de donner une sardine au gros chat tigré qui ronronnait à ses pieds mais qui maintenant avait envie de jouer. Une vie entière consacrée à la pêche à la morue avait laissé des traces sur McDermott ; le froid lui avait donné de l'arthrite et il souffrait sans cesse de rhumatismes dans les mains, même à l'annulaire dont il avait été amputé. Il atteindrait soixante-dix ans à l'automne et, depuis huit ans qu'il ne travaillait plus, il passait le plus clair de son temps à attendre, le matin, le départ des bateaux et le soir, leur retour pour partager une bière avec les pêcheurs ; il les abreuvait de quelques histoires à dormir debout et de quelques conseils dont le plus souvent ils n'avaient que faire, puis il regagnait sa chaumière pour préparer son dîner sur un fourneau à tourbe. A vingt et une heures, il dormait.

— C'est bizarre, dit McDermott en s'adressant au chat.

A douze cents mètres au-dessus de leur tête, un avion tout blanc approchait ; venant de l'est, il survola le bourg, retrouva la mer puis disparut au loin.

— On dirait un beau pluvier blanc, observa-t-il, tout joyeux avant de pénétrer dans la boutique pour informer les autres.

— Règle le chrono à onze heures, heure locale ! cria Coli. (Sa carte indiquait qu'ils venaient de franchir la ligne du fuseau horaire.)

— Affirmatif, dit Nungesser.

L'Irlande n'était plus visible ; seule s'offrirait, durant les treize prochaines heures, l'étendue infinie de l'océan. Coli regarda la mer : malgré l'altitude de quelques milliers de pieds, il distinguait les petites crêtes moutonnantes des vagues ; elles se brisaient par l'est ; les vents arrière prévus avaient donc tourné.

— Qu'est-ce que ça donne ? cria-t-il à Nungesser.

— D'après le compte-tours et l'indicateur de vitesse, un vent contraire d'environ vingt-cinq nœuds.

— Et le vent arrière prévu ? demanda Coli.

— La météo est une maîtresse imprévisible.

Coli prit un crayon et une règle à calcul. *L'Oiseau blanc* avait décollé avec le carburant nécessaire pour quarante-quatre heures de vol ; les vents contraires ramèneraient leur vitesse à cent trente kilomètres à l'heure environ et si la consommation continuait au même rythme, ils se retrouveraient à près de six cents kilomètres de New York. Il refit ses calculs.

— La zone de basses pressions s'est déplacée, annonça Don Hall, l'ingénieur qui avait dessiné le *Spirit of St. Louis*.

— Je compte décoller bientôt, fit Lindbergh.

— Pas de nouvelles de Nungesser et Coli, précisa Hall.

— Je prie le ciel qu'ils arrivent sans encombre, répondit Lindbergh.

— Alors pourquoi maintenez-vous votre tentative?

— Pour, en cas de réussite de leur part, expliqua Lindbergh, réclamer le prix pour le premier vol en solo.

— Le plein d'essence est fait; le Ryan est prêt à décoller, déclara Hall.

— Je remplis ma Thermos de lait et j'y vais.

Une heure plus tard, déjà à bonne altitude, il survolait la voie ferrée vers l'est.

Seuls entre l'océan phosphorescent et le ciel étoilé, ils volaient depuis vingt-huit heures. Encore une et ils atteindraient Terre-Neuve, mais le doute et l'inquiétude commençaient à s'insinuer dans l'esprit de Nungesser. Il était fatigué, il avait faim; assis depuis longtemps, il avait des courbatures, le postérieur engourdi, et des crampes dans les bras à cause des vibrations; le grondement des moteurs lui donnait de violentes migraines.

Coli n'allait guère mieux : coincé derrière Nungesser dans le fond du cockpit, il recevait moins d'air frais et les vapeurs des énormes réservoirs d'essence l'incommodaient d'autant plus. Pour combattre le mal de mer dû au léger balancement de *L'Oiseau blanc*, il grignota quelques biscuits.

— François, lui demanda Nungesser, verse-moi une goutte de brandy.

— D'accord.

Coli fouilla dans une sacoche de cuir et finit par y retrouver la flasque. Il emplit un gobelet, tapa sur l'épaule de Nungesser et le lui tendit.

— Merci, dit Nungesser après avoir bu une gorgée.

— Il est temps de passer sur le réservoir suivant, observa Coli en regardant son chronomètre.

Nungesser abaissa la manette de cuivre et vérifia que la jauge remontait.

— Terre-Neuve est à combien? interrogea-t-il.

— Moins d'une heure.

Le *Spirit of St. Louis* approchait du versant occidental des Rocheuses faiblement éclairé par la lune; Lindbergh distinguait à peine la neige sur les sommets les plus élevés. Montant à quatre mille mètres, il mit le cap sur le Nouveau-Mexique. Soudain, le moteur crachota – sous l'appareil, pics déchiquetés et ravins abrupts laissaient peu de chance pour un atterrissage sans histoire.

Lindbergh enrichit le mélange de carburant et le moteur réagit favorablement. Le pilote se trouvait maintenant devant une alternative, de celles qui impliquent une décision dont découlent la plupart des grandes entreprises : soit il tournait le dos aux montagnes et cherchait un endroit pour atterrir, soit il continuait. Lindbergh, en agissant avec douceur sur le moteur, prit lentement de l'altitude – altitude salvatrice en cas de panne.

Deux heures du matin, Vénus était à son zénith.
— Cap à tribord, dit Coli en secouant Nungesser par l'épaule.
Celui-ci ne quittait pas des yeux l'eau au-dessous d'eux ; le manque de sommeil et le rugissement incessant des moteurs le faisaient dodeliner de la tête ; à cette altitude, il faisait froid, son nez coulait et il l'essuya du revers de son blouson.

Sur le terrain d'aviation de St. John's, à Terre-Neuve, il était deux heures moins six et on s'activait : on avait signalisé la piste en terre battue en allumant de chaque côté des petits feux et en braquant vers le ciel toutes les lumières électriques disponibles ; ce dispositif, vu du ciel, traçait une sorte de *i*. Douglas McClure, le directeur du terrain, regarda sa montre · les aviateurs français sont un peu en retard, ils ont peut-être du mal à trouver la terre.
— Allumez les fosses de carburant, ordonna-t-il.
La veille, il avait fait creuser par un tracteur une douzaine de trous dans la terre qu'on avait ensuite bordés de sable. Il y avait une demi-heure de cela, McClure avait versé dans chacun vingt litres de fuel. De son bureau, il regarda l'un de ses assistants jeter une torche enflammée près de la première fosse. Une flamme s'éleva jusqu'à six mètres de hauteur puis le carburant se mit à brûler en libérant un torrent de fumée noire.

— Un feu de signal à tribord ! s'écria Nungesser tout heureux.
Coli tendit le cou pour mieux voir.
— En voilà un autre.
— Je vois des lumières, reprit Nungesser.
— St. John's, annonça Coli. Ils avaient promis d'éclairer la piste pour nous.
— L'Amérique du Nord, murmura Nungesser.
— Si tout se passe bien, reprit Coli, nous devrions atteindre le Maine vers sept heures.

Au même instant, Charles Lindbergh contemplait les plaines orientales du Kansas. Les montagnes franchies, l'air s'était un peu réchauffé et son moteur tournait plus rond. Il conclut à un problème de givrage du carburateur auquel il se promit d'être très attentif lors du survol de l'Atlantique.

284

Nungesser et Coli étaient épuisés ; les vibrations, le grondement régulier des moteurs et le manque de sommeil les avaient transformés en automates. C'est sans faire de commentaire que, une heure plus tôt, ils avaient dépassé la Nouvelle-Écosse. Ils volaient depuis trente-quatre heures et se trouvaient au-dessus de la baie de Fundy à neuf cents kilomètres encore de New York. Des rafales de vent faisaient moutonner la mer. François Coli sortit la tête du cockpit pour examiner un mur de nuages à bâbord, spectacle guère rassurant. Il griffonna quelques calculs et s'attarda sur les résultats.

— Nous sommes encore à plus de neuf cents kilomètres de New York ! cria-t-il. Où en est le carburant ?

— Encore six heures, je pense, répondit Nungesser. Les vents contraires ont changé et soufflent maintenant du nord au sud.

— Alors, si les conditions ne changent pas, nous avons juste assez pour arriver.

— Je maintiens le cap sur la latitude de quarante-cinq degrés, c'est ça ? demanda Nungesser.

— Affirmatif. Nous allons entrer aux États-Unis juste au nord de Perry, dans le Maine.

Nungesser contempla le mur de nuages, à quelques minutes seulement.

— Et ensuite ?

— Une fois dans les nuages, je ne pourrai plus déterminer la position. Seule issue : suivre la côte jusqu'à ce qu'ils se dissipent, sinon jusqu'à New York.

— Alors, prions pour que les vents nous poussent au sud avant de tomber en panne d'essence, déclara Nungesser.

— Exactement, acquiesça Coli avec lassitude.

Anson Berry se trouvait dans une petite barque à l'extrémité sud de Round Lake, à une vingtaine de kilomètres au nord de Machias, dans le Maine. Copropriétaire d'une fabrique de glace – les prochains mois seraient donc très chargés –, Berry avait cédé à sa passion pour la pêche et il avait quitté son travail en début d'après-midi. Il avait pris quelques gros brochets pour le repas du soir et passerait la nuit dans son camp au bord du lac.

A huit cents kilomètres de la gloire, à huit kilomètres de l'échec. *L'Oiseau blanc* traversait une tempête de printemps : au sol, la pluie cinglait, à six cents mètres, grêlons et grésil frappaient le petit pare-brise ; les lunettes de Nungesser étaient embuées. Puis un éclair toucha *L'Oiseau blanc*.

Coli regarda les aiguilles des cadrans aux pointes imprégnées de radium : le choc ayant provoqué un court-circuit sur le tableau de bord, elles restaient bloquées à gauche. Arrivé au-dessus du lac Gardner, dans le Maine, le Lorraine-Dietrich se mit à tousser ; Nungesser tourna la manette pour enrichir le mélange de carburant et le moteur consentit à tourner rond.

— Nous volons à l'aveuglette ! cria-t-il.

— Que veux-tu faire, capitaine ? demanda Coli, désignant pour la première fois depuis le début du vol Nungesser par son grade.

— Rester au-dessus de l'eau pour tenter de nous y poser si le moteur lâche.

— Sinon ? insista Coli.

— Sinon, on continue, décréta Nungesser. De toute façon, il n'y a rien d'autre à faire.

Berry écrasait une mouche quand son bouchon disparut sous l'eau. Il tira sur sa canne pour assurer l'hameçon, puis la prenant dans la main gauche, il entraîna le poisson vers l'arrière du canot.

— Je t'ai eu ! s'exclama-t-il.

Sous le capot qui protégeait le moteur de *L'Oiseau blanc*, la situation se gâtait : la neige fondue aspirée par la prise d'air avait givré la paroi du carburateur, problème qu'aggravait la condensation dans les réservoirs inférieurs. Le moteur toussait et crachait au fur et à mesure des nouvelles arrivées de carburant glacé. A cause de cette mauvaise combustion, le moteur commença à se noyer.

— Le moteur se givre ! cria Nungesser. Je descends voir si on ne peut pas trouver de l'air chaud.

Berry lutta longtemps contre le brochet mais réussit enfin à ramener le gros poisson doré au bord de l'embarcation ; il aspirait de l'eau par ses ouïes et s'agitait frénétiquement pour tenter de se libérer. Plongeant la main dans l'eau glacée, Berry saisit le poisson derrière les ouïes et le jeta dans le canot ; il ôta l'hameçon avec des pinces, et d'une main coinça le brochet au fond du bateau ; de l'autre il prit une matraque de pêche en bois et l'abattit juste derrière les yeux. Il y eut un choc sourd et les convulsions cessèrent.

Puf, puf, puf.

Berry regarda le poisson.

Pop, pop, pop.

— Bon sang ! s'écria Berry, ça vient d'en haut.

Il scruta le ciel à travers la brume pour découvrir la cause du bruit.

— Il faut prendre une décision, dit Nungesser. Vers le sud, les nuages ont l'air plus épais, mais vers le nord et l'est, j'aperçois de la lumière.

— Sans indicateur de vitesse, observa Coli, difficile de calculer la consommation de carburant.

— Nous nous sommes bien battus, pourtant, reconnut Nungesser, je crains que, pour cette fois, le prix Orteig ne nous échappe.

— Si nous continuons vers New York, il ne restera plus que des vapeurs d'essence dans le réservoir, ajouta Coli.

— Mais le prix Paris-Québec est à notre portée, fit remarquer Nungesser.

— Québec n'est qu'à trois cents kilomètres, répondit Coli. C'est possible avec deux heures de carburant en réserve.

— Alors, c'est décidé, décréta Nungesser. Nous gagnons Québec aujourd'hui, nous refaisons le plein et nous repartons pour New York demain. Dès que le temps le permettra, nous rentrerons à la maison dans l'autre sens.

— Pas tout à fait ce que nous avions prévu, dit Coli, mais que veux-tu?

— Je vais virer, annonça Nungesser avec une intonation lasse.

Battre Chamberlin et Lindbergh au-dessus de l'Atlantique était encore possible, et pour le vol du retour, ils bénéficieraient de l'expérience. Les Français ne renonçaient pas – du moins pas encore.

Anson Berry fixait les nuages ; le bruit se rapprochait, faisant d'abord penser à une locomotive dans le lointain puis à un camion, et enfin – Berry le réalisa soudain – à un avion, une rareté dans ces parages. Où est-il ? Le bruit venait maintenant du sud et son volume augmentait. Berry tendit le cou et, l'espace d'une seconde, aperçut une tache blanche. Puis de nouveau rien que les nuages. Il suivit le passage du bruit au-dessus du lac, du sud vers le nord. Le son diminua, se transforma en toussotement, puis s'éteignit.

— Merde ! cria Nungesser.

Nungesser n'avait aucun moyen de le savoir, mais le gel avait bloqué le volet du carburateur, et l'essence s'était déversée dans la cuve du flotteur et avait étouffé le moteur. Dans chacun des douze cylindres, les bougies commençaient à être inondées. Une bonne étincelle aurait pu arranger les choses, mais en frappant le fuselage, l'éclair avait affaibli l'alternateur et déréglé le condensateur. Là-dessus, le moteur reprit et s'emballa.

— Grimpe le plus haut possible, capitaine ! cria Coli. Je vais chercher un lac sur lequel on pourra se poser.

Nungesser poussa les manettes à fond. *L'Oiseau blanc* fonça.

Le silence étant retombé, Anson Berry se remit à pêcher. Encore deux brochets, et cela suffirait. Il restait tout au plus deux heures de lumière et il voulait s'attabler avant la tombée de la nuit.

287

Le moteur se mit à crachoter puis s'arrêta une nouvelle fois. Les nuages s'éclaircissaient; seulement quelques dizaines de mètres plus haut – Nungesser le savait – le ciel était dégagé. *L'Oiseau blanc* continua à grimper, propulsé par la vitesse acquise jusqu'à ce qu'elle fût épuisée. Nungesser aperçut fugitivement, grâce à une percée dans le banc de nuages, le vert bleuté de l'eau. Ses hélices tournant à plein régime, il amorça un piqué.

— Tiens bon, François, prévint-il.

En bas, des montagnes, des marécages, des bois. *L'Oiseau blanc* descendit lentement d'abord, puis prit de la vitesse, tel un rapace fonçant sur sa proie; l'angle d'atterrissage était mauvais.

Charles Nungesser coinça entre ses lèvres un cigare qu'il n'avait pas encore allumé et serra les dents, entraîné dans une chute qu'il ne contrôlait plus. Coli savait que les choses tournaient mal : au cours des dernières heures, il avait connu l'épuisement puis la déception, l'euphorie puis l'acceptation. Il ne pleurait plus la fin de ses rêves, il priait seulement pour leur survie. Au diable New York, au diable Québec, mais qu'une fois encore ils atterrissent sans dommage. Il sortit un chapelet de son sac et commença à l'égrener. Nungesser se cramponnait au manche pour arracher *L'Oiseau blanc* à ce plongeon forcené, mais les commandes répondaient mal à ses bras engourdis par de longues heures d'insomnie. Peu à peu, la trajectoire de *L'Oiseau blanc* s'infléchissait. Nungesser apercevait l'eau en bas.

— François! cria-t-il, on va y arriver!

Un élan, dans l'eau jusqu'au ventre, mâchonnait une brassée de plantes. Une ombre, aussitôt suivie de *L'Oiseau blanc,* passa au-dessus de sa tête; le sifflement du vent fouettant la toile des ailes, à moins de six mètres au-dessus de lui, affola l'animal qui s'empressa de regagner la rive. Nungesser avait certes redressé la trajectoire de l'appareil, mais ne disposait d'aucun moyen pour le freiner. Lentement, il fit perdre de l'altitude à l'avion jusqu'à trois mètres au-dessus de l'eau. Il regarda devant lui.

A moins de deux cents mètres, le lac s'arrêtait. Une corniche rocheuse s'élevant à plus de deux cents mètres bordait la rive. Si le moteur voulait bien repartir une dernière fois, Nungesser parviendrait peut-être à le faire virer à cent quatre-vingts degrés. Il essaya le démarreur : rien. Nungesser poussa le manche à fond : il ne se poserait pas en douceur.

Le choc fut terrible.

L'hélice immobilisée laboura le bas du fuselage. La partie supérieure céda et partit en arrière comme un boomerang, tranchant le crâne de Nungesser juste au-dessus des sourcils.

La matière cervicale aspergea Coli qui poussa un hurlement d'horreur.

L'Oiseau blanc continua sur son élan ; la partie inférieure du fuselage traînait par terre tandis que l'aile gauche qui pendait heurta une roche. *L'Oiseau blanc* pivota sur lui-même et l'aile s'arracha. Coli fut projeté à l'extérieur et heurté en pleine poitrine par un bout de l'empennage qui lui écrasa les côtes et lui brisa les reins. Il vivait encore quand il se glissa hors de l'épave, mais il ne sentait plus ni ses bras ni ses jambes.

Puis le calme revint ; seul un petit feu crépitait quelque part, que la pluie eut tôt fait d'éteindre.

II

Pluie, mouches noires et marécages

1984, 1997, 1998

L'Oiseau blanc et le tandem Nungesser-Coli auraient très bien pu naître sous la plume de Stephen King, d'autant plus que l'appareil gît vraisemblablement à moins de cent cinquante kilomètres de sa maison de Bangor, dans le Maine.

L'hydravion sortit de l'oubli en 1986 grâce à l'écrivain Gunnar Hanson qui voulut savoir ce qu'il s'était réellement passé soixante ans auparavant. Ne se contentant pas de l'opinion générale selon laquelle Nungesser et Coli étaient tombés au milieu de l'Atlantique, Hanson découvrit qu'ils avaient atteint et même dépassé la côte de Terre-Neuve.

Malgré le temps couvert et le plafond qui ne dépassait pas deux cent cinquante mètres, dix-sept personnes affirmaient avoir entendu puis vu un avion blanc volant en direction du sud-ouest à peu près à l'heure où il devait atteindre le continent nord-américain. Ces témoignages oculaires ou auditifs étaient d'autant plus crédibles qu'ils provenaient de sources alignées, attestant ainsi du passage plus que probable de *L'Oiseau blanc,* après sa traversée de l'Atlantique Nord, au-dessus de Terre-Neuve, et même au-delà. Quatre témoignages en effet citaient la Nouvelle-Écosse à partir d'où Nungesser et Coli avaient dû virer à l'ouest en direction de la côte du Maine : les derniers rapports, toujours dans le même alignement, émanaient de gens habitant le Maine.

Le dernier témoin, Anson Berry, pêchait dans le Round Lake à une quarantaine de kilomètres au nord du village de Machias, quand, dans l'après-midi, il entendit un avion passer au-dessus de sa tête ; le temps couvert l'empêcha de le voir, d'autant plus que sa couleur blanche le rendait difficile à repérer parmi les nuages.

Son témoignage se précisa avec les années : certains prétendaient qu'il avait entendu le moteur tousser puis s'arrêter avant une violente explosion, d'autres juraient qu'il n'avait jamais rien dit de tel. Le lendemain, il interrogea les clients du bazar local ; personne n'avait entendu passer un avion. Mais un homme d'un certain âge, encore enfant quand il avait connu Berry, affirma que Anson n'avait jamais parlé d'un avion qui s'écrasait.

Comme Berry avait la réputation d'un homme sincère, personne ne mit jamais en doute ses propos. D'ailleurs cinq autres habitants du Maine, qui disaient avoir entendu *L'Oiseau blanc* leur passer au-dessus, formaient à partir de lui une ligne droite orientée vers le nord-est.

Anson Berry restera à jamais signalé par une note en bas de page pour avoir, le dernier, entendu tourner le moulin de *L'Oiseau blanc*. Les cinquante kilomètres de la route suivie par l'appareil l'auraient emmené au-dessus d'une zone totalement inhabitée, couverte de bois touffus, ponctuée d'étangs et fermée enfin par un vaste marécage impénétrable. Au-delà, dans une région pourtant très peuplée, personne n'a vu ou entendu *L'Oiseau blanc* en 1927.

Les théories fourmillent : l'une suggère que les intrépides pilotes français, réalisant qu'ils ne pourraient pas atteindre New York, auraient mis le cap sur Montréal ; irréalisable, il ne leur restait pas assez de carburant. Une autre les décrit se sachant perdus au-dessus d'un terrain hostile et virant à l'est pour rejoindre la côte avant de s'écraser en mer. Des médiums soutiennent que l'appareil, volant trop bas, aurait percuté une montagne. A vous de choisir.

Je contactai Gunnar Hanson dans le courant de l'été 1984 ; il travaillait à cette époque avec Rick Gillespie, du TIGRE, un groupe intrigué par cette énigme. Occupé par d'autres projets, je laissai tomber l'affaire ; quelques mois plus tard, Gunnar m'appela et me dit qu'à la suite d'un différend, il avait quitté l'équipe de Gillespie. Je lui proposai alors de collaborer avec la NUMA. Il accepta.

Nous convînmes de nous retrouver dans le Maine près de la région du Round Lake où Berry avait vécu. Ray Beck, de Chatham dans l'État de New York, se joignit à nous ; il déclarait en effet avoir aperçu, au cours d'une partie de chasse en 1954, un vieux moteur à demi enfoui dans le sol au-dessus des collines du Round Lake, à moins d'un kilomètre et demi de l'endroit où Berry avait entendu passer l'avion. De plus, il mit généreusement à notre disposition son bungalow de vacances situé non loin de la zone de recherches.

Nous commençâmes à arpenter les collines au sud du lac. Gillespie et le TIGRE aussi d'ailleurs. Le hasard ! Il pleuvait et Gillespie, resté en ville, tenait des conférences de presse en déclarant la découverte imminente.

Je n'ai jamais été enclin à parler d'une expédition, à moins d'avoir quelque chose à montrer. Détail amusant, Gillespie et son groupe ne surent jamais que nous étions arrivés, que nous faisions des recherches et que nous étions repartis chez nous.

Deux jours durant, nous sillonnâmes par une pluie battante cette magnifique région ; Ray Beck s'efforçait de retrouver le chemin qu'il avait suivi bien des années auparavant quand il avait aperçu le moteur, mais en vain. Découragés et trempés jusqu'aux os, nous regagnâmes le bungalow et dressâmes des plans en vue d'une nouvelle tentative l'année suivante.

Mes recherches m'ont appris à garder l'esprit ouvert et à ne pas m'obstiner sur une unique théorie. Depuis longtemps je fais confiance aux médiums, des gens charmants et intéressants ; de plus je suis persuadé qu'ils voient des choses qui échappent à la plupart d'entre nous ; voilà pourquoi je contactai Ingo Swann, le plus respecté peut-être des télé-voyants – terme par lequel on désigne dorénavant les personnes capables d'imaginer des scènes au-delà de leur champ de vision.

Le projet de *L'Oiseau blanc* lui parut une excellente occasion de pratiquer une expérience sous contrôle. Son associé, Blue Harary, bien connu pour ses travaux de télé-voyance à l'université de Stanford, se joignit à l'expédition ainsi qu'une certaine Fanny, de Miami, qui avait souvent collaboré avec les services de police à la résolution d'énigmes criminelles. Donnant des cours à des personnes ayant des dons de médium, elle vit là une opportunité pour eux d'aiguiser leur talent ; comme ils exerçaient dans des régions différentes, Ingo estimait qu'ils ne risqueraient pas d'être à l'écoute l'un de l'autre.

Ingo leur envoya d'abord des photos de Nungesser et Coli et de leur avion, accompagnées d'une carte de l'Atlantique Nord. Il leur demanda : « Sont-ils tombés dans l'océan ? » Ils répondirent non.

Puis on leur fit parvenir des cartes de Terre-Neuve, de la Nouvelle-Écosse et de la baie de Fundy. Là encore, la réponse fut non. Ce fut la carte du Maine qui déclencha un oui unanime.

Ingo continua ses envois en réduisant l'échelle de plus en plus jusqu'à leur soumettre un relevé topographique de la zone de Round Lake : tous, médiums confirmés ou étudiants, situèrent sans hésiter l'épave de l'avion à l'intérieur d'un quadrillage de quatre cents mètres de côté sur le versant septentrional des collines de Round Lake. J'étais stupéfait : même dans mes rêves les plus fous, je n'avais jamais imaginé qu'ils tomberaient tous d'accord. A ce compte-là, pourquoi n'inclurait-on pas des études de voyance dans nos futures opérations?

Ne restait plus qu'à vérifier ces prédictions.

Je retrouvai Ingo à l'aéroport de Bangor où nous louâmes une voiture. Je ne vois qu'une intercession divine pour m'avoir guidé à chaque carrefour de cette région sauvage, de surcroît au beau milieu d'un orage particulièrement violent, et permis ainsi de dénicher le chalet de Ray. Il nous y attendait en compagnie d'Andy, un vieux paysan, et de deux jeunes New-Yorkais. Les coups de tonnerre ébranlaient les murs en rondins et les éclairs jaillissaient de partout, une vraie nuit hantée que partageaient un auteur célèbre, un médium renommé – Ray Beck – qui avait conquis gloire et fortune en inventant des méthodes de fabrication du plastique, et un géant d'au moins deux mètres et pesant cent dix kilos, Gunnar Hanson, également acteur et interprète – je l'appris ce soir-là – du rôle de Leatherface, le boucher de *Massacre à la tronçonneuse!*

Il va sans dire que je ne dormis pas très bien cette nuit-là.

Les deux jours suivants, nous passâmes le site au peigne fin suivant les directives des médiums. L'appareil s'étant enfoui selon eux, je me munis d'un petit magnétomètre, inutilement, car son aiguille se bloquait à cause de l'abondance des traces ferrugineuses.

Là-dessus un fléau s'abattit sur nous : nous étions sur le point de boucler nos recherches quand surgirent les abominables mouches noires du Maine. Je tenais les moustiques pour une vraie plaie, mais c'est de la gnognotte auprès des mouches noires. Deux détails m'intriguent : premièrement, comment un insecte aussi minuscule peut-il causer une morsure aussi irritante? Deuxièmement, comment peut-on songer à s'installer dans une région où elles prolifèrent et où elles attaquent l'homme? Ray Beck nous épargna à tous un sort pire que la mort en nous distribuant des coiffures identiques à celles des apiculteurs.

Nos recherches se soldèrent par un cuisant échec : le secteur, ratissé centimètre par centimètre, ne livra pas le moindre débris d'avion. Swann et ses confrères, déconcertés, se demandaient comment huit télé-voyants, habitant et opérant à des lieues les uns des autres, pouvaient indiquer un même emplacement qui ne recèle rien. Leurs esprits auraient-ils communiqué? L'avion est-il bien enfoui sous les roches des collines de Round Lake? A-t-il été déterré et vendu à la casse sans avoir été signalé par ceux qui l'avaient découvert? Leurs questions restaient sans réponse.

J'avançai alors ma théorie numéro 237 : étant donné que *L'Oiseau blanc* avait, au décollage, largué son train d'atterrissage inutile puisqu'il comptait se poser sur l'East River à New York, j'estimai que, se rendant compte que le carburant allait leur manquer, Nungesser aurait tenté un amerrissage ; l'appareil avait justement été construit pour parer à une telle éventualité. Si on table sur cette hypothèse, ils ont pu couler au fond de l'un des innombrables lacs qui jalonnent leur itinéraire en partant de la barque d'Anson Berry.

En avril 1997, j'appelai Ralph Wilbanks ; avec Wes Hall, il remorqua le *Diversity* jusqu'à Machias. Mon fils Dirk Cussler, Craig Dirgo et Dave Keyes, l'assistant de Doug Wheeler, le fidèle administrateur de la NUMA, nous rejoignirent à la Machias Inn. Bill Shea vint aussi nous honorer de sa présence ; il y a peu de gens dont j'aime autant la compagnie – nous en avons vu de toutes les couleurs ensemble.

Connie Young, célèbre médium d'Enid, dans l'Oklahoma, participait également à nos recherches. (Au côté du FBI, elle avait travaillé dans l'affaire du Tylenol et obtenu des résultats extraordinaires.) Elle voyait *L'Oiseau blanc* descendant dans l'eau ; elle fit un croquis qui correspondait presque au Round Lake.

Nous traînâmes le *Diversity* par des sentiers boueux jusqu'à une petite rampe qui accédait au lac. Les gens du pays étaient abasourdis : ils n'avaient jamais vu de bateau aussi grand sur les lacs de la région et surtout ils n'arrivaient pas à croire que nous l'avions remorqué sur leurs chemins de campagne. Non sans mal car Ralph devait s'arrêter souvent pour que ses hommes puissent couper les branches qui gênaient le passage.

Chaque pouce du Round Lake fut inspecté au sonar et au magnétomètre. Wes plongea sur deux ou trois cibles qui paraissaient intéressantes mais qui n'étaient en fait que de vieilles souches. Elles étaient d'ailleurs assez nombreuses pour que leur acide tannique colorât l'eau du lac d'un assez beau brun.

Aucune trace de *L'Oiseau blanc*.

Les autres lacs que nous comptions explorer se trouvaient dans des coins inaccessibles pour le bateau de Ralph. Au prix d'extraordinaires efforts, il réussit quand même à le remorquer jusqu'à Long Lake, mais il y avait trop peu de fond et trop de rochers pour mettre à l'eau le *Diversity* sans lui causer des avaries. Il fallait donc passer au plan B.

Par chance, je fis la connaissance de Carl Kurz, un instituteur de la région, pêcheur et chasseur passionné, également réparateur de fusils et de carabines. Il mit généreusement à notre disposition son Zodiac équipé d'un moteur hors-bord.

La pluie ne cessa de tomber pendant que nous parcourions Long Lake situé de l'autre côté des collines de Round Lake. Ralph, bien que raisonnablement protégé par son ciré et son grand chapeau rouge de pompier, ne cessait de grommeler alors que Wes avait opté pour le mutisme. Les autres ne quittaient les voitures pour rôder dans les bois que lorsque la pluie s'arrêtait un peu.

Au dîner, ce soir-là, Wes déroula les enregistrements au scanner de Long Lake et les examina centimètre par centimètre. Beaucoup de rochers mais aucun signe de la présence d'un avion ou même d'une barque.

Ensuite, nous explorâmes deux autres lacs sans succès, toujours pas d'*Oiseau blanc*. Pourtant, malgré la pluie incessante, nous eûmes de fameuses compensations à la table du restaurant : les homards du Maine à profusion, les petits déjeuners pleins d'entrain, et puis surtout, les somptueuses tartes d'Helen. S'il avait pu, Ralph en aurait chargé la cabine du *Diversity* pour rentrer à Charleston.

Dave Keyes partit le premier car il allait se marier et voulait se faire tatouer le prénom de sa femme.

Craig, Dirk, Connie et moi ramenâmes la voiture à Bangor où nous prîmes le vol de Boston d'où chacun devait rentrer chez soi. Je m'arrêtai devant la maison de Stephen King et m'avançai jusqu'au perron. Trois ou quatre voitures étaient garées dans l'allée, dont un cabriolet Mercedes. Je sonnai, frappai à la porte et posai devant les caméras de surveillance. Personne ne broncha.

— King, criai-je, sors donc, c'est Cussler!

Silence de mort.

Était-il présent? Me jugea-t-il indésirable? Je ne l'ai jamais su.

*
* *

L'innocent que je suis se serait probablement porté volontaire pour le bûcher durant l'Inquisition en Espagne puisque je me lançai dans une nouvelle tentative : en 1998, je retrouvai la bande, moins Connie et Bill mais plus mon gendre Bob Toft et William Nungesser, lointain parent de Charles, qui nous fascina tous avec des histoires sur son célèbre cousin.

Ralph et Wes fouillèrent les lacs tandis que les autres piétinaient dans les jungles du Maine en vaines recherches pour retrouver *L'Oiseau blanc*. Le temps? Quelle question! La pluie bien sûr! Sinon pourquoi serions-nous rentrés à l'hôtel trempés? Sinon pourquoi aurais-je fait sécher mes tennis dans le four à micro-ondes? Pardon, monsieur le directeur.

Aussi loin que nous marchions, aussi profondément que nous pénétrions dans les bois, partout de vieilles souches d'arbres abattus. Les bûcherons nous avaient semble-t-il précédés.

Les livres d'histoires rapportent que, lors de la fondation des premières colonies au dix-septième siècle, une vaste prairie parsemée de quelques bouquets d'arbres couvrait le Maine; deux cents ans après, la terre était cultivée. Plus tard encore, les fermiers renoncèrent peu à peu à l'agriculture pour se tourner vers d'autres activités ou pour partir vers l'ouest : la forêt s'empara des champs. Elle est aujourd'hui quasi impénétrable.

— L'État du Maine ressemble à une exploitation forestière, dis-je à Carl.

— C'est vrai, acquiesça-t-il en souriant.

Pourquoi diable alors aucun chasseur, aucun boyscout, aucun bûcheron n'est-il jamais tombé sur les vestiges d'un vieil avion et les ossements de ses pilotes? Pourquoi diable les témoignages qui parlent d'un vieux moteur ont-ils toujours abouti à des impasses? Je ne me contenterais d'ailleurs pas d'un malheureux moteur. Pourquoi diable n'a-t-on pas découvert aussi les trois énormes réservoirs d'essence – de la taille d'un homme –, le tableau de bord, l'hélice – presque six mètres d'envergure – ou une quelconque pièce parmi les douzaines que comptait l'appareil?

Si on ne l'avait pas découvert au bout de trois quarts de siècle, les chances d'y parvenir s'amenuisaient avec chaque nouvelle saison : les habitants du coin passent leurs dimanches à fouiller les bois. Peut-être un jour quelqu'un aura-t-il la chance de tomber sur l'épave avant de la reconnaître. En attendant, les vieux paysans ayant repéré des objets bizarres dans la forêt, mystérieux moteurs exhumés et vendus à la casse, vestiges d'appareils gisant à flanc de collines repérés du haut des airs lors de la Seconde Guerre mondiale, sont légion. Mais rien.

Si *L'Oiseau blanc* ne s'est pas abîmé dans un lac, hypothèse étudiée avec soin par la NUMA, il s'est écrasé dans le marécage et là, personne, ni homme ni bête n'a jamais pénétré.

C'est sur cette hypothèse que je parierais.

Reviendrai-je jamais là-bas?

Baisser les bras n'est pas du tout dans ma nature – pour preuve, le *Hunley* que mon équipe de la NUMA n'aurait jamais retrouvé si nous avions abandonné après l'échec des premières tentatives. L'étape suivante passera par le repérage aérien, même si cette méthode est bien aléatoire. Je veux tout essayer et, un jour, je reviendrai avec ma petite bande pour tenter une nouvelle fois l'aventure.

Charles Nungesser, François Coli et leur superbe *Oiseau blanc* attendent : à eux la première traversée de l'Atlantique d'est en ouest. Nous ne devons pas les abandonner dans une terre étrangère. Ils méritent d'être retrouvés et ramenés en France avec les honneurs dus aux héros.

Douzième partie

Le U.S.S. *Akron*

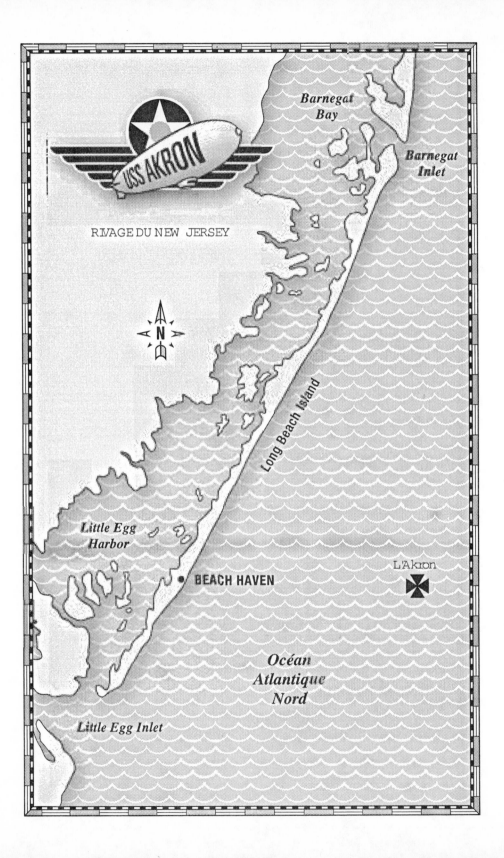

I

Plus léger que l'air

1931-1933

— Lâchez le lest, ordonna le commandant Frank McCord.

Un matelot traversa rapidement la salle de contrôle et actionna le levier d'urgence du délestage. En quelques secondes, près de deux tonnes d'eau se déversèrent sur les tourbillons d'air qui entouraient l'*Akron*.

Le dirigeable s'éleva de quelques dizaines de mètres pour atteindre l'altitude de quatre cents mètres et s'y maintenir. Les huit moteurs étaient braqués vers le sol et tournaient à plein régime. La manœuvre semblait avoir réussi, mais les éclairs, le tonnerre et les rafales de vent revinrent à la charge, les emprisonnant une nouvelle fois. Ses câbles de commande arrachés, le gouvernail cessa de réagir.

A l'insu de ses passagers, l'*Akron* vivait ses derniers moments.

DEUX ANS PLUS TÔT

— Fichtre, lâcha le lieutenant « Red » Dugan, ce bâtiment pourrait contenir un cirque entier et il resterait encore assez de place pour deux ou trois pyramides.

Dugan jetait la première fois un coup d'œil à l'intérieur du hangar abritant le zeppelin Goodyear à Akron, dans l'Ohio. Sorte d'immense caverne au fond de laquelle les ouvriers affairés évoquaient des insectes grouillants, au sommet arrondi et aux parois partiellement couvertes de verrières qui donnaient un peu de lumière ; une énorme batterie de projecteurs braqués pour l'instant à mi-hauteur complétait l'éclairage.

Un anneau de duralumin pendait du toit, le premier des trente-six qui, une fois assemblés, formeraient un aéronef plus léger que l'air – de deux cent trente-cinq mètres de long pour une hauteur équivalant à quinze étages. L'anneau comprenait des cercles intérieurs et extérieurs reliés les uns aux autres par un savant réseau de poutrelles d'aluminium taillées en losange. A proximité du sol et à l'intérieur de la partie inférieure du cercle se trouvaient deux renflements qui abriteraient plus tard les coursives. Tout cela baignait dans l'éclat argenté de l'aluminium tout neuf.

Bruce Harding, le représentant de Goodyear, était habitué à ce genre de réactions.

— Il nous fallait un grand hangar pour construire le grand aéronef de la marine, dit-il en souriant.

— A combien cela revient de..., commença Dugan.

— Pour chauffer en hiver ? continua Harding, achevant de poser la question.

— Vous saviez ce que j'allais vous demander ? s'étonna Dugan.

— Lieutenant Dugan, répondit Harding, c'est la question par laquelle tout le monde commence.

— Alors ?

— Très cher, affirma Harding en l'entraînant vers le fond du hangar.

*
* *

Tout dans l'U.S.S. *Akron* achevé serait gigantesque. L'enveloppe flexible contiendrait cent cinquante mille mètres cubes de gaz. La propulsion serait assurée par huit moteurs Maybach VL-11 de soixante chevaux logés chacun dans sa propre chambre des machines et faisant tourner des arbres de cinq mètres de long ; les hélices à deux pales de quatre mètres quatre-vingts de diamètre pivoteraient sur leurs axes de façon à fournir une poussée dans quatre directions.

Pour alimenter les huit moteurs, l'*Akron* transporterait cinq cent cinquante mille litres de carburant emmagasinés dans cent dix réservoirs. Un réseau de canalisations courant dans l'aéronef permettrait au commandant de répartir le carburant au fur et à mesure de sa combustion. A cela s'ajoutait un système très original de récupération de l'eau – un collecteur installé près de l'enveloppe au-dessus de chacun des huit moteurs – grâce auquel on maintiendrait la stabilité de l'appareil.

— Nous sommes dans les temps, lieutenant Dugan, déclara Harding. Il y a simplement beaucoup à faire.

L'énergie électrique nécessaire aux radios, aux téléphones, à l'éclairage, aux treuils, aux pompes et aux ventilateurs serait fournie par deux générateurs à combustion interne de huit kilowatts. Les radios, des appareils dernier cri, émettraient à moyenne et haute fréquence et assureraient à l'*Akron* une portée radio de cinq mille milles nautiques. On prévoyait par la suite d'ajouter du matériel de télécopie qui recevrait des cartes météo et autres informations. L'antenne courait sur trente mètres le long de l'enveloppe et, complètement déployée, atteignait deux cent quarante mètres.

Ses deux cent trente-cinq mètres de long et ses nombreux systèmes de surveillance conféraient aux communications à bord de l'aéronef une importance capitale. On installerait dix-huit téléphones dont chacun pouvait donner l'alarme. On utiliserait aussi des tubes acoustiques, survivance du passé. Pour communiquer avec la chambre des machines, on utiliserait des télégraphes mécaniques similaires à ceux des navires de la marine.

— Et la salle de contrôle ? demanda Dugan.

— Ce sera une cabine aérodynamique : le tiers avant abritera gouvernail, lest, commandes des moteurs, etc., celui du milieu, le poste de navigation, et enfin le dernier permettra d'accéder à l'enveloppe par une échelle.

— A-t-on prévu un poste de commande de secours ? interrogea Dugan.

— Oui à l'arrière, derrière le gouvernail de profondeur.

Dugan avait étudié les plans si bien qu'il connaissait déjà le plus clair de ce que lui expliquait Harding.

On avait prévu un hangar de vingt mètres sur huit où on pourrait garer cinq aéroplanes Curtiss F9C2 ; de part et d'autre, il y aurait les locaux d'habitation, soit huit espaces de deux mètres cinquante sur trois pour abriter les toilettes et les lavabos de l'équipage, les cabines où seraient accrochés les hamacs, des cuisines et des réfectoires pour les officiers, les sous-officiers et l'équipage. Bref, une ville en miniature avec même son aéroport.

— Il va faire froid là-haut, observa Dugan.

— Des canalisations en aluminium venant des chambres des machines avant assureront le chauffage des postes de contrôle, des parties communes et des hangars, expliqua Harding, et je suis certain que la marine a des vêtements bien chauds pour ceux qui s'aventureront dans les coursives en vol.

— Savez-vous qu'on vient encore de changer la composition de l'équipage ? demanda Dugan.

— Non, fit Harding, où en est-on ?

— Trente-huit hommes d'équipage, dix officiers et les pilotes.

— Plus de cinquante donc, observa Harding.

— C'est ce qui est prévu pour l'instant.

Harding contempla l'enchevêtrement des poutrelles constituant le gros anneau accroché au toit du hangar avant d'affirmer :

— Il pourra les transporter, et plus encore si besoin est

Les ouvriers de Goodyear grouillaient le long de la carcasse de l'*Akron*, telles des fourmis s'attaquant à une pastèque ; ils couraient d'un poste à l'autre au gré des ordres lancés par radio et par des porte-voix : les premiers s'adressaient aux grutiers qui manœuvraient avec précaution les sections terminées à ajuster à la carcasse, les seconds aux ouvriers qui assemblaient les pièces.

Ce jour-là, on montait le nez conique, une merveille d'architecture, délicat, d'apparence solide et aux détails très étudiés : des poutres longitudinales légèrement recourbées se rejoignaient à l'extrémité d'une petite ouverture circulaire où s'entrecroisaient des tubulures d'aluminium.

Le grutier abaissa un crochet au milieu et attendit qu'on y suspendît un harnais. Il souleva alors la pièce de quelques mètres pour vérifier l'équilibre – satisfait, il demanda pourtant qu'on attachât deux autres filins à bâbord et à tribord –, la redressa lentement, la fit pivoter puis l'amena le long de la partie principale de la coque.

Une fois en place, on approcha centimètre par centimètre la partie courbée pour la disposer dans un alignement parfait. On la fixa ensuite provisoirement par des chevilles qu'on remplaça plus tard par des vis. En janvier 1931, les principales parties de la coque étaient en place. Au cours des mois suivants, on ajouta ailerons, gouvernails de profondeur et empennage. Ces opérations terminées, on commença à travailler sur l'enveloppe extérieure que des œillets permettraient de lacer à la carcasse : trente mille mètres carrés de tissu, un coton très résistant, enduit de quatre couches, deux d'acétate et deux de poudre d'aluminium.

En juillet, on installa le moteur, les hélices, le système de récupération d'eau et d'autres pièces métalliques. Le 18 août 1931, dans la ville dont il portait désormais le nom, on baptisa en grande pompe le U.S.S. *Akron* dont le vol inaugural était fixé au 23 septembre.

Le *Akron*, le dernier né des dirigeables militaires américains, descendait d'une lignée presque aussi ancienne que les États-Unis. Le président George Washington en janvier 1793 avait assisté au premier survol de son pays par un ballon, celui du Français Jean-Pierre Blanchard venant de Philadelphie. Des années plus tard, la guerre de Sécession accéléra le développement des ballons aussi bien dans le camp de l'Union que dans celui de la Confédération. Mais la véritable poussée n'eut lieu qu'au début du vingtième siècle.

En France, en 1903, Albert Santos-Dumont construisit un dirigeable avec lequel il survola les toits de Paris. Six ans plus tard, son compatriote Louis Blériot réussit la traversée de la Manche avec un aéronef à moteur qui atteignait les soixante-dix kilomètres à l'heure. L'année suivante, la marine américaine fonda son premier groupe d'aviation à Greenbury Point, dans le Maryland, non loin d'Annapolis.

Ce groupe s'intéressait essentiellement aux aéroplanes, mais il comptait aussi des partisans de l'aérostat. En 1911, les Britanniques avaient prouvé l'intérêt des dirigeables en les utilisant avec succès pour patrouiller au-dessus de la mer du Nord. La même année, en Allemagne, le comte Ferdinand von Zeppelin ouvrit la première ligne commerciale avec une flotte de cinq dirigeables.

La Première Guerre mondiale vit la première attaque aérienne de diri-geables quand des aérostats bombardèrent Londres. L'aviation quittait le domaine expérimental pour le domaine pratique et les utilisations continuè-rent à se développer. En 1921, la marine américaine dut créer un nouveau bureau pour traiter les questions aéronautiques et elle en confia la direction à l'amiral William A. Moffett. Presque aussitôt, le programme subit des pertes : le 24 août 1921, au cours d'un vol d'essai près de Hull en Angle-terre, le dirigeable que la marine comptait acheter à l'Angleterre pour devenir le *ZR-2* de la marine américaine se disloqua, entraînant la mort de quarante-trois hommes, les pionniers pour la plupart du programme aéronaval américain.

On continua cependant.

Utilisant un *L-49*, un zeppelin allemand capturé, on poursuivait la cons-truction d'un dirigeable analogue de deux cents mètres de long baptisé le *ZR-1*. L'appareil devait voler en 1923. En attendant, moins de deux semaines avant l'accident du *ZR-2*, la marine avait pris livraison d'un dirigeable semi-rigide de fabrication italienne, baptisé *Roma*, qui se révéla franchement décevant : ses six moteurs Asaldo se montrèrent peu fiables et on dut les remplacer par des moteurs Liberty de fabrication américaine ; on dénombra dans son enveloppe extérieure cent quatre-vingt-quatre trous qu'il fallut raccommoder. L'appareil ne décolla qu'une fois ces réparations faites. A cette époque, pour des raisons économiques, on utilisait l'hydro-gène au lieu de l'hélium, pourtant plus sûr. Le *Roma* effectua quelques vols avec ce gaz instable et, le 22 février 1922, ce fut la catastrophe.

Le pilote qui, partant de Langley Field, devait rallier Hampton Roads en Virginie, ne parvint pas à contrôler l'appareil difficile à manœuvrer. Le dirigeable italien heurta un poteau télégraphique et s'enflamma aussitôt. Sur les quarante-cinq passagers, trente-quatre trouvèrent la mort et huit furent blessés ; trois seulement sortirent des débris à peu près indemnes. Cet accident contraignit la Marine américaine à y regarder d'un peu plus près pour utiliser l'hydrogène dans son programme aéronautique.

En 1927, quand Charles Lindbergh effectua en solitaire sa traversée historique de l'Atlantique, la Marine américaine ne disposait que d'un seul dirigeable, le *Los Angeles,* qui avait été construit en Allemagne ; elle fit un appel d'offres pour la construction de deux gros dirigeables. Ce fut la Goodyear-Zeppelin Corporation, basée à Akron dans l'Ohio, qui emporta le marché. Deux ans plus tard, en 1929, l'intérêt pour les aérostats s'accrut avec la tentative par le dirigeable allemand, le *Graf Zeppelin,* d'un tour du monde dont la presse Hearst suivait quotidiennement la progression.

Cette même année, la Marine américaine prit livraison du *ZMC-2,* un zeppelin aux formes arrondies, à l'enveloppe métallisée et avec huit dérives régulièrement espacées à l'arrière ; de loin, il ressemblait au nez conique d'un aéroplane. Long d'à peine quarante-cinq mètres, il était propulsé par deux moteurs Wright Whirlwind de deux cents chevaux.

L'année suivante, commença la construction de l'U.S.S.*Akron.*

Ce mardi 24 octobre 1931, l'énorme hangar de l'escadrille expérimentale des aéronefs rigides, à Lakehurst dans le New Jersey, accueillait une foule de sommités venues assister à la mise en service de l'*Akron.* Le président Litchfield de la Goodyear-Zeppelin Corporation entama la série des discours.

Le capitaine de corvette Charles Rosendahl, futur commandant de l'*Akron*, assistait amusé à la cérémonie. Cet officier, l'un des rares rescapés de l'infortuné *Shenandoah*, réputé pour son courage, connaissait bien les zeppelins : il avait commandé pendant quelques années le *Los Angeles* puis participé à la croisière autour du monde du *Graf Zeppelin ;* bref, tout cela faisait de lui un homme aguerri.

Cinq jours après la cérémonie, l'*Akron* effectua son premier vol officiel. Sur la liste des passagers figuraient dix officiers et quarante-neuf hommes d'équipage, auxquels s'ajoutaient trente et un membres de la presse et dix-neuf autres invités. Soit au total cent neuf personnes à bord. Quand tout le monde eut embarqué, Rosendahl donna l'ordre de décoller.

— Moteurs trois, quatre, sept et huit, dit-il, braqués vers le sol.

Un aviateur répéta les instructions.

— Cap deux, sept, zéro, lança Rosendahl.

— Rogers, confirma le pilote.

Il était 7 h 15. L'*Akron,* cap au sud, volait vers Annapolis.

— Regarde, l'Académie navale, observa Milton Perkins, de l'*Associated Press.*

Harold Temper, son confrère du *New York Times,* vérifia l'heure :
9 h 20.

Moins d'une heure plus tard, l'*Akron* survolait le chantier naval de
Washington et, à l'heure du déjeuner, la campagne de Pennsylvanie.

— Tu crois que c'est l'ordinaire de l'équipage ? demanda Temper en
regardant son assiette.

Perkins coupa un bout de steak et le garda sur sa fourchette pendant
qu'il grignotait une crevette.

— Certainement pas, seulement pour les invités d'honneur et les journalistes.

— Pour qu'on leur fasse des articles élogieux, lança Temper.

— C'est surtout pour que le Congrès vote des crédits supplémentaires,
répondit Perkins. Ils veulent en construire d'autres.

— Pourquoi pas ? fit Temper. Pourquoi pas ?

Dans le courant de l'après-midi, l'*Akron* passa au-dessus de Philadelphie
et fit route vers Trenton. Au coucher du soleil, il regagnait sa base de
Lakehurst.

Débuts réussis.

Le service sur un dirigeable valait généralement au simple matelot de
meilleures conditions de travail que sur un bateau, mais il comportait
davantage de dangers. La fréquence des accidents, élevée au début, avait
beau diminuer avec le temps, il n'en demeurait pas moins que les chances
d'en réchapper restaient minimes.

Cela mis à part, le travail était bien plus facile qu'en mer. Pour commencer, on n'avait plus à lutter contre la rouille, la bête noire des marins : le
duralumin ne rouillait pas et, à cause des limitations de poids, le fer était
presque inexistant. La nourriture et l'hébergement étaient convenables. Et
surtout, les équipages étaient plus réduits.

Les cuisiniers n'avaient pas à nourrir des milliers de matelots en un seul
service ; à bord d'un dirigeable, des petits groupes se succédaient au
réfectoire, et tout le monde avait un repas chaud. De même pour le
couchage, en raison de la rotation des équipes, on ne s'entassait jamais
dans les dortoirs. En outre, le mouvement de l'*Akron* en vol berçait
doucement les hamacs.

Pour autant, le travail, précis, compliqué, exigeait des recrues une intel-
ligence au-dessus de la moyenne et une certaine résistance physique. La
complexité des nombreux systèmes qui assuraient le fonctionnement de
l'*Akron* nécessitait une surveillance et des réglages constants ; il fallait
aussi enregistrer avec précision les performances des machines. Les
déplacements qui devaient s'effectuer rapidement, sur de grandes distances

et par un réseau compliqué d'échelles et de coursives demandaient beaucoup d'énergie physique.

Et puis il y avait le spectacle sans fin des paysages de l'Amérique qui se déroulaient au-dessous de vous.

Le commandant Alger Dresel se croyait en retard.

Il passa devant le poste de garde de Lakehurst et lança sur la route menant au hangar sa Torpédo Pierce-Arrow 1926, une superbe voiture dans deux tons de bleu avec une capote beige et un compartiment pour sac de golf accessible de l'extérieur. Il tapota l'épaisse doublure de daim du siège, puis jeta un coup d'œil à la pendule du tableau de bord en acier inoxydable. Comme tout ce qui se trouvait à bord de la vieille automobile, la pendule fonctionnait parfaitement. Dresel était passionné par la mécanique et il entretenait avec soin sa Pierce-Arrow. 9 h 15. Il arriverait juste à l'heure. Il se gara rapidement, coupa le moteur et prit ses bagages.

— On monte, annonça le timonier.

On était le dimanche 8 mai 1932, peu avant six heures du matin. L'*Akron* s'éleva au-dessus de Lakehurst pour la première étape de sa croisière. Le nouvel avion Curtiss XF9C, le seul livré pour l'instant, et l'ancien modèle N2Y prendraient l'air et s'amarreraient au crochet qui pendait sous le ventre de l'*Akron* au moment où celui-ci se trouverait au-dessus de Barnegat Bay, à une centaine de kilomètres au sud.

Le capitaine Rosendahl effectuait sa dernière croisière comme commandant de l'*Akron*. Son futur remplaçant, Dresel, se tenait auprès de lui au poste de contrôle. A 7 h 20, alors qu'on venait de passer la rivière Toms, le téléphone sonna. Rosendahl décrocha.

— Commandant, prévint un homme d'équipage du ponton, les deux appareils sont arrimés sans problème.

— Très bien, remercia Rosendahl. (Puis, se tournant vers Dresel :) les deux avions sont arrimés. Aimeriez-vous prendre le commandement pour un moment?

— Avec plaisir, fit Dresel.

— Les commandes sont aux mains du capitaine Dresel, annonça Rosendahl.

Puis il s'apprêta à quitter le poste de contrôle; depuis deux semaines, il observait Dresel au sol et il avait vu en lui un officier calme et posé, soucieux de ses hommes et de son aéronef. Rosendahl lui confiait donc l'*Akron* sans inquiétude; il permettait ainsi à son jeune subalterne d'accumuler les heures de vol; Rosendahl savait d'expérience que l'entraînement au sol avait ses limites.

Le U.S.S. Akron

Le lieutenant Howard Young descendait l'échelle qui menait à son Curtiss ; il ressentit une impression curieuse quand il entra dans cet avion accroché en dessous de l'*Akron ;* ce n'était pas pareil quand il en sortait car l'énorme fuselage du dirigeable au-dessus de lui offrait sa masse, synonyme de sécurité. Mais descendre, c'était autre chose : d'abord, le crochet d'amarrage ne paraissait pas tellement stable, et surtout, il voyait ce paysage qui se déroulait quelques centaines de mètres plus bas.

Young se glissa à l'intérieur, récupéra son livre de bord et un paquet de chewing-gums qu'il y avait laissés. Il glissa le registre dans son blouson d'aviateur, remonta la fermeture Éclair pour bien le plaquer contre son estomac, puis il reprit l'échelle. Young avait une certaine habitude des opérations à partir d'un dirigeable – près d'une soixantaine de décollages et d'atterrissages à son actif – et il s'engagea donc sur l'échelle, montant rapidement les barreaux. A mi-chemin il manqua un échelon. Par chance, ses mains serraient solidement ceux du dessus et il resta accroché, fouetté par le vent, les pieds dans le vide. Un homme d'équipage s'apprêta à lui porter secours mais Young eut tôt fait de retrouver son équilibre et de poursuivre son ascension.

— Ça va, capitaine ?

— Très bien, très bien, répondit Young en souriant.

— Tant mieux, fit l'homme, parce que ça fait un grand pas.

Par l'ouverture, Young contempla le sol qui défilait en bas.

— Un très grand pas en effet, confirma-t-il.

L'*Akron*, cap au sud, survola la côte Est. Avec les officiers, les hommes et deux pilotes, le personnel de bord comptait exactement quatre-vingts personnes. Restant au-dessus de l'océan, l'*Akron* passa le cap Hatteras puis vira vers la terre. A l'heure du déjeuner, il survolait les chantiers navals de Norfolk en Virginie et, juste après vingt heures, Augusta en Georgie.

Quand le dirigeable volait, il y avait de nombreuses tâches à accomplir. En plus de la cuisine et du service, les cuisiniers et les responsables du mess nettoyaient la cambuse et établissaient les menus. Les électriciens parcouraient les coursives, vérifiant les contacts et effectuant d'éventuelles réparations. Les opérateurs radio assuraient les communications alors que les mécaniciens surveillaient les huit moteurs. Des monteurs grimpaient à l'intérieur de la coque pour s'assurer que l'enveloppe était bien tendue, ne présentait pas de fuite, en même temps que des mécaniciens surveillaient les câbles et les poutrelles. En vol, l'*Akron* était une ville miniature.

Le lundi 9, l'*Akron* passa au-dessus de Houston juste avant seize heures. Une heure plus tard, le premier problème intervint.

— Commandant, cria un matelot dans le téléphone, nous avons une fuite au réservoir bâbord. De l'essence coule dans la coque.

Rosendahl était aux commandes.

— Coupez tous les moteurs à l'exception du sept, ordonna-t-il par téléphone à tout l'équipage. Nous avons une fuite d'essence dans la coque.

Puis il reprit son téléphone pour rappeler l'homme d'équipage qui lui avait signalé la fuite.

— Combien avons-nous perdu? demanda-t-il.

— Six mille litres, commandant.

— Est-ce que l'essence continue à couler?

— Non, commandant. C'était une fissure le long d'une soudure. Le niveau est maintenant juste au-dessous et si le dirigeable reste stable, ça ne devrait plus couler.

— J'envoie un mécano, prévint Rosendahl, qui verra s'il peut faire une réparation provisoire.

— Bien, commandant.

Rosendahl se tourna vers Dresel.

— Il faut ventiler les vapeurs d'essence, dit-il. Voulez-vous vous en occuper?

— A vos ordres, commandant, fit Dresel.

L'*Akron,* dont seul le moteur numéro sept était utilisé, se traîna pendant toute la durée de la ventilation.

Une heure plus tard, la situation s'améliorait : les épaisses vapeurs d'essence au poste de contrôle se dissipaient et Dresel signalait que la quasi-totalité de l'essence s'était évacuée de la coque par les interstices de l'enveloppe. Le pire semblait être passé.

— Commandant, annonça par téléphone le radio, San Antonio signale des orages.

Rosendahl regarda devant lui : les nuages noirs menaçants étaient encore à des kilomètres et pour l'instant on ne voyait à l'extrémité de l'*Akron* que quelques petits nuages blancs rebondis comme des balles de coton. Là-dessus, ses poils se hérissèrent sur ses bras.

— Fichtre ! dit-il quelques secondes plus tard, tandis qu'un grand éclair jaillissait d'un de ces nuages à l'air inoffensif pour frapper la terre. Toute l'atmosphère est chargée d'électricité.

Dresel regagna le poste de contrôle.

— On a ventilé du mieux possible, annonça-t-il. Ce qui reste devra s'évaporer tout seul.

— Nous avons un gros front nuageux devant, dit Rosendahl. J'ordonne un changement de cap vers le nord.

L'*Akron* lutta contre l'orage toute la nuit et toute la journée du lendemain.

Le mercredi 11 mai, le dirigeable atteignit San Diego.

Amarrer un dirigeable n'est pas aussi simple qu'amarrer un porte-avions : de nombreux incidents peuvent se produire et mal tourner. Les avions de l'*Akron* descendirent à travers la couche de nuages et atterrirent sans dommage ; c'était maintenant au tour de l'énorme dirigeable de tenter l'amarrage. Camp Kearney, juste à côté de San Diego, se trouve sur un plateau poussiéreux couvert de broussailles. Exposé aux rafales de vent et aux changements de température, il ne représentait pas – et de loin – la base de dirigeables idéale. Mais Rosendahl ne pouvait faire autrement, l'*Akron* n'avait plus beaucoup d'essence.

Quand Rosendahl donna l'ordre de faire descendre l'*Akron*, le brouillard et les nuages réduisaient beaucoup la visibilité. Ils étaient à moins de trois cents mètres au-dessus du sol quand Rosendahl aperçut le pylône principal. Il était 11 h 42.

— Passez-moi une amarre sur ce pylône! cria-t-il par le téléphone.

Mais tout se ligua contre eux.

La température chuta soudain de six degrés, déséquilibrant provisoirement le dirigeable. Rosendahl donna l'ordre d'orienter les moteurs vers le bas, ce qui souleva des nuages de poussière et réduisit encore plus la visibilité. L'*Akron* ne bougeait pour ainsi dire plus.

— Ouvrez à plein les soupapes d'hélium, ordonna Rosendahl.

Mais l'angle de l'*Akron* continuant de s'accroître, des sacs d'eau qui servaient de lest basculèrent et déversèrent douze mille litres d'eau sur ceux qui se trouvaient plus bas.

— Ça suffit, ordonna Rosendahl. On se dégage.

L'ordre de couper le câble retenant l'*Akron* au pylône fut transmis. Mais, des deux hommes postés sur le câble avant, l'un avait choisi la fuite en profitant de ce que le dirigeable avait piqué du nez pour se laisser glisser jusqu'au sol, et l'autre, incapable de couper un cordon d'acier de deux centimètres, lança la pince aux mécaniciens du sol en leur demandant de couper l'amarre d'en bas.

Des matelots de Camp Kearney retenaient les différentes amarres qui tombaient de la coque en attendant le moment où on pourrait les attacher aux ancres ; seul leur propre poids les maintenait au sol, mais dès l'instant où l'on eut coupé le câble, l'*Akron* reprit de la hauteur.

Le mousse « Bud » Cowart se trouva tout d'un coup suspendu à quelque six mètres du sol. Trois des matelots avaient sauté à terre sans dommage, mais avec Cowart, deux autres se cramponnaient tant bien que mal. L'un d'eux lâcha prise sous les yeux du mousse, l'*Akron* alors à trente mètres d'altitude et continuant son ascension. Cowart tourna vers le sol un regard horrifié : tandis que le premier matelot tombait comme une pierre, l'autre matelot se tenant d'une seule main lâcha juste au moment où son compagnon heurtait le sol. L'*Akron* avait atteint soixante mètres d'altitude. Le matelot tomba les bras en croix. Cowart le vit heurter la terre, rebondir puis retomber à plat ventre.

Aucun des deux ne survivrait à cette chute.

Cowart restait seul et le gigantesque aéronef continuait à prendre de l'altitude. Trouvant des poulies sur le cordage, Cowart parvint à s'improviser un siège rudimentaire tandis que l'*Akron* restait stationnaire à quatre cent cinquante mètres d'altitude. A bord, la situation redevenait normale.

— Messieurs, annonça le commandant Rosendahl au téléphone, nous avons dû renoncer à l'atterrissage mais nous avons un autre problème. Un de nos hommes d'équipage est suspendu à une amarre ; il faut le hisser à bord. Attaquez-vous à cet objectif sans brusquer les choses.

Rosendahl raccrocha et se tourna vers Dresel.

— Vous venez d'être témoin de ce qui peut vous arriver de pire, dit-il. Ne l'oubliez pas et tâchez que ça ne vous arrive pas.

— Bien, commandant, fit Dresel.

— Maintenant, prenez les commandes. Je vais voir comment le lieutenant Mayer s'y prend pour remonter ce matelot.

Du bout de sa corde, Cowart cria vers l'*Akron* :

— Quand allez-vous me remonter ?

— Ça peut prendre une heure, peut-être moins, répondit Mayer, pour bien vous assurer.

— Comment ça se présente ? demanda Rosendahl.

— On va lui passer un cordage, expliqua Mayer, et essayer de le treuiller.

Il fallut deux longues heures pour tirer enfin Cowart de sa fâcheuse position.

Sept heures après sa première tentative, l'*Akron* finit par s'amarrer à Camp Kearney.

De San Diego, l'*Akron* remonta au nord jusqu'à San Pedro. Au cours des semaines suivantes, le dirigeable devait prendre part à des exercices au large de la côte Ouest. Le 6 juin, le temps était parfait pour faire le voyage à l'est jusqu'à Lakehurst. De San Pedro à Banning, en Californie, en survolant la mer de Dalton. Puis route au sud vers Yuma, Phoenix, Tucson et Douglas, en Arizona. Ensuite, El Paso, Odessa, Midland, Big Spring et Abilene, au Texas. On passa à Shreveport en Louisiane, on traversa le Mississippi et l'Alabama. Puis escale à Parris Island, en Caroline du Sud, et enfin retour à Lakehurst.

L'*Akron* avait été absent trente-huit jours et avait parcouru plus de vingt-huit mille kilomètres.

Pour le Nouvel An, l'*Akron* accueillit son troisième commandant en dix-neuf mois : le capitaine de frégate Frank McCord. Celui-ci ne perdit pas de temps au sol : deux heures après sa prise de commandement, l'*Akron* mettait le cap sur Miami.

Durant les mois de janvier et de février, McCord effectua de nombreux vols. Le 4 mars, l'*Akron* participa aux cérémonies d'installation du président Franklin Roosevelt. Le soir même, il revint à Lakehurst où il faisait froid, un froid qui dura près d'une semaine, réduisant les heures de vol. Dès que la température le permit, McCord partit pour les climats plus chauds de Floride et des Bahamas et y poursuivit son épuisant programme jusqu'au début du mois d'avril et ses vents capricieux.

L'*Akron* décolla de Lakehurst le 3 avril 1933 à 7 h 28.

Frank McCord assurait le commandement, assisté du capitaine de corvette Herbert Wiley comme second et du lieutenant de vaisseau Dugan comme officier mécanicien. L'équipage se composait de soixante-seize hommes et officiers, parmi lesquels le contre-amiral Moffett qui voulait voir personnellement comment fonctionnait l'*Akron*.

Au décollage, la température était de cinq degrés, le baromètre au beau fixe. L'*Akron* transportait trois cent mille litres d'essence, ce qui permettait de tenir en l'air six jours alors qu'on ne prévoyait qu'une croisière de quarante-huit heures. En raison du brouillard, on venait d'annuler les opérations des avions. Tandis que l'*Akron* s'élevait au-dessus de l'aire de décollage puis virait vers l'est, un des pilotes qui garait son Curtiss au bord de la piste se retourna pour regarder l'énorme dirigeable. Quelle belle machine : son fuselage argenté était éclairé à l'avant et à l'arrière par les balises rouges et bleues du sol, tandis que ses feux de position rouges et verts donnaient à l'ensemble des airs de fête. Le pilote regarda l'aéronef s'élever. En quelques secondes, la partie supérieure du fuselage disparut presque dans le brouillard ; au bout d'une minute, on ne distinguait plus que le vague contour du bas de l'enveloppe et du poste de commande. Puis tout cela disparut à son tour.

— Cap à l'est pour Philadelphie, ordonna McCord au navigateur. La météo annonce seulement quelques nuages épars.

— A vos ordres, commandant, dit le navigateur.

Moins d'une heure plus tard, l'*Akron* passa au-dessus de Philadelphie avec une excellente visibilité. Dans la nacelle de contrôle, McCord consultait le dernier bulletin météo : un orage au-dessus de Washington, signalait-il, se déplaçait vers le nord-est dans leur direction. McCord décida d'adopter un cap est-sud-est pour éviter la perturbation ; il arriverait ainsi à temps à Newport sur Rhode Island pour les essais prévus à sept heures le lendemain.

Des essais qui n'auraient jamais lieu.

Un feu de Saint-Elme : l'aigrette lumineuse provoquée par une décharge d'électricité statique dansait au mât de pavillon du *Phœbus*. Ce phénomène, signe de graves perturbations atmosphériques, n'annonçait jamais rien d'autre qu'un très gros temps.

Le roulis du navire faisait trébucher le capitaine Carl Dalldorf. Le *Phœbus*, un pétrolier à moteur enregistré à Danzig, avait un équipage allemand. Dalldorf et ses hommes venaient de passer un superbe week-end à Manhattan, se mêlant aux ressortissants allemands qui fréquentaient les brasseries. Le *Phœbus* avait largué les amarres à quatorze heures pour Tampico, au Mexique. Depuis, il n'était pas sorti de la purée de pois, et à vingt-trois heures, les premiers éclairs commençaient à frapper l'eau autour de lui tandis que le tonnerre grondait dans le ciel.

Dalldorf jeta un coup d'œil au baromètre : il avait nettement chuté. Il s'agissait de prendre au sérieux la tempête qui se préparait.

Remonter le Delaware, à tribord vers le New Jersey, arriver près d'Asbury Park : voilà quel était l'objectif. Mais l'orage ne cessait d'avancer.

— Donnez-moi la dernière carte météo, demanda McCord peu après vingt-trois heures.

Wiley alla jusqu'au bureau météo au-dessus du poste de commande pour interroger le lieutenant Herb Wescoat. Wiley aimait bien Wescoat qui, contrairement à certains des officiers météo sous les ordres desquels il avait servi, avait au moins un vague sens de l'humour.

— Qu'avez-vous reçu ? demanda-t-il.

— Environ deux tiers de la carte, en code, répondit Wescoat en lui tendant la copie.

— Pas fameux, observa Wiley.

— Non, c'est le moins qu'on puisse dire.

— Avez-vous des recommandations à faire au commandant ? demanda Wiley.

— Je lui suggérerais de se poser le plus tôt possible.

— Je doute qu'il choisisse cette solution étant donné la présence à bord de l'amiral Moffett.

— Hum, murmura Wescoat, alors prions.

A cause de l'orage, le capitaine Dalldorf décida de prolonger son quart au-delà de minuit : une lame de fond venait – phénomène rare – de déferler par-dessus l'étrave du *Phœbus ;* cinq minutes auparavant, son second avait trouvé un matelot allongé sous la pluie dans le passage devant la timonerie ; revenu à lui, il expliqua qu'il avait agrippé une balustrade et qu'alors une décharge électrique l'avait traversé et projeté deux mètres plus loin ; il s'était assommé. Très bizarre, car la foudre passe généralement par les navires sans causer de dégâts. Dalldorf pensa que sa cargaison, des batteries de camions, accumulait une énergie telle qu'elle avait provoqué la décharge.

Quoi qu'il en soit, l'orage et l'ambiance générale dégageaient une inquiétude oppressante.

— Apportez-moi encore du café, ordonna Dalldorf à un matelot.

Puis il alluma une cigarette américaine et tira une bouffée.

Quand du 3 avril on passa au 4, la mort n'était plus qu'à quelques minutes et le salut à plusieurs milles.

Un éclair stria le ciel, éclairant l'*Akron* tel le faisceau d'un projecteur. Au même instant, la nacelle de commande fut ballottée d'un côté à l'autre.

— Lâchez du lest, ordonna le commandant McCord.

Une seconde plus tard, le timonier perdit le contrôle du gouvernail : les câbles avaient lâché. Cinq couinements retentirent dans le système électronique signalant des positions d'atterrissage. L'*Akron* cependant continuait à perdre de l'altitude.

— Lâchez encore du lest, ordonna McCord.

Là-dessus, un bruit affreux parvint de la coque. La structure du dirigeable se rompait : dans la violence de l'orage, l'aileron supérieur de l'empennage s'était détaché et la tension que cela avait provoqué sur les structures avait brisé les poutrelles. Certaines d'entre elles vinrent percer les ballonnets d'hélium. L'*Akron* se mit à fuir et continua à descendre.

Wiley regarda par un petit hublot la nacelle de contrôle tandis que le dirigeable perdait toujours de l'altitude dans l'épais brouillard. A environ soixante mètres, il aperçut les vagues.

— L'eau approche, annonça-t-il.

Personne ne répondit.

D'un bout à l'autre de l'*Akron*, tout le monde se préparait à un amerrissage. Ceux qui en avaient le temps fermèrent soigneusement leur manteau ; quelques-uns parvinrent à attraper de petits objets personnels. L'un griffonna une note pour ceux qui lui étaient chers et la fourra dans la tubulure de son hamac où on ne devait jamais la retrouver. D'autres se contentèrent d'attendre l'inévitable.

L'*Akron* s'affaissait de plus en plus, son ossature brisée, ses poumons perforés. Puis, à moins de quinze mètres au-dessus des vagues, le superbe aéronef s'arrêta et s'immobilisa un instant. Une seconde plus tard, un dernier éclair illumina l'enveloppe argentée de la coque dans une violente décharge électrique.

Comme une pierre qui tombe d'un pont, l'*Akron* plongea alors dans l'océan.

— Les lumières ont disparu, annonça la vigie.

— Vous êtes certain ? demanda Dalldorf.

— Oùi, commandant, elles viennent de disparaître derrière l'horizon.

— Un avion probablement, fit Dalldorf. Relevez notre position.

Le navigateur prit un instant pour noter des chiffres sur une feuille de papier.

— Latitude 39 degrés, 40 minutes nord ; longitude 73 degrés, 40 minutes ouest, annonçait-il quand le second déboula dans la timonerie.

— Ça empeste l'essence dans l'eau tout autour de nous.

— Parez à mettre à flot le canot de sauvetage numéro un, ordonna Dalldorf, et soyez prêts à recueillir des naufragés.

Le *Phœbus* resta jusqu'aux premières lueurs de l'aube, jusqu'à l'arrivée des garde-côtes. On remonta trois hommes à bord du navire allemand, les seuls survivants de l'accident de l'*Akron*.

II

On ne surfe pas dans le New Jersey

1986

Mon intérêt pour les dirigeables se transforma en fascination quand je réalisai que le brillant avenir qui s'ouvrait devant ce type d'aéronefs avait été considérablement terni par la fin tragique de l'*Akron*, du *Macon* et du *Shenandoah*. Je ne manquai pas, bien sûr, de me poser des questions au sujet de leurs épaves.

Un mémorial érigé dans un champ rappelle l'endroit où le *Shenandoah* s'est écrasé non loin de Nobble County dans l'Ohio. Pour retrouver l'avion Curtiss qu'il transportait alors, on rechercha le *Macon*, disparu dans l'océan à Point Sur en Californie, en 1937; à grands frais, on repéra en profondeur quelques vestiges, mais tellement endommagés et rongés par la corrosion, d'après ce que montrèrent les images vidéo de l'épave, qu'on n'en releva aucun; on les laissa reposer au fond du Pacifique.

En ce qui concerne l'*Akron*, j'aurais aimé le faire découvrir à mes lecteurs à travers le récit d'aventures captivantes; elles se bornèrent hélas! à des affrontements avec un monde impitoyable. Les archives de la bibliothèque de Washington me dirigèrent sur des navires de relevage qui avaient récupéré des fragments de l'épave, rapportés ensuite sur une péniche. Le journal de bord du célèbre *Falcon* – dont le commandant, Edward Ellsburg, avait en 1925, remonté le sous-marin *S-51*, puis participé trente ans durant à des missions sous-marines – en précisant les coordonnées de son mouillage, me mit sur la trace de l'*Akron*. Sa position était assez proche de l'endroit où l'on avait déjà trouvé des débris, à quarante-cinq kilomètres au large de Beach Haven dans le New Jersey.

Les volontaires de la NUMA, dont la plupart venaient de Long Island, se rassemblèrent à Beach Haven en juillet 1986. Nous rejoignirent Al et Laura Ecke avec leur bateau de trente-quatre pieds, le Dr Ken Kamler en tant que médecin et plongeur, Mike Duffy, un océanographe chevronné, Zeff et Peggy Loria pour régler les problèmes de logistique – ils me remplacèrent quand je dus m'occuper de ma tournée des libraires. Il y avait aussi mon vieux copain, le fidèle Bill Shea, celui qui avait tant souffert du mal de mer lors de nos périples en mer du Nord.

Nous nous retrouvâmes dans un motel sur la plage, non loin de la marina où était amarré le bateau des Ecke. La dame de la réception – près d'un mètre quatre-vingts, cheveux blonds tirés en un chignon sévère – me fixa de son regard perçant.

— Ya, gues-ce-que fous foulez?

— J'ai une réservation au nom de Cussler.

— Ya, Cussler, un bon nom allemand. Vous devez vous inscrire, déclara-t-elle en me tendant un registre. (Je signai.) Votre carte de crédit, ordonna-t-elle d'un ton sans réplique. (Elle en fit une empreinte et me la rendit non sans en avoir mordu un coin pour s'assurer de son authenticité.) Et maintenant, les instructions.

— Les instructions? répétai-je, interloqué.

— Dans les chambres sont interdits l'alcool, les soirées, les animaux, le tabac, le bruit ou la musique trop forte, les repas.

— La télé?

— Vingt-cinq *cents* pour dix minutes. Il y a une fente au-dessus du bouton.

— La salle de bains? m'informai-je dans un pitoyable effort pour la coincer.

— Si vous avez le sens de l'hygiène.

— Je peux dormir dans le lit?

Elle finit par comprendre et son visage se rembrunit.

— Si vous n'acceptez pas ces consignes, allez ailleurs.

— Mes amis sont déjà ici.

— C'est votre problème.

Je ne pus m'empêcher une dernière pique.

— A quelle heure le rassemblement pour l'appel?

— Voici votre clef. Chambre 27.

— En étage, protestai-je. Je préfère le rez-de-chaussée.

— Ici, on ne joue pas aux chaises musicales, lança-t-elle d'un ton hargneux.

Inutile d'insister, j'avais perdu : je pris mes bagages et... l'escalier. Je rangeai mes affaires et allai retrouver le reste de la bande pour dîner. Aucun des plongeurs que nous rencontrâmes n'avait entendu parler de l'*Akron*. Le temps exécrable des trois premiers jours nous interdit de quitter le port. Je me serais bien risqué – j'avais connu bien pis en mer du Nord –, mais personne, à part Bill, ne se sentait prêt à affronter des vagues de deux à trois mètres.

Beau et confortable, le bateau d'Ecke posait pourtant un problème : prévu pour de brèves excursions, il ne possédait qu'un seul moteur qui, en cas de panne, nous laisserait dans le pétrin.

Mauvais temps ou pas, le fervent surfeur que je suis se dirigea vers la plage en pensant y trouver, formées par la tempête, quelques vagues intéressantes. Mais je ne connaissais que les plages californiennes. Je n'avais jamais surfé sur la côte Est et je fus surpris de constater que l'eau m'arrivait tout juste aux genoux, comme c'est le cas depuis les Keys de Floride jusqu'à Long Island. Je regagnai donc le motel, m'assis sous un parasol au bord d'une piscine grande comme un timbre-poste et me plongeai dans le *New York Times*.

En trois jours, nous avions épuisé tous les plaisirs qu'offre Beach Haven par temps de pluie ; heureusement, le soleil finit par apparaître et notre joyeuse bande de chasseurs d'épaves par prendre la mer. Propulsé par son moteur unique, le bateau fendait les vagues telle une scie découpant du marbre ; il lui fallut quatre heures pour nous mener sur notre zone de recherche, à quarante-cinq kilomètres.

Nous arrivions à peine que le capitaine Ecke, découvrant que l'horizon noircissait et craignant une tempête, décréta le retour au port.

— Une tempête, mon œil ! protestai-je, nous arrivons tout juste.

Je discutai, suppliai, implorai tant et si bien que nous restâmes. Le gros temps, comme je l'avais d'ailleurs prédit, continua sa route vers le nord ; la mer était calme. Munis du sonar, nous commençâmes à suivre des couloirs ; quatre heures plus tard, rien, pas même une bouteille de bière, puis tout d'un coup, le sonar enregistra une anomalie – seulement un rocher de forme bizarre, déclarèrent Mike Duffy et le docteur Kamler après dix minutes d'investigation. Le sable aurait-il pu engloutir l'*Akron* ? Certainement pas car, selon les plongeurs, le fond avait la consistance du gravier et semblait parfaitement stable.

A cause des quatre heures nécessaires pour regagner le port, je déclarai que c'était tout pour la journée. Nous remontâmes l'ancre et nous rentrâmes. Nous nous étions tous donné rendez-vous pour le dîner dans un restaurant de poissons. Ecke et moi, avant de nous y rendre, prîmes un moment pour étudier les cartes : n'y avait-il pas un décalage entre les positions données par chacun des navires de relevage ? Je réalisai alors avec consternation que Harold avait par erreur converti les coordonnées figurant dans le livre de bord du *Falcon* avec une autre position obtenue par triangulation et que, par conséquent, nous nous trouvions à plus d'un mille de l'endroit où nous pensions être.

Je le fis remarquer à Harold ; il s'indigna et haussa les épaules : après tout, cette journée – perdue selon moi – avait donné lieu à une belle excursion. Comme il fournissait le bateau, je ne pus que ravaler ma colère et constater que la vie réserve parfois de mauvaises surprises.

Le lendemain matin, le temps semblant favorable, nous décidâmes une nouvelle tentative. Mais rebelote : à peine à pied d'œuvre, Harold désigna du doigt un front orageux et nous fit rentrer au port. Ces caprices commençaient à m'énerver, mais cette fois Harold n'avait pas tort : les garde-côtes nous avaient vivement conseillé par radio de trouver un abri sûr.

Nous nous engouffrions dans le chenal de Beach Haven quand la tempête arriva avec des vents de quatre-vingts kilomètres à l'heure. Harold avait atteint le nirvana. Comment peut-on tirer une telle félicité d'une navigation de huit heures, aller et retour, pour un résultat strictement nul ?

Un ciel clair et une mer calme augurèrent d'un troisième jour idyllique : en effet, entamant nos recherches aux bonnes coordonnées, nous enregistrâmes bientôt la présence de débris à vingt-cinq mètres sous notre quille. Les plongeurs se mirent à l'eau et découvrirent un fourneau de cuisine du dirigeable, ainsi que des poutrelles de duralumin tordues. Notre enthousiasme renaissait soudain.

Le lendemain matin je dus prendre l'avion, appelé par la campagne de promotion de mon dernier livre. Mais ma merveilleuse équipe se remit à l'ouvrage sans moi ; Zeff Loria maniait le sonar et eut tôt fait de repérer l'empennage inférieur du dirigeable reposant au fond. Les plongeurs explorèrent une partie du champ de débris qui s'étendait sur plus de deux cents mètres et découvrirent des amoncellements de poutres tordues et des morceaux de carcasse à demi enfouis. Aucune trace d'avion – il n'y en avait pas à bord de l'*Akron* quand il s'était écrasé en mer. On retrouva intacts quelques objets du grand zeppelin dont la coque ne mesurait que trente mètres de moins que celle du *Titanic*. Malgré une carrière brève, il avait, ainsi que ses jumeaux, laissé une impression durable dans l'histoire des aérostats, sans réussir pourtant à représenter une étape importante dans l'évolution du transport aérien, la plupart ayant connu un destin tragique. Aujourd'hui, on a localisé les épaves de l'*Akron*, du *Macon* et du *Shenandoah*. Je souhaite qu'un jour des archéologues professionnels reviennent sur le site de l'*Akron*, récupèrent les objets qui s'y trouvent et les exposent dans le musée de Lakehurst dans le New Jersey.

Avant de clore ce chapitre, je voudrais raconter une très étrange histoire qui concerne l'*Akron*. Il était prévu que, peu après son lancement, le dirigeable survolerait une rencontre de football à Huntington en Virginie-

Occidentale. C'était le 10 octobre 1931. Sous les yeux de milliers de spectateurs, un énorme zeppelin croisa au-dessus de l'Ohio, approcha à une centaine de mètres à peine du stade, puis soudain se ratatina avant de s'écraser au sol. On vit même plusieurs hommes s'échapper en parachute. Les sauveteurs se précipitèrent, mais c'est en vain qu'ils fouillèrent minutieusement le sol : à leur grande stupéfaction, ils ne trouvèrent pas la moindre trace de l'*Akron*, de victime ou d'épave. On apprit par la suite que le survol du stade par le dirigeable avait été annulé et que non seulement l'*Akron* ne s'était pas écrasé sous les yeux d'une foule de spectateurs de bonne foi, mais qu'il volait à cet instant à plus de cent cinquante kilomètres de là ; par ailleurs, aucun autre aérostat n'était signalé disparu.

Ce phénomène extraordinaire n'a jamais été expliqué.

Treizième partie

Le *PT-109*

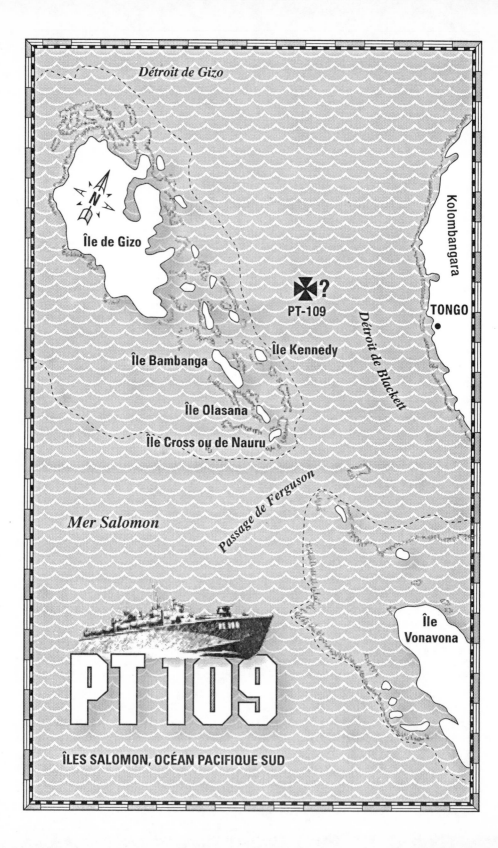

I

Le *PT-109*

1943

Ils avaient encore devant eux une journée entière de moiteur tropicale, de touffeur déprimante ; même la perspective de passer la prochaine nuit au port ne parvenait pas à les réconforter. L'équipage du *PT-109,* abruti par l'épuisement, en avait assez de se battre.

Les hommes rêvaient de flambées dans l'âtre, de brises rafraîchissantes.

— Il y a peut-être encore un peu de pain quelque part, dit Raymond Albert. (Il était d'Akron dans l'Ohio : âgé de vingt ans, il avait toujours faim.)

— Pour faire des sandwichs de corned-beef ? suggéra le radio John Maguire.

— Non, assez de corned-beef, protesta Albert. Tirons quelques dorades et nous ferons des sandwichs au poisson.

Là-dessus, on entendit dans la crique où mouillait le *PT-109* le bruit d'un canot à moteur qui approchait. Assis à l'arrière se tenait le maître d'équipage, un homme mince, aux cheveux roux, qui arborait d'ordinaire un large sourire ; cet après-midi, pourtant, il ne souriait pas.

— Kennedy apporte peut-être des vivres frais, fit Maguire avec espoir.

— Certainement pas, rétorqua Albert, il n'a pas l'air content.

Le *PT-109* paraissait usé ; les années n'en étaient pas responsables car il avait été lancé en juillet 1942, juste un an auparavant, dans les eaux polluées près du chantier de Bayonne dans le New Jersey ; c'était alors un pimpant petit bateau de quatre-vingts pieds avec une coque en contreplaqué fourni par ELCO, l'Electric Boat Company. On l'avait d'abord affecté au centre d'entraînement des vedettes de Melville, à Rhode Island, avant de lui faire franchir le canal de Panama à bord d'un transport militaire. Il avait fini par se retrouver à Nouméa, dans le Pacifique Sud, puis dans les îles Salomon pour participer aux engagements près de Guadalcanal. Propulsé par trois moteurs Packard de douze cylindres et armé de quatre tubes lance-torpilles, il était peint dans un vert sombre qui lui permettait de se cacher sous le feuillage entre chaque patrouille.

John F. Kennedy en avait pris le commandement à la fin de son entraînement à Melville, en avril 1943.

La base du *PT-109* avait été baptisée Todd City en l'honneur de Leon E. Todd, le premier tué des matelots des PT-boats mouillés à Lumberi, sur l'île de Rendova : à l'est la mer des Salomon, à l'ouest l'île de la Nouvelle Géorgie. Au nord, l'île Gizo et sa base japonaise face au détroit de Blackett dominé sur le versant occidental par les hautes forêts de Kolombangara. Rendova, quasi déserte jusqu'à l'installation de la base navale, était cernée par la jungle alentour : des perroquets aux couleurs vives volaient d'un cocotier à l'autre, les noix qui pourrissaient à leurs pieds servaient de terrain de jeux aux lézards ; mouches et hannetons tourbillonnaient dans la lumière et, au coucher du soleil, cédaient la place aux chauves-souris et aux oiseaux nocturnes ; la mer qui baignait Rendova était tiède et grouillait de poissons tropicaux se faufilant parmi les nombreux récifs coralliens.

Le paradis, en somme, à ceci près que, non loin de là, la guerre faisait rage.

Le lieutenant John Fitzgerald Kennedy, serrant sous son bras le dossier contenant les ordres et le déroulement des opérations, sauta du canot. Ce bel homme de vingt-six ans avait passé son enfance dans le Massachusetts ; il avait ensuite fréquenté, entre autres établissements, Choate puis Harvard dont il était sorti diplômé. Fils de l'ancien ambassadeur à la Cour de St. James, Joseph Kennedy, il n'avait pas grand-chose en commun avec les hommes qui servaient sous ses ordres ; pourtant ils trouvaient leur pacha plutôt sympa et facile à vivre.

Véritable tyran quand c'était nécessaire, il savait composer avec des règlements, selon lui, parfois arbitraires ou absurdes, et s'efforçait à une discipline raisonnable. Il se préoccupait surtout de garder son équipage en état d'alerte. Autre détail qui lui valait la sympathie de ses hommes : charger une cargaison, gratter la tôle ou la repeindre, aucune tâche ne le rebutait. Bref, il soutenait la comparaison avec ses collègues : Kennedy figurait parmi les préférés.

— Rassemblement, dit Kennedy en escaladant la passerelle. J'ai nos ordres.

Carrure de footballeur, cheveux clairs et barbe blonde, l'enseigne Leonard Thom, de Sandusky dans l'Ohio, faisant fonction de second, appela les matelots qui se reposaient sur leur couchette ; une fois l'équipage réuni sur le pont, il se tourna vers Kennedy.

— Commandant, les hommes sont rassemblés, annonça-t-il de sa voix énergique et chaleureuse.

Kennedy le remercia, puis déclara :

— Ce soir, nous devons faire une sortie.

— Merde, marmonna quelqu'un.

Les hommes ronchonnaient en se dispersant, mais au bout du compte, ils acceptaient la tâche que leur imposait la guerre ; ils accompliraient leur devoir.

Pourtant, ils ne pouvaient imaginer ce qu'ils allaient affronter.

— En marche, ordonna le lieutenant Kennedy peu avant seize heures ce 1er août.

Le premier des trois moteurs Packard gronda et démarra. Dans la chambre des machines, le mécanicien de première classe Gerald Zinser attendait qu'on donne l'ordre d'embrayer.

A la barre, Kennedy emballa le moteur puis le régla au ralenti ; satisfait du ronronnement qu'il entendit, il donna l'ordre d'embrayer. Puis il dirigea lentement le *PT-109* vers le chenal. Le soleil, bas sur l'horizon, teintait d'une lueur orangée la légère brume qui baignait les pics de Rendova.

Le matelot de seconde classe Raymond Albert se tenait sur la plage arrière d'où il observait la fuite des crabes au passage de la bruyante vedette. Au-dessus de lui, quelques perroquets verts s'envolèrent puis se dirigèrent soudain vers le refuge qu'offraient les palmiers.

L'enseigne George Ross, ami de Kennedy, ne se trouvait à bord du *PT-109* cette nuit-là que parce que le *PT-166* dont il était le second avait accidentellement été coulé par un tir américain le 20 juillet précédent ; sans bateau, il voulait pourtant participer à l'opération. Kennedy lui proposa de procéder aux essais du vieux canon antichar de trente-sept millimètres qui lui avaient été demandés. Ross examinait la pièce sommairement fixée sur des planches de l'avant-pont et craignait qu'elle ne succombât à la première salve. Il ne pouvait rien faire de mieux pour l'instant, aussi se mit-il à contempler la mer.

A cinquante mètres devant, des dauphins sautaient et dessinaient des

327

arcs de peinture grise ruisselante. A bâbord, un banc de menu fretin faisait bouillonner l'eau et, à tribord, l'aileron fugace d'un requin que Ross, regardant à nouveau, ne retrouva pas.

— Enseigne Thom ! cria Kennedy au-dessus du fracas des machines.
— Commandant, fit Thom en s'approchant de l'échelle menant à l'entrepont.
— Descendez dire à Zinser que le moteur trois m'a l'air un peu mou.
— Bien, commandant, dit Thom en descendant. Le commandant signale que le numéro trois a l'air mou ! cria-t-il pour dominer le vacarme.

Zinser s'essuya les mains avec un chiffon et désigna un récipient en verre accroché à une machine.

— Ça a l'air d'aller maintenant, répondit-il. Il y avait des saletés dans le carburant. (Thom repartait quand Winser ajouta :) Monsieur Thom ?

Thom se retourna en souriant vers Zinser.

— Oui, Zinser ?
— On va se battre ce soir, n'est-ce pas ?

Les matelots respectaient Thom car il était aussi ouvert et aussi franc avec l'équipage que le permettait le règlement.

— Il paraît que le Tokyo Express va passer, on va essayer d'en couler quelques-uns.

Zinser hocha la tête.

— Quelle chance pour la perm de demain soir ?
— Difficile à dire, répondit Thom. Je crois que ça dépend de ce qui se passera ce soir.

Sans le savoir, il avait vu juste.

Thom regagna la timonerie et toucha l'épaule de Kennedy.

— Zinny avait des saletés dans le carburant.
— Oui, dit Kennedy, ça s'est arrangé.

Thom leva les yeux vers le ciel. Les dernières lueurs du jour disparaissaient derrière le sommet lointain. Il vérifiait une fois de plus combien la nuit tombe vite dans les îles Salomon : le soleil amorce son déclin puis, en moins d'une demi-heure, apparaissent les premières étoiles, comme si on avait tourné un commutateur.

— La nuit sera claire, commandant, observa Thom.
— C'est mieux pour la chasse, répondit Kennedy.

L'équipage du destroyer japonais *Amagiri* était tendu car il se savait traqué : quelque part dans la nuit rôdaient ces maudits petits bateaux américains. Ces rapides vedettes d'attaque à la coque en contreplaqué qui surgissaient brusquement et disparaissaient aussi vite, pratiquaient une forme de guerre maritime étrange et nouvelle à laquelle les marins japonais n'étaient pas entraînés ; ils se conformaient encore au vieux principe stipulant que les navires ouvrent le feu quand l'ennemi est en vue et supportaient mal ce jeu de cache-cache dans l'obscurité.

A vrai dire, les *PT* n'avaient pas causé de gros dommages : leurs torpilles manquaient de précision et leurs canons devaient, pour être efficaces, se trouver près des navires du Tokyo Express au risque de devenir à leur tour une cible. Mais quand même, ils étaient là dans l'obscurité, surgissant sans crier gare puis filant à toute allure.

Le canonnier Hikeo Nisimura ajusta la jugulaire de son casque et regarda à bâbord. De l'endroit où il était, derrière le canon d'avant, il avait une vue imprenable sur le secteur que traversait l'*Amagiri*. Ce soir-là, le sommet du pic de l'île de Kolombangara était enveloppé dans les nuages ; le soleil disparut à l'horizon et le pic prit une coloration violette comme si un géant venait de renverser de la confiture de prune.

Et puis, bien qu'il fît plus de vingt degrés, Nisimura se sentit frissonner.

Dans la timonerie de l'*Amagiri*, le capitaine de corvette Kohei Hanami consulta la carte, puis ordonna de monter la vitesse à trente-cinq nœuds ; Hanami, rigoureux, l'avait calculée avec précision : son navire transportait neuf cent douze soldats et près de cent tonnes de ravitaillement destinés à l'aérodrome de Munda où l'armée japonaise livrait un combat désespéré contre les marines américains. Son rôle consistait à rallier la base de Vila sur Kolombangara, d'y décharger soldats et ravitaillement, puis de regagner sa base avant le lever du jour.

L'enseigne Ross revint vers l'arrière. La flottille faisait route au nord par le passage de Ferguson ; à tribord, à peine visibles, les contours de l'île de Vonavona. Ross s'arrêta un moment, les mains sur les hanches, et huma l'air : il y décela le sel, la mer, la moisissure et les champignons, le jasmin, le tilleul et l'âcre odeur des racines de palétuviers.

Ross prit une nouvelle inspiration qui lui apporta des relents de haricots au four, de lard frit. Haricots et corned-beef seraient donc au menu. Pourvu que le cuisinier ait du jus de citron en poudre pour rendre leur eau chlorée buvable.

Il rejoignit Kennedy derrière la barre et lui dit en souriant :
— Jack, le dîner sera bientôt prêt, semble-t-il.

Kennedy ajusta son gilet de sauvetage orange.
— J'ai du mal à maîtriser mon impatience, Henry, ironisa-t-il.
— J'ai vérifié le canon de trente-sept, il est prêt à tirer.
— Marney est dans la tourelle avant ? s'assura Kennedy.
— Oui.

— C'est un brave gars du Massachusetts, précisa Kennedy, de Chicopee exactement.

— Je lui ai parlé, il m'a dit qu'il était nouveau dans ton équipe.

— Oui, fit Kennedy. Starkey, Marney et Zinser dans la chambre des machines sont tous nouveaux.

— Que penses-tu d'eux ?

— De bons éléments. Prêts à se battre.

— Tant mieux, fit Ross, parce que j'ai l'impression qu'ils vont bientôt en avoir l'occasion.

Kennedy hocha la tête et fixa la nuit noire.

— Moi aussi, Henry. Moi aussi.

Il était 21 h 30.

La flottille japonaise – les destroyers *Amagiri*, *Arashi*, *Hagikaze* et *Shigure* – faisait route vers le sud pendant que patrouillaient dans les parages quinze vedettes PT travaillant en petits groupes ; le *PT-109* opérait avec le *PT-157*, le *PT-159* et le *PT-162* de la division B.

Les radars équipaient depuis peu quelques-unes des vedettes ; bien que capricieux, peu fiables et soumis à l'interprétation de l'opérateur, ils offraient – quand ils fonctionnaient – à ces patrouilles lancées essentiellement au hasard une certaine marge de sécurité et de réussite.

A bord du *PT-159*, l'opérateur fixait la lumière verdâtre de l'écran.

— Contact radar, quatre barges possibles, trois milles de distance, le long de Kolombangara, cria-t-il soudain au capitaine.

Le commandant effectua alors un va-et-vient entre l'écran radar et le pont d'où il scrutait l'obscurité ; à peu près certain, malgré l'imperfection de ces observations, d'avoir affaire à des barges, il donna l'ordre de tirer.

Il s'agissait en fait des quatre destroyers japonais qui accueillirent le *PT-159* par le tir de leurs grosses pièces. Ignorant la réelle identité de sa cible, le commandant lança deux torpilles ; malheureusement, il choisit de respecter le silence radio et de ne pas alerter les autres vedettes ; les torpilles manquèrent leur but et la flottille japonaise continua sans dommage vers le sud.

Les eaux autour de Kolombangara grouillaient de bâtiments de toutes sortes, tant japonais qu'américains qui se livraient une guerre tout à fait particulière, une guerre solitaire où attendaient, observaient et rapportaient des acteurs comme le lieutenant Arthur Reginald « Reg » Evans.

De son campement rudimentaire – une simple hutte de bambou – installé sur une hauteur de Kolombangara, ce brave Australien armé en tout et pour tout d'une longue-vue, de jumelles et d'un poste de radio, accomplissait sa tâche – solitaire, dangereuse et sans grandeur : il appartenait au Service des garde-côtes que la marine australienne avait fondé lors de la Première Guerre mondiale pour la surveillance des côtes en recrutant des pêcheurs, des commandants de port et des postiers chargés d'avertir par télégramme de toute activité suspecte. Fructueuse, cette initiative fut élargie quand éclata la Seconde Guerre mondiale : des hommes furent déposés sur des îlots du Pacifique Sud ; ils signalaient tout mouvement de navires et d'avions, recrutaient des indigènes pour lutter contre les Japonais et fournissaient aux forces alliées des rapports météo.

Les Japonais connaissaient leur existence et les traquaient avec des chiens.

Reg Evans but une gorgée de thé et contempla l'eau noire. Il ne se doutait pas qu'il s'apprêtait à jouer un rôle capital dans le sauvetage d'un homme qui, un jour, serait élu président des États-Unis.

L'*Amagiri* arriva au large de Vila aux premières heures du 2 août. Le commandant Hanami ordonna de jeter l'ancre puis attendit que barges et péniches de débarquement fussent groupées autour de sa coque. Des soldats se rassemblèrent sur le pont puis descendirent en bon ordre dans les embarcations tandis que les matelots commençaient à emplir de caisses et de cartons les filets de charge que les treuils descendaient jusqu'aux péniches. Hanami arpentait les ponts avec impatience : plus la manœuvre durait, plus lui et ses hommes couraient le risque de n'être plus que des cadavres flottant dans l'eau quand le soleil se lèverait.

Vingt minutes s'écoulèrent.

— Le débarquement des soldats est terminé, annonça enfin un officier, et celui du ravitaillement l'est presque.

— Arrimez les filets et donnez l'ordre de lever l'ancre, déclara Hanami. Je veux être à quai à Rabaul avant le jour.

L'officier salua et partit vers l'avant tandis que Hanami se dirigeait vers la timonerie.

Il n'était pas tout à fait une heure ce 2 août quand le lieutenant Kennedy tourna à bâbord la barre du *PT-109*, dans le sillage du *PT-162* et du *PT-169* au large de Kolombangara. Les trois vedettes faisaient route vers l'ouest à petite vitesse et cherchaient une cible. Elles franchirent lentement le détroit de Blackett et mirent le cap sur l'île de Gizo. Depuis que, quelques heures plus tôt, le *PT-159* et le *PT-157* avaient tiré des torpilles sur la flottille japonaise, la nuit avait été calme. Kennedy accéléra pour se rapprocher des deux autres embarcations puis rompit le silence radio pour proposer d'intercepter le reste de la flotte de Rendova. Les deux autres commandants acceptèrent. Le *PT-109* vira de bord pour repasser le détroit de Blackett et fit route à petite allure vers le passage de Ferguson.

*
* *

L'*Amagiri* était engagé dans le détroit de Blackett. Mal à l'aise comme toujours dans ce passage resserré, le commandant Hanami scrutait les ténèbres ; si les vedettes américaines s'avisaient de lancer une attaque coordonnée...

— Timonier, quelle est notre vitesse ? demanda-t-il au maître Kazuto Doi.

— Trente nœuds, commandant.

— Montez à trente-cinq, les autres navires prennent de l'avance.

Doi donna l'ordre et l'*Amagiri* prit peu à peu de la vitesse.

Le capitaine Yamashira, le second de l'*Amagiri*, consulta la carte.

— Nous arriverons dans dix minutes environ dans le golfe de Vella.

Comme Hanami, Yamashira préférait la haute mer.

Dans la nuit noire, l'étrave de l'*Amagiri* traçait dans l'eau un sillage phosphorescent.

Juste devant, le *PT-109* tournait au ralenti sur un seul moteur. Le lieutenant Kennedy tendait l'oreille, guettant le bruit des autres vedettes ; il crut entendre un son venant du sud, mais difficile à repérer avec exactitude car il se répercutait entre la montagne de Kolombangara et les îlots à l'ouest. L'oreille tendue, Kennedy promenait son regard sur le pont du bateau.

A l'avant, près du canon de trente-sept millimètres, l'enseigne Ross ; devant lui, dans la tourelle avant, Harold Marney, dix-neuf ans, qui malgré sa formation de mécanicien, était de service sur le pont ; la tourelle arrière était manœuvrée par un Californien de vingt-neuf ans, Raymond Starkey.

A la droite de Kennedy, Maguire ; à sa gauche, Thom, allongé sur le pont ; juste derrière le poste de pilotage, Edgar Mauer s'efforçant de percer l'obscurité : faisant également fonction de cuisinier, il servait comme matelot à bord du ravitailleur *Niagara* quand celui-ci, torpillé, avait coulé ; cette expérience lui avait suffi, aussi observait-il la mer avec attention.

Deux hommes d'équipage de repos, Andrew Jackson Kirksey et Charles Harris, somnolaient sur le pont. Raymond Albert, matelot de seconde classe, avait pris le quart au milieu du navire et Gerald Zinser un peu plus loin, tandis que William Johnston, machiniste d'origine écossaise, dormait près du panneau d'écoutille arrière.

Dans l'entrepont se trouvait l'aîné de l'équipage, Patrick McMahon dit « Pappy », trente-sept ans, chargé de l'entretien des machines. A cet instant, il contrôlait le débit de l'eau de mer qui, en se déversant sur les moteurs, régulait la température ; il tâta un collecteur, puis s'essuya la main et se concentra sur les bruits de la machinerie. Quelque chose n'allait pas, mais impossible de savoir quoi ; il grimpa alors sur un générateur auxiliaire pour consulter un cadran.

Ce bruit insolite allait lui sauver la vie.

Tandis que l'*Amagiri* fendait l'eau dans l'obscurité, le commandant Hanami arpentait le pont de la timonerie. Il savait – il sentait – l'ennemi non loin de là, mais jusqu'à présent du moins, personne n'avait attaqué.

— Vaisseau à tribord, annonça soudain la régie.

— Pièces du pont, prêtes à tirer, ordonna Hanami au moment où, regardant par le hublot, il aperçut la vedette. (L'*Amagiri* fonçait droit dessus et ses canons, trop proches, n'atteindraient pas leur cible.) A bâbord toute ! cria-t-il. (S'il s'éloignait de la vedette, cela donnait à celle-ci une chance de se placer pour tirer une salve et s'il ne coulait pas ce bateau, son équipage en subirait les conséquences.)

L'horizon dégagé un instant plus tôt était maintenant obstrué par un énorme navire qui avait, comme par magie, surgi de l'obscurité, laissant l'espace d'une seconde l'équipage sans réaction.

S'esquiver – et sans tarder – était pour Kennedy la seule chance de sauver l'équipage du *PT-109* : il mit pleins gaz.

Dans la chambre des machines, Pappy McMahon entendit que l'un des moteurs s'emballait mais, comme on n'avait pas embrayé, il n'avait aucun moyen d'enclencher une vitesse sans faire sauter la boîte.

L'espace de quelques secondes, le *PT-109* offrit une cible facile.

Les serveurs de l'*Amagiri* n'arrivaient pas à braquer leurs canons assez bas pour tirer une salve.

— Droit sur la vedette, ordonna Hanami au timonier.

Par le hublot de tribord, Hanami distingua deux hommes blonds à la barre du PT et un troisième s'affairant sur une pièce d'artillerie.

Ross essaya de faire fonctionner le canon de trente-sept mais il n'en eut tout simplement pas le temps. Kennedy, qui venait de réaliser qu'il n'avait pas mis les gaz sur le bon moteur, tira la manette en arrière, mais trop tard. La coque métallique du destroyer japonais attaqua le bois de la vedette aussi facilement qu'une machette sectionne une branche.

Dans la tourelle avant, Marney vit l'*Amagiri* approcher, quelques secondes seulement avant d'être broyé par l'étrave ; nouveau venu dans l'équipage, il trouva la mort dans les eaux tièdes du détroit de Blackett à des milliers de kilomètres de sa ville natale de Chicopee. Quant à Andrew

Jackson Kirksey qui dormait sur la plage arrière à tribord, il parvint seulement à se soulever sur ses coudes ; il laissait derrière lui une épouse et un jeune fils. On ne retrouva jamais leurs corps.

Pappy McMahon identifia le moteur concerné mais, au même instant, il se retrouva sur le plancher ; il aperçut une langue de feu aussitôt suivie d'une forme noire qui balayait la chambre des machines, et sentit le contact de l'eau ; c'est quand il essaya de se redresser qu'il réalisa, incrédule, qu'il regardait la mer de l'arrière du navire. Puis il perçut l'odeur du feu et enfin la douleur.

Le commandant Hanami sentit à peine un frémissement quand l'*Amagiri* traversa la vedette.

— Allez voir les dommages ! cria-t-il à son second, puis il s'adressa au maître Doi. Réactions ?

— Juste une légère vibration, commandant, répondit Doi.

— Réduisez la vitesse à trente nœuds et voyez si ça s'arrange, ordonna Hanami avant de noter sur le livre de bord les détails de la collision.

Alourdi par le poids d'un moteur, l'arrière du *PT-109* plongeait dans l'eau noire.

Pappy McMahon, brûlé par un jet de flammes, entraîné, telle une toupie, dans les turbulences de l'hélice du destroyer et empêtré dans un gilet de sauvetage abîmé, se débattait pour remonter à la surface ; il y parvint enfin mais pour se trouver cerné par une mer d'essence enflammée.

L'enseigne Thom, Albert, Zinser, Harris, Starkey et Johnston avaient été précipités à l'eau au moment de l'attaque ; Kennedy, Maguire et Mauer étaient restés sur l'avant du *PT-109* miraculeusement encore à flot ; Henry Ross avait supporté le choc sans quitter le pont mais, pensant que l'eau offrait davantage de sécurité, il avait sauté ; il comprit rapidement son erreur : asphyxié par les vapeurs d'essence, il s'évanouit et dériva, soutenu par son gilet de sauvetage orange.

— Sautez, ordonna Kennedy à Maguire et Mauer, le bateau risque d'exploser.

Les trois hommes s'éloignèrent à la nage et attendirent que les remous de l'*Amagiri* et les violents courants du détroit de Blackett eussent entraîné le brasier au loin pour regagner l'épave du *PT-109*. La vedette dérivait, étrave en l'air et arrière immergé ; elle flottait, mais pour combien de temps encore ?

— Essayez de retrouver le clignotant, demanda Kennedy à Mauer qui entreprit aussitôt de fouiller dans les débris.

— Je l'ai trouvé, commandant, s'exclama-t-il en montrant le tube métallique enfermant la lampe électrique utilisée pour envoyer des signaux

— Grimpez sur l'étrave aussi haut que possible et signalez-nous aux autres membres de l'équipage.

— Que voulez-vous que je fasse? demanda Maguire.

— Aidez Mauer et vérifiez qu'il n'y a personne par là, dit Kennedy en enlevant ses chaussures et sa chemise. Je plonge pour voir s'il y a quelqu'un à remonter.

Perché sur un des sommets de Kolombangara, Reg Evans scrutait la mer avec ses jumelles.

Au nord de l'île de Plum Pudding et à l'ouest du détroit de Blackett, il apercevait un coin de mer enflammée. Evans nota la position, puis s'allongea sur son lit de camp pour se reposer quelques heures.

A peine Kennedy s'était-il mis à l'eau dans le noir que Mauer et Maguire commencèrent à entendre de faibles appels.

— Au secours! au secours! criait Zinser. Je crois que l'enseigne Thom se noie.

Maguire, malgré sa répugnance à plonger dans l'eau saturée d'essence, saisit un cordage, l'attacha à la coque du *PT-109* et se laissa glisser.

Ross revint à lui mais il lui fallut quelques minutes pour retrouver complètement ses esprits et comprendre pourquoi il flottait dans l'eau noire. Apercevant deux hommes non loin de lui, il nagea jusqu'à eux.

— Thom délire, le prévint Zinser. On dirait qu'il lutte contre quelqu'un.

— Lenny, c'est Barney, annonça Ross avec douceur en passant derrière lui pour l'entourer de ses bras.

Maguire, auquel le cordage attaché au *PT-109* donnait un vague sentiment de sécurité, malgré les vertiges causés par les vapeurs d'essence, rejoignit le trio.

— Je suis relié au bateau par un bout, les rassura-t-il.

Se guidant sur le clignotant, ils progressèrent lentement vers la carcasse de la vedette.

De son côté, Charles Harris, gêné par une vilaine blessure à la jambe, nageait tant bien que mal vers le corps qu'il venait de repérer : il reconnut Pappy McMahon qui semblait grièvement brûlé et sur le point de s'évanouir; il se cramponna à lui.

— Par ici, lieutenant! MacMahon est blessé! cria Harris répondant à l'appel de Kennedy.

— Et vous? s'enquit Kennedy.

— Je suis touché à la jambe, mais j'arrive quand même à nager.

— Je me charge de Pappy, dit Kennedy. Suivez-nous.

Kennedy empoigna le gilet de sauvetage de McMahon et entreprit de le tirer jusqu'à l'épave du *PT-109*. Harris, choqué, sa jambe inerte, avait du mal à suivre : quand son lieutenant eut disparu avec McMahon, il songea à renoncer et à s'abandonner aux flots tièdes et bienfaisants. Il se résignait à la mort ou à la capture par les Japonais quand Kennedy réapparut et l'empoigna.

Thom avait regagné la vedette et retrouvé quelque énergie. Dès qu'il se sentit assez fort, il saisit le cordage et retourna dans l'eau, son sens du devoir l'emportant sur la peur et lui faisant oublier qu'il était un piètre nageur, épuisé de surcroît.

William Johnston avait avalé beaucoup d'essence ; il avait vomi jusqu'à en avoir des convulsions et maintenant il frissonnait. Il entendit Thom lui crier de nager jusqu'au bateau mais, à bout de forces, il préférait à l'idée de la mort quelques brasses supplémentaires.

— Allons, Bill, dit Tom en arrivant à sa hauteur, on retourne au bateau.

— Bateau ? murmura Johnston à Thom qui l'attrapait par son gilet de sauvetage pour le remorquer.

Raymond Starkey ressentait, même dans l'eau, les brûlures de ses mains et de ses bras ; le courant l'entraîna à proximité d'une forme sombre. Tendant l'oreille, il entendit des voix.

— Ohé ! cria-t-il.

— Par ici ! lui répondit-on. (Il distingua dans l'eau près de l'épave Kennedy qui ajouta :) Grimpez là-dessus.

Starkey fournit pour se hisser un effort tel qu'il s'évanouit.

Kennedy recensa alors ses hommes : Kirksey et Marney manquaient.

Les heures passèrent et le ciel commença à s'éclaircir. Le soleil en se levant révéla une situation plutôt inquiétante.

Au même moment, Reg Evans allumait un petit feu pour préparer son thé ; puis il reprit ses jumelles pour inspecter le détroit de Blackett : il découvrit une épave flottant sur l'eau et braqua sa longue-vue sur le secteur. Probablement une barge japonaise, pensa-t-il, dont il signala la présence à sa base en Nouvelle Géorgie. Trois heures plus tard, on lui annonçait que le *PT-109* avait été touché la nuit précédente.

La lumière qui émergeait derrière le principal sommet de Kolombangara, et qui permit aux rescapés de la vedette de se voir et de distinguer les parages, les soulagea un peu en concrétisant une situation irréelle : la plupart d'entre eux s'en étaient tirés, du moins pour le moment... Ils ne tardèrent pas à réaliser qu'ils flottaient au beau milieu du secteur ennemi.

— De quoi disposons-nous pour affronter les Japs si le cas se présente ? demanda Kennedy.

L'inventaire fit état d'un arsenal plutôt maigre : six colt .45, le P.38 de Kennedy, deux couteaux et un canif !

Juste avant le déjeuner, Reg Evans signala par radio que la carcasse était toujours à flot au large de Gizo dans le détroit de Blackett. S'agissait-il de la vedette américaine touchée la nuit précédente ? Il est possible que ce soit un PT, se dit-il. Mais sa longue-vue et ses jumelles ne grossissaient pas suffisamment et il dut se contenter de scruter l'eau et de signaler les mouvements de l'épave.

Un peu plus tard, la carcasse du *PT-109* finit par chavirer. Conscient que l'épave ne tarderait pas à couler, et ne voulant pas être pris au dépourvu, Kennedy avait mis à profit la matinée pour observer les îles voisines : ils avaient dérivé de l'île de Kolombangara vers celle de Gizo qui abritait davantage de Japonais, mais qui était proche de quelques atolls probablement inhabités.

— Les gars, allons-y, déclara Kennedy en désignant à quelques milles un îlot couvert de cocotiers. Thom et Ross, dégagez la planche sur laquelle était amarré le canon, ajouta-t-il.

La lourde pièce avait en effet rompu ses amarres lorsque l'avant avait chaviré et glissé de son support pour tomber à six cents mètres plus bas. Thom et Ross s'en servirent comme d'un radeau et flottèrent jusqu'à Kennedy.

Pappy McMahon regarda la peau boursouflée de ses bras dont les brûlures avaient été aggravées par le contact prolongé avec l'eau de mer ; de plus il était en état de choc.

— Lieutenant, dit-il à Kennedy, laissez-moi ici... Je suis foutu.

— Pas question, Pappy, refusa énergiquement Kennedy, vous allez vous en tirer.

Les hommes prirent place de part et d'autre de la planche et attendirent l'ordre de commencer les battements de pieds.

— Thom, Ross, ajouta Kennedy, restez tous groupés. Je m'occupe de Pappy.

L'équipage du *PT-109* commença alors sa lente progression vers l'îlot tandis que Kennedy nageait tant bien que mal en remorquant le blessé grâce à l'une des courroies de son gilet de sauvetage qu'il tenait entre ses dents.

Ils nagèrent des heures durant, les quatre hommes de chaque côté de la planche, l'enseigne Thom passant de l'avant à l'arrière pour maintenir leur direction et Kennedy traînant McMahon. Onze hommes au total – en plein territoire ennemi.

Le lieutenant John F. Kennedy était complètement épuisé. Le soleil se couchait derrière le sommet de l'île quand il parcourut en pataugeant les

derniers mètres qui le séparaient de la plage de Plum Pudding. Il se releva
à grand-peine, chancela puis murmura à McMahon :

— Pappy, je vérifie qu'il n'y a personne dans les parages et je reviens.

— Soyez prudent, commandant, murmura McMahon.

Kennedy traversa les coraux et la plage avant de disparaître sous les
arbres, son P.38 à la main. La végétation de l'îlot – couvrant à peu près la
moitié d'un terrain de football – se limitait à de rares palmiers, à une sorte
de pin à longues aiguilles et à des buissons constellés de fientes d'oiseaux ;
il était peuplé de milliers de crabes terrestres qui s'enfuyaient sous ses pas
et d'une chauve-souris esseulée qu'il tira de son sommeil.

Il retraversa l'îlot en frictionnant sa mâchoire endolorie ; la jugulaire de
toile dont il s'était servi pour remorquer McMahon était un peu moisie et il
avait avalé pas mal d'eau de mer ; soudain pris de nausées, il dut vomir
dans les broussailles au bord de la plage. Quand il se sentit un peu mieux,
il inspecta le détroit de Blackett : le reste de l'équipage arrivait. Les plus
grands reprenaient pied, mais les récifs coralliens les faisaient souffrir et
c'est en trébuchant que tous, tant bien que mal, gagnèrent le rivage, puis
les buissons, au milieu desquels les onze survivants s'écroulèrent.

Aussitôt informé du sort du *PT-109*, Reg Evans avait alerté ses éclaireurs indigènes, leur demandant de se mettre à la recherche d'éventuels
rescapés. Il distinguait encore l'épave mais, les courants ayant changé, elle
dérivait maintenant vers le nord en direction de l'île de Nusatupi. Lors du
dernier contact de la journée, il s'était inquiété du résultat des prospections
aériennes qu'il avait déjà suggérées. Sans réponse pour l'instant, il
s'installa pour la nuit.

*

* *

La précarité de leur situation leur apparut tout de suite car, à peine
s'étaient-ils enfoncés dans les buissons, qu'une barge japonaise avait
lentement remonté le détroit à moins de soixante-quinze mètres de leur
refuge sans toutefois les remarquer. Néanmoins l'ennemi rôdait.

Quand le danger fut dissipé, Kennedy fit signe à Ross et à Thom de le
suivre. S'éloignant de quelques mètres, les trois officiers se concertèrent.

— Bon, demanda carrément Kennedy, comment allons-nous nous tirer
d'ici ?

Ils étudièrent différentes solutions ; en réalité, elles se résumaient à
compter sur les autres vedettes de leur groupe qui, dès la nuit tombée, se
mettraient à leur recherche. Question : comment se faire repérer par les
sauveteurs en pleine nuit ?

— La seule possibilité c'est de se poster dans le chenal avec le clignotant, et comme je suis le meilleur nageur, c'est moi qui m'en chargerai, décréta enfin Kennedy.

Ses compagnons hochèrent à peine la tête, conscients de la présence de requins dans les eaux autour des îles Salomon, de la proximité des Japonais et de la violence des courants. Sans compter l'état d'épuisement de Kennedy.

— Jack, avança Ross, je ne crois pas que ce soit sage.

— Une autre solution ? s'enquit Kennedy.

La question resta sans réponse.

Après quelques heures d'un sommeil agité, Kennedy se réveilla et regarda l'eau : c'était le noir et l'inconnu. En vingt-quatre heures, sa vedette éperonnée par un destroyer japonais ayant pris feu, il avait dû guider à la nage son équipage jusqu'à une île déserte en plein territoire ennemi ; ils étaient démunis de tout, sans vivres, sans eau et quasi sans armes. La peur tenaillait autant Kennedy que les autres, mais c'était lui le chef, et il saisirait la moindre chance de les sauver, même s'il lui fallait plonger de nuit dans des eaux infestées de requins.

Son pistolet accroché par une courroie autour du cou, il s'avança dans l'eau en suivant le récif en direction du passage de Ferguson, obstrué au nord par l'île de Nauru dont l'épaisse ceinture de corail brisait les vagues à des hauteurs atteignant parfois trois mètres. Le fracas du ressac pouvait couvrir le bruit des moteurs de bateaux et obligeait Kennedy à tendre l'oreille. S'écorchant les pieds et les chevilles au corail, il avança peu à peu dans l'eau jusqu'à la poitrine, à la nage parfois ; il attendait les secours.

Il guetta des heures durant et n'agita son signal qu'une seule fois, en croyant entendre un bateau. Mais rien. Puis le soleil se leva ; Kennedy se traîna jusqu'à un petit îlot au sud de Plum Pudding et s'effondra sur le sable ; il se savait exposé à tous les regards mais, totalement épuisé, il ne bougea pas.

A quelques milles de là, deux des éclaireurs de Reg Evans, Biuku Gasa et Eroni Kumana, se réveillaient sur l'île de Sepu. Leur première préoccupation étant de signaler que, au cours de la nuit, les Japonais avaient débarqué plusieurs centaines d'hommes sur Gizo, ils mirent leur pirogue à l'eau et pagayèrent en direction de Kolombangara.

Plus petits que des Occidentaux – à peine un mètre cinquante –, minces et vigoureux, ils frappaient l'eau de leurs pagaies au rythme d'une chanson de marin qu'ils entonnèrent dans leur langue. Ils trouvèrent des débris flottant sur l'eau, ramassèrent au passage de la crème à raser, quelques vêtements kaki et une lettre qu'ils étaient incapables de déchiffrer, puis poursuivirent leur route.

*
* *

Kennedy se réveilla sous un soleil de plomb. Il testa le clignotant et le jeta aussitôt sur la plage : il l'avait laissé allumé et la pile était morte. Puis il s'orienta : il se trouvait à environ un mille au sud de l'île de Plum Pudding et, moitié marchant, moitié nageant, partit rejoindre ses hommes.

Les gardes postés pour la nuit par l'enseigne Thom ne relevèrent aucun indice concernant Kennedy. Redoutant que son ami n'ait été emporté par une vague ou dévoré par des requins, Thom s'occupa du mieux qu'il put de l'équipage. Les brûlures de McMahon s'infectaient : il demanda quelques noix de coco et tenta en vain d'alléger les souffrances de Pappy en badigeonnant ses plaies de lait de coco. De son côté, Harris s'essaya à graisser les armes avec de l'huile de coco, mais l'expérience se solda par un échec : l'huile encrassait les mécanismes et il fallut démonter toutes les armes et les nettoyer.

— Quelqu'un approche, s'exclama soudain Maguire.

Ross se précipita dans l'eau à la rencontre de Kennedy. Il l'aida à se remettre debout et le soutint quand celui-ci s'arrêta pour rendre de l'eau de mer. Parvenu à une clairière en lisière du sable, Kennedy s'effondra, articulant quelques mots à peine audibles :

— Barney, à toi de t'y coller ce soir.

— D'accord, John, répondit Ross.

La journée ne fut qu'une longue et vaine attente. Johnston et Starkey essayèrent d'attraper du poisson ; Zinser baigna ses bras brûlés dans l'eau salée mais n'y trouva aucun soulagement ; la vision de MacMahon, son camarade plus âgé qui souffrait sans se plaindre, arrêtait toute velléité de sa part de gémir sur son sort.

La surveillance de Ross s'avéra aussi infructueuse que celle de Kennedy.

Quand Ross revint de bonne heure, le lendemain matin, Kennedy avait retrouvé ses forces.

— Toujours rien, Jack, grogna Ross, écœuré. Ils ne nous recherchent pas, j'en suis sûr.

— J'ai réfléchi, c'est là-bas que nous devrions aller, déclara Kennedy à Ross et à Thom. (Il désignait l'îlot Olasana situé à environ deux milles au sud.) C'est plus près du passage de Ferguson et c'est plus grand, développa-t-il. Nous y trouverons peut-être quelque chose à manger et, en tout cas, nous n'aurions pas à nager aussi loin pour nos expéditions nocturnes.

Bien que médiocre nageur, Thom se déclara partant.

— Le récif corallien a l'air de continuer par là, dit-il, et nous permettra de marcher une partie du trajet.

— Alors, fit Kennedy, c'est d'accord. Je préviens l'équipage.

Les hommes acceptèrent favorablement cette nouvelle : la quatrième nuit qui s'annonçait serait différente des précédentes, en ce sens qu'ils auraient *quelque chose* à faire. Attendre de savoir s'ils seraient sauvés ou faits prisonniers était usant : mieux valait encore faire n'importe quoi. Ils partirent donc pour Olasana dont ils atteignirent le rivage bien des heures plus tard, retardés par un courant beaucoup plus fort qu'ils ne l'avaient prévu. Épuisés, ils se traînèrent à l'abri des arbres et personne, cette nuit-là, ne s'aventura à la nage dans le passage de Ferguson. Les secours devraient les retrouver là.

Ayant bien récupéré, Biuki et Eroni filaient sur une mer plate comme un miroir. Monsieur Evans leur avait montré à la longue-vue l'épave d'un bateau qui s'était échoué sur la côte sud de Nauru, là où les vagues se brisaient sur la barrière de corail. Ils avaient décidé d'aller voir en rentrant car il y aurait peut-être à bord des provisions ou de l'essence.

— Ça me tue de rester ici sans rien faire, maugréa Kennedy. Ross, nageons jusqu'à Nauru.

— Nos appareils devraient survoler la zone, fit Ross. Il y a peut-être une surface de sable assez dégagée pour écrire un message d'appel au secours.

Laissant à l'enseigne Thom la responsabilité de l'équipage, les deux amis gagnèrent à la nage l'îlot le plus méridional bordant le passage de Ferguson. Comme il occupait une position stratégique, Kennedy et Ross pensaient y trouver un poste japonais ; ce ne fut pourtant pas le cas. Il n'y avait aucune trace de vie, si ce n'est l'épave d'une barge probablement nippone et quelques caisses dont l'une, ô merveille ! était pleine de bonbons. Après en avoir dévoré tout leur content, ils décidèrent de partager cette aubaine avec les autres. En chemin, ils tombèrent sur deux pirogues contenant des bidons d'eau fraîche – cachés là par les éclaireurs, ce que Kennedy et Ross n'avaient aucun moyen de savoir.

Biuku et Eroni ancrèrent leur pirogue à côté de la barge ennemie pour en explorer l'intérieur ; ils y découvrirent un fusil japonais qu'ils prirent et regagnèrent leur embarcation. Ils recommençaient à pagayer quand leur regard se tourna vers Nauru.

— Regarde, chuchota Ross en montrant à Kennedy les deux hommes dans la pirogue.

— Des Japonais ?

Cette question restant sans réponse, ils préférèrent se cacher dans les buissons.

*
* *

— Des Japonais ? demanda Biuka à Eroni.

— Je ne sais pas, répondit Eroni tout en pagayant furieusement pour s'éloigner vers le détroit de Blackett au nord. Si son compagnon n'avait pas éprouvé le besoin de boire à cet instant précis, l'histoire aurait connu un dénouement très différent.

— Arrêtons-nous sur Olasana pour boire un peu de lait de coco, suggéra-t-il.

Par bonheur, Eroni, convaincu maintenant d'avoir échappé à des Japonais, acquiesça.

Sur Olasana, Thom considéra les hommes qui se rapprochaient ; malgré la distance, il crut reconnaître des indigènes. Mais pour savoir s'il s'agissait d'insulaires amis des Japonais, il prit une décision qui scellerait leur destin : il s'avança dans l'eau et les interpella ; les indigènes s'arrêtèrent et s'enfuirent au pas de course.

— Étoile blanche ! cria Thom, subitement inspiré, étoile blanche !

Les indigènes connaissaient l'emblème peint sous les ailes des avions américains et savaient en outre que secourir un pilote américain s'accompagnait en général d'une récompense.

— Américains, conclut enfin Biuku en amorçant un demi-tour. Thom les aida à cacher leur pirogue dans les broussailles puis les persuada de retourner à leur base de Rendova en emmenant Starkey. Malgré les quarante milles à franchir dans les eaux agitées du détroit de Blackett, les trois hommes prirent le départ.

Kennedy avait chargé eau et bonbons dans la pirogue et, laissant Ross monter la garde sur Nauru, il revenait à grands coups de pagaie vers Olasana pour partager son butin avec l'équipage et emmener tout le monde à Nauru. Au même moment, la tempête qui se levait obligea Biuku et Eroni, qui avaient déjà atteint le milieu du détroit de Blackett, à faire demi-tour. Chacune des deux pirogues se rapprocha de l'île et s'échoua sur la plage.

Un peu plus tard dans la nuit, Kennedy et Ross essayèrent de s'engager dans le passage de Ferguson, mais leur pirogue chavira et ils faillirent se noyer. Ils regagnèrent Nauru à la nage et, épuisés, sombrèrent dans un profond sommeil.

La nuit s'écoula lentement à Olasana pour, d'une part, les membres de l'équipage qui se méfiaient de Biuku et d'Eroni et ne les quittèrent pas des yeux (ils ignoraient leur affectation au service des Américains et craignaient qu'ils ne profitent de l'obscurité pour s'esquiver et signaler leur présence aux Japonais moyennant récompense) et, d'autre part, Biuku et Eroni qu'intimidaient ces grands gaillards armés de pistolets tout noirs (ils auraient bien voulu expliquer qu'ils ne cherchaient qu'à les aider, mais leur anglais plus que rudimentaire ne leur permettait pas de se faire comprendre) ne dormirent que d'un œil.

Quand Kennedy regagna Olasana le lendemain matin, il comprit qu'il fallait agir et, pour cela, faire confiance aux indigènes. S'armant d'un couteau, il grava sur une noix de coco le message pour la base américaine de Rendova, dont les deux éclaireurs se chargeraient :

ÎLE DE NAURU
INDIGÈNE CONNAÎT NOTRE POSITION
IL PEUT VOUS GUIDER
11 SURVIVANTS ONT BESOIN PETITE EMBARCATION

KENNEDY

Biuku et Eroni partirent aussitôt pour Rendova. Ils s'arrêtèrent à Raraman, juste le temps de montrer la noix de coco à leur chef Benjamin Kevu qui parlait anglais. Kevu en fit parvenir la teneur à Reg Evans qui avait quitté les hauteurs de Kolombangara pour l'île de Gomu. Evans, dès la réception du message de Kevu, organisa une opération de sauvetage et rédigea une réponse que sept de ses éclaireurs porteraient dès le lendemain matin à Olasana :

AU SERVICE DE SA MAJESTÉ
A L'OFFICIER RESPONSABLE ÎLE DE NAURU
VENDREDI 11 HEURES VIENS D'APPRENDRE VOTRE PRÉSENCE SUR ÎLE NAURU ET AUSSI QUE DEUX INDIGÈNES ONT ANNONCÉ LA NOUVELLE À RENDOVA. JE VOUS CONSEILLE VIVEMENT DE REVENIR ICI TOUT DE SUITE À BORD DE CETTE PIROGUE. QUAND VOUS ARRIVEREZ, JE SERAI EN CONTACT RADIO AVEC AUTORITÉS DE RENDOVA POUR QUE NOUS PUISSIONS METTRE AU POINT OPÉRATION POUR RECUEILLIR RESTE DE VOTRE GROUPE

LIEUTENANT EVANS
RÉSERVE DE LA MARINE AUSTRALIENNE

Evans chargea trois pirogues de provisions – riz, vitamine C, cigarettes, corned-beef, papayes, poisson bouilli – et de réchauds pour faire la cuisine, de bidons d'eau, d'allumettes et d'alcool à brûler. Dès leur retour auprès des naufragés, les indigènes construisirent des abris avec des palmes, firent cuire du riz et cueillirent des noix de coco dont les hommes boiraient le lait. Ils désignèrent ensuite à Kennedy la pirogue dans laquelle ils le conduiraient auprès d'Evans ; ils l'y cachèrent sous des feuilles de palmier, le rendant invisible des avions qui survoleraient le secteur.

Pendant ce temps, Biuku et Eroni avaient atteint la base de Rendova.

Il était presque dix-huit heures quand Kennedy se glissa sous les frondaisons pour serrer la main d'Evans. Celui-ci l'invita dans sa hutte rudimentaire où, séance tenante, ils mirent au point le sauvetage.

— Demandez au bateau de me prendre ici pour que je les pilote au milieu des récifs, proposa Kennedy.

— Vous en avez assez fait, répondit Evans en regardant son interlocuteur : décharné, le visage hérissé d'une barbe rousse, les lèvres et les joues rouges et couvertes de gerçures, il n'était pas au mieux de sa forme. Seul son regard brillait d'une conviction qui ne permettait aucune discussion. Pourquoi ne nous laissez-vous pas régler cela ?

— Je retourne chercher mes hommes, déclara Kennedy, c'est tout.

— D'accord, fit Evans. Je préviens Rendova par radio.

On convint que quatre coups de feu tirés en l'air signaleraient leur présence au bateau. Kennedy vérifia son P.38 : il ne lui restait que trois balles, aussi emprunta-t-il un fusil à Evans. Puis il partit avec les indigènes en pirogue jusqu'à l'îlot du rendez-vous avec les bateaux de secours. Il entendit le bruit de leurs moteurs à vingt heures et tira en l'air.

Le *PT-157* approcha et le lieutenant Cluster cria :

— C'est toi, Jack ?

— Où diable étais-tu passé ? fit Kennedy.

On le hissa à bord et Kennedy prit place sur le pont avec Biuku et Eroni qui guideraient le navire. Les vedettes foncèrent dans le chenal et une demi-heure plus tard, elles arrivaient au large d'Olasana.

— Ralentissez, dit Kennedy, et mettez un canot pneumatique à la mer. Biuku, Eroni et moi vous guiderons. Lenny, Barney, arrivez ! cria-t-il une fois la barrière de corail franchie.

L'équipage du *PT-109* sortit à découvert, croyant difficilement la fin du cauchemar.

Le canot pneumatique transporta les rescapés jusqu'au *PT-157 ;* la vedette regagna le large vers vingt-deux heures et put enfin mettre le cap sur Rendova, à près de quarante nœuds. Apparut alors, comme par miracle, une bouteille de cognac.

— Merci, dit Kennedy à Biuku et Eroni.

— Toi perdu bateau, jamais retrouver, mais toi encore numéro un, déclara Biuku en souriant.

II

Je vous garde une place dans mon cœur

2001

Craig Dirgo :

— Craig, si tu allais voir avec Dirk ce qu'il y a là-dessous, suggéra Clive.

La carte que je consultais indiquait que la profondeur de l'eau dans le détroit pouvait atteindre six cents mètres.

— Avec quel bateau ? demandai-je, prudent.

— Ne t'inquiète pas, répondit Clive. Mon fils Dirk a parlé au type qui tient le magasin de matériel de plongée : il a quelques bateaux à louer.

— Quoi d'autre ? interrogeai-je.

— Si j'étais toi, je me ferais vacciner au moins contre la malaria et la typhoïde, contre tout le reste aussi, d'ailleurs, lança-t-il, rassurant.

En cette fin de juillet 2001 – il faisait à peine quinze degrés –, j'étais assis sur la terrasse de Clive à Telluride, dans le Colorado, et nous discutions malaria et vents tropicaux, l'œil fixé sur le chapelet que dessinaient sur une carte des petites îles à l'autre bout du monde.

— Que veux-tu exactement nous faire faire ? demandai-je.

— Déterminer les endroits où il ne se trouve pas et nous amuser un peu. Voilà tout.

Clive, on le voit, se distrait d'un rien.

Quelques jours auparavant, j'avais pris l'avion de Fort Lauderdale pour Phoenix où j'avais passé la soirée en compagnie de Dirk, le fils de Clive et président de la NUMA. J'avais ensuite loué une voiture pour remonter vers

347

le nord. Les corrections sur ce livre terminées, je devais quitter Clive le lendemain matin pour rentrer à Phoenix.

— Rien d'autre ?

— Évite les casinos en Australie. Au black-jack en tout cas, conseilla-t-il, ne suis pas le système de Dirk : il croit que c'est la banque qui doit gagner.

Je les quittai aux premières lueurs du jour.

La veille du départ, nous courûmes comme des fous d'un magasin à l'autre pour acheter tout ce qui, selon nous, serait introuvable sur l'île de Gizo, celle des Salomon dont nous devions faire notre base : piles électriques, chatterton, outils divers et babioles telles que tee-shirts à offrir, sonde portative.

— Tu as pensé aux cordages ? s'inquiéta Dirk.

— C'est fait, répondis-je. Un purificateur d'eau ? ajoutai-je arc-bouté au chariot du supermarché.

— Bien sûr.

Le lendemain matin, Kerrie, la femme de Dirk, arriva au volant de sa Honda toute neuve ; elle devait nous conduire à l'aéroport.

— Impossible ! s'écria-t-elle en considérant notre matériel entassé sur le perron.

Nous réussîmes à tout caser, mais de justesse.

Arrivés à Los Angeles dans l'après-midi, nos bagages entassés dans des chariots que nous poussâmes jusqu'au terminal des lignes internationales, nous embarquâmes tout notre bazar sur Air New Zealand. Nous décollâmes dans la soirée pour Auckland d'où, après une brève escale, nous prîmes un autre avion pour Brisbane en Australie. Nous devions y passer la nuit et prendre le lendemain un des vols bi-hebdomadaires pour les îles Salomon.

Dirk nous conduisit à notre hôtel dans une voiture de location. Nous nous installâmes ; il nous suffit ensuite de traverser la rue pour aller au casino.

Le lendemain, allégés de quelques centaines de dollars, nous embarquâmes sur un 737 pour Honiara, la capitale des Salomon. Honiara offre tout le charme de Manille après la chute de Marcos, coupures de courant épisodiques et immeubles déserts semblaient la norme. Les Salomon venaient de connaître un coup d'Etat au sujet duquel le gouvernement américain mettait ses ressortissants en garde. Madame Keithie Sauders, l'agent consulaire américain, nous expliqua la situation, mais après nous avoir assuré que tout se passerait bien, elle nous souhaita bon voyage et nous demanda de la tenir au courant de nos recherches.

Nous commencions à ressentir les effets de ce vol interminable et nous nous écroulâmes dans nos lits pour prendre quelques heures de sommeil. Le lendemain matin, nous rassemblâmes notre équipement, prîmes un taxi jusqu'à l'aéroport et en route pour l'île de Gizo.

Depuis le ciel, les îles Salomon ressemblent au paradis tropical que l'on imagine : eaux bleues et vertes léchant des îlots plantés d'arbres, plages de sable blanc ourlant le rivage, pirogues dansant doucement au gré des vagues.

L'aéroport – un bâtiment cubique, un réservoir pour le ravitaillement des appareils et un chemin menant au ponton d'où partent les petits bateaux qui font la traversée jusqu'à Gizo – est situé sur l'île de Nusatupi, juste en face de Gizo. Un homme sorti tout droit d'une bande dessinée semblait nous attendre au bas de la passerelle.

— Dirk, Craig ? s'enquit-il.

— Vous devez être Danny Kennedy, fit Dirk.

Le passé de Danny est bien rempli : électricien sur le chantier de Disney-land, il empoche ses indemnités et part faire le tour du monde. Après une brève période comme moniteur de plongée à Hawaii, il bourlingue dans le Pacifique Sud et se retrouve au début des années 1980 dans les îles Salomon ; la population lui paraissant sympathique et les conditions de plongée agréables, il décide de s'y installer. Il y fait maintenant figure d'institution, et quiconque se rend à Gizo le rencontre à un moment ou à un autre. Compagnon à l'optimisme indéfectible, friand de plaisanteries douteuses et de légendes locales, il nous apporta une aide précieuse. Il habite, avec son épouse australienne Kerry et leur fille d'une quinzaine d'années, née dans les îles Salomon, une superbe maison qui domine la ville. Danny connaît l'histoire du *PT-109;* en outre, les eaux autour de Gizo ne présentent pour lui aucun mystère.

— Comment s'est passé le vol ? demanda-t-il.

— Pas trop mal, répondis-je.

— Vous avez de la chance, reprit-il, il y a seulement une quinzaine de jours, le pilote, en faisant son approche, est descendu trop bas et a heurté une pirogue : heureusement, le pêcheur l'a vu arriver et a sauté à l'eau. Quand même, il était hors, je peux vous le dire.

— Hors ? répéta Dirk.

Danny parle un étrange mélange d'anglais, d'argot australien et de petit nègre : c'est le langage local.

— Hors de lui, précisa Danny en souriant.

Il attrapa quelques sacs et se dirigea vers le ponton.

Nous chargeâmes les bagages à bord d'un canot et franchîmes le petit bras de mer pour nous amarrer devant l'hôtel Gizo. Après avoir rangé nos affaires, nous traversâmes la ville jusqu'à Sports et Aventures, le magasin de plongée de Danny. Le quartier commerçant de Gizo – une petite ville –

s'étale essentiellement le long du front de mer. Face à l'hôtel et sur sa gauche se tient un marché en plein air ; à droite, une jetée en pierre sert aux bateaux qui assurent le cabotage entre les îles. Quelques trottoirs – défoncés – rappellent que les Salomon furent un protectorat britannique, mais, dans l'ensemble, les rues sont en terre battue.

Les magasins de Gizo appartiennent à des négociants chinois et je me crus transporté dans un hameau du nord de la Californie, à l'époque où les filons aurifères étaient épuisés. On y trouve de tout depuis les lessiveuses en zinc jusqu'aux pièces de tissu ; pour se nourrir on a le choix entre des biscuits à la farine de coco, du thon au curry en boîte et des gâteaux secs.

La ville compte trois restaurants : celui de l'hôtel Gizo nous lassa rapidement ; au Nid, en centre-ville, on pouvait regarder CNN grâce à sa vraie télévision branchée sur une parabole de satellite, mais on trouvait la meilleure table au *PT-109*.

Cet établissement en plein air jouxte un bâtiment de deux étages qui sert de chalet aux plongeurs ; les bateaux de plongée de Danny sont mouillés juste devant et son magasin est de l'autre côté de la rue. Le *PT-109* n'ouvre que quand il y a des clients – qui, depuis le coup d'Etat, se font rares –, aussi mieux vaut-il prévenir si on veut y manger.

Bref, Gizo, que le capitalisme n'est pas venu gâcher, aurait probablement disparu des brochures touristiques si l'endroit n'avait pu se prévaloir de quelques atouts importants : le premier, les trésors dont ses eaux d'une tiédeur idéale regorgent : coraux et poissons aux couleurs si diverses que seul un prisme pourrait en reproduire la beauté.

Second atout : les habitants dont l'infinie patience et l'inaltérable sourire en font les gens les plus accueillants qu'on puisse rencontrer. Leur économie a beau dégringoler, ils font tout ce qu'ils peuvent pour s'en tirer au mieux. Actuellement les temps sont durs, mais je souhaite vivement que la situation des Salomonais s'améliore bientôt : ils le méritent.

L'île de Gizo serait notre base pour les deux semaines suivantes.

Nous avions décidé avec Dirk de commencer par repérer l'épave signalée par Reg Evans sur le récif, au large de l'île de Nauru. Nous utiliserions pour cela un des bateaux de plongée de Danny : ces embarcations de six mètres de long et plutôt étroites, au toit de plastique et aux banquettes latérales jouxtant les réservoirs, sont propulsées par un ou deux moteurs hors-bord. Elles sont parfaites pour les petits groupes de plongeurs mais un peu trop exposées aux intempéries pour des opérations de recherche. Danny disposa un fauteuil pliant en bois au milieu du pont et nous nous assîmes dans le grand bac en plastique à l'avant pour surveiller à tour de rôle le gradiomètre que nous y avions installé. La navigation se faisait grâce à notre GPS portable.

350

Le caractère très rudimentaire de la technologie de notre dispositif n'apparut pas les premiers jours, car les vents et les courants favorables nous permirent de travailler le long de la ligne de ressac juste au bord de la barrière de corail, devant l'île de Nauru. Après un petit déjeuner à l'hôtel Gizo composé de toasts, de quelques tranches de mangue ou d'ananas et éventuellement de céréales dans du lait froid, nous transportions notre bac d'équipement sur les huit cents mètres qui nous séparaient du magasin de Danny. Quand le restaurant ne nous avait pas préparé des sandwichs – à la salade d'œufs durs – pour le déjeuner, nous nous arrêtions à la boutique de Wing-Sun pour acheter boîtes de thon, biscuits et bouteilles d'eau fraîche. Nos courses faites, nous poursuivions jusqu'au magasin et chargions l'équipement sur le bateau. Un des pilotes de Danny venait alors nous rejoindre et nous commencions nos recherches.

Une fois éloignés du ponton, nous mettions à l'eau la sonde du gradiomètre et nous la laissions se calibrer, ce qui prenait environ une bonne demi-heure. Pour lester la sonde, nous attachions une pierre à un mince filin conçu pour se briser si nous heurtions le fond – ce qui arriva au moins une douzaine de fois – et que nous coincions à tribord avec une vieille rame pour l'empêcher de se prendre dans les hélices.

Du bricolage certes, mais qui semblait faire l'affaire.

Une fois le gradiomètre calibré, nous le remontions à bord puis nous faisions route vers la zone de recherche, ce qui nous prenait d'ordinaire encore une demi-heure. Arrivés sur le site, nous commencions à balayer la zone en utilisant le GPS pour tracer des segments à peu près droits. Après des allers et retours successifs en quête d'une cible, nous nous arrêtions vers midi auprès de l'île la plus proche et nous descendions à terre pour manger un morceau avant de nous remettre à la tâche. En général, l'après-midi, il pleuvait et il nous fallait protéger le gradiomètre ; si le mauvais temps se prolongeait ou empirait, nous rentrions à Gizo.

Ces journées, tout au long desquelles le hors-bord pétaradait sans relâche dans nos oreilles, le petit bateau nous balançait et l'humidité nous transperçait, nous épuisaient. Une fois revenus à Gizo, en général vers dix-sept heures, ce n'est qu'après avoir parcouru une nouvelle fois à pied les quelque huit cents mètres jusqu'à l'hôtel que nous pouvions goûter aux bienfaits d'une douche et nous changer enfin. Les lundi, mercredi et vendredi, nous profitions du journal des îles Salomon – six ou huit pages pleines de savoureuses fautes d'orthographe – qui proposait des articles, tel celui intitulé « Un serpent prêt à accoucher sous une maison » agrémenté de la photo de ceux qui l'avaient découvert, portant le reptile à bout de bras.

En attendant le dîner qu'on servait à partir de dix-huit heures trente, nous disputions d'interminables parties de gin-rami ou de black-jack. Le menu du dîner ne variait guère : poisson-lune ou crabe au piment avec du riz et une petite salade, parfois quelques plats imitation cuisine chinoise.

Pendant notre séjour là-bas, quelques plongeurs apparurent : cinq ou six Australiens arrivés en même temps que nous et qui restèrent quelques jours pour plonger vers l'épave du transport japonais *Toa Maru* dont la cargaison, encore intacte, attire beaucoup de monde.

Quelques jours plus tard débarquèrent d'autres touristes. Nous avions demandé à Danny de ne parler à personne de nos projets car l'expérience nous avait appris que cela compliquait les choses. Mais comment éviter dans une ville aussi petite et si peu fréquentée par les touristes que tout le monde soit au courant ?

De temps en temps, Danny organise un pique-nique sur Plum Pudding (dite aujourd'hui île Kennedy) autour d'un feu de camp sur lequel ses employés font cuire du riz et du poisson frais servi généralement en sandwich sur une feuille arrachée à un arbre voisin. Rustique mais amusant. Une semaine après notre arrivée, nous rejoignîmes les plongeurs sur l'île à l'heure du déjeuner. Avec un groupe d'une quinzaine de jeunes gens voyageant dans le Pacifique Sud se trouvaient trois nouveaux plongeurs. Ils étaient originaires d'Arizona, nous dit Danny. J'allai donc saluer mes compatriotes :

— Danny me dit que vous habitez l'Arizona, dis-je après m'être présenté.

— Quelle ville ? ajouta Dirk qui s'était joint à nous.

— La région de Phoenix, répondit une jeune fille.

— Quelle coïncidence ! m'exclamai-je. Dirk aussi.

— Paradise Valley très exactement, précisa une autre, un tantinet snobinarde.

Dirk hocha la tête. Paradise Valley, le quartier chic où habitent Clide, le rocker Alice Cooper et de nombreuses autres célébrités. Sans oublier tous les petits malins qui y avaient acheté une maison il y a des années.

— Où ça à Paradise ? demanda Dirk.

— Vous connaissez le coin ?

— Ma foi oui, fit Dirk, c'est là que j'habite.

Traverser la moitié du monde pour tomber au milieu de nulle part sur des voisins ! Ce trio – Ted Guenther, sa femme Sally et sa sœur Chris – était plutôt rigolo : ils avaient choisi de fuir la chaleur estivale de l'Arizona et de passer leur mois de vacances dans le Pacifique Sud. Nous nous retrouvâmes régulièrement pour dîner et ils devinrent d'excellents amis.

Vers la fin de notre séjour, nous fîmes également connaissance avec un couple australien, Catherine et George Ziedan, que nous reverrions en Australie lors de notre voyage de retour : ces gens on ne peut plus charmants avaient appris que nous faisions une halte à Surfer's Paradise ; ils repérèrent notre hôtel et vinrent nous y chercher pour nous emmener dans leur maison au milieu des collines qui dominent la ville ; un barbecue à l'australienne – steaks à faire rougir un Texan et crevettes aussi grosses que des saucisses – nous y attendait. Je retournerais en Australie uniquement pour voir George, Catherine et leurs deux enfants. George incarne à la perfection le héros d'un roman d'aventures, il croque la vie avec un appétit insatiable. Il a dessiné et construit la superbe maison où habite sa famille, défrichant le terrain avec un tracteur, creusant des pièces d'eau à la pioche et installant un système de câbles entre la maison et l'étang, au bas d'une pente abrupte, aménagée en piscine.

Mais ne perdons pas de vue nos recherches.

Nous avons fouillé en vain les hauts-fonds de Nauru, d'Olasana et de Kennedy. Rien : Dirk et moi n'avons même pas eu à plonger.

L'occasion idéale de répondre à ce que l'on me déclare si souvent : « J'aimerais tant vous accompagner. »

Détrompez-vous, en tout cas pour quatre-vingt-dix-neuf pour cent d'entre vous qui voient dans les recherches une succession de belles journées de plongée couronnées par la découverte d'une épave et la gloire qui l'accompagne. La réalité, c'est plutôt se faire secouer heure après heure dans de petites embarcations, guetter les couinements d'un appareil électronique peu coopératif, dormir peu et laver son linge dans un lavabo de motel ; après quoi, on se lève et on recommence. D'après moi, plonger n'occupe pas plus de cinq pour cent du temps.

Cela me rappelle ce que m'avait répondu un ami, Jedd Ladd, qui avait assisté au concert de Woodstock et que j'avais interrogé au sujet de cette expérience.

— Ne crois pas tout ce qu'on raconte. Pas de parties de rigolade et d'amour libre. Seulement la pluie battante, la boue dans laquelle on pataugeait, le ventre vide, des tentes qui prenaient l'eau et un trou dans la terre en guise de toilettes.

— Eh bien ! m'exclamai-je.

— Mais la musique était formidable, précisa-t-il.

Ici, c'est la même chose : le travail est monotone, mais on a l'occasion de créer l'histoire. Ceux de la NUMA disent que, si c'était facile, quelqu'un l'aurait déjà fait. La clé, c'est la ténacité et la norme, c'est la répétition. Dirk et moi, nous nous obstinions à explorer les eaux dans les environs du passage de Ferguson mais sans trouver la moindre épave.

Nous cherchions depuis dix jours quand, en parlant du *PT-109* avec Danny, nous évoquâmes Biuku et Eroni, les indigènes qui avaient sauvé Kennedy.

— Vous voulez parler à Biuku ? demanda Danny.

— Quoi ? fit Dirk, interloqué.

— Biuku vit toujours, expliqua Danny. C'est un de mes amis. Il habite près de Vonavona.

— Allons-y, décréta Dirk.

— Appelez-le et assurez-vous que nous pouvons lui rendre visite, repris-je.

— Il n'a pas le téléphone, précisa Danny, mais si nous prenons un des bateaux demain, nous le trouverons probablement ; il se fait vieux et ne s'aventure jamais bien loin.

Le lendemain matin, Dirk, Danny, le pilote du bateau, John le Souriant, et moi nous embarquâmes. Nous franchîmes le détroit de Blackett et suivîmes le chenal en direction de Vonavona au milieu d'un paysage paradisiaque : une eau transparente, des rivages boisés cédant la place à des plages de sable blanc et à de magnifiques barrières de corail affleurant à la surface. Il nous fallut au moins une heure pour accéder à la maison de Biuku. Après nous être amarrés à une jetée constituée de récifs coralliens et de coquillages, nous nous enfonçâmes sous les arbres avant de déboucher sur un hameau de maisons sur pilotis.

Une femme, un bébé dans les bras, était assise à l'entrée d'une cabane et tirait sur une pipe en épi de maïs.

— C'est une des filles de Biuku, dit Danny en laissant tomber le gros sac de riz et la noix de bétel que nous avions apporté en présent.

En petit nègre, il demanda à voir Biuku ; il se trouvait auprès de l'un de ses enfants hospitalisé à Munda. Nous y partîmes aussitôt : encore quarante-cinq minutes de bateau. La veille au soir, j'avais demandé à Dirk ce que nous pourrions offrir à celui qui, de façon quasi anonyme, avait sauvé notre Président. Je pensais à ma paire de jumelles, de bonne qualité, nous nous dîmes qu'elles lui plaireraient. Danny ressortit de l'hôpital avec un homme qui, sous le poids de ses soixante-dix-huit ans, atteignait à peine un mètre cinquante. Danny expliqua en petit nègre à Biuku la raison de notre présence, puis l'aida à s'asseoir auprès de moi sur une souche à l'ombre d'un grand arbre. Déroulant une carte de la région, nous le bombardâmes de questions par le truchement de Danny : premièrement, l'épave au large de Nauru sur laquelle Eroni et lui avaient grimpé pouvait-elle être celle du *PT-109* ? Malgré les six décennies qui s'étaient écoulées depuis, la réponse tomba : il s'agissait probablement d'un bateau japonais. Deuxièmement, avait-il aperçu une autre épave à cette même époque ? Ce n'était pas le cas.

Nous le remerciâmes et je sortis les jumelles de leur étui.

— Danny, dis-je, traduisez-lui ceci s'il vous plaît. Nous vous remercions d'avoir, par votre courageuse intervention, sauvé l'homme devenu président de notre pays, et nous vous demandons donc d'accepter ceci comme présent du peuple américain.

A mesure que Danny avançait dans sa traduction, le visage de Biuku s'éclairait d'un sourire. Je lui tendis les jumelles ; il les accrocha à son cou et se mit à inspecter le terrain de l'hôpital.

— Ah, dit-il, longue-vue.

Nous lui fîmes nos adieux et nous nous éloignions déjà quand Biuku rappela Danny.

— J'ai une place à part dans mon cœur pour toi, Danny, déclara Biuku en anglais.

De toute évidence, les présents avaient été les bienvenus.

L'expédition touchait à sa fin et nous pensions de plus en plus que l'épave gisait dans des eaux plus profondes puisque nous n'avions rien repéré dans les hauts-fonds. Plus question non plus de la situer au large de Nauru puisque, selon Biuku, il s'agissait d'une barge japonaise. D'ailleurs, le dernier jour, le temps qui s'était éclairci nous permit de plonger jusqu'à la cible que nous avions repérée : étrange protubérance incrustée de corail à peu près de la taille d'un gros bloc moteur ; nous tentâmes d'en dégager une petite partie pour voir de quoi elle se composait, mais en vain. Un examen plus approfondi aurait peut-être été plus fructueux, mais nous pensions à une vieille ancre ou à un objet qui s'était incrusté de coquillages avec le temps. Quand nous reviendrons, nous chercherons plus avant.

L'heure était venue de dresser le bilan de nos recherches : satisfaisant, puisque nous savions où l'épave ne se trouvait pas et que nous avions exploré tous les hauts-fonds des zones probables, ainsi que toutes les eaux autour de Nauru, d'Olasana et de Plum Pudding, sans parler d'un large secteur au nord, jusqu'à une profondeur d'environ soixante mètres. Le *PT-109* n'y était pas. Certains secteurs du récif nous avaient échappé mais ils concernaient des sites peu probables. Le *PT-109* gît donc dans des eaux plus profondes – heureusement – car il a ainsi plus de chances d'être préservé.

Il ne nous restait qu'à prendre congé. Totalement épuisés et contents de retrouver la civilisation, nous nous embarquâmes sur le petit avion. Après deux nuits à Surfer's Paradise pour décompresser, nous prîmes un vol pour les États-Unis via la Nouvelle-Zélande.

Quelques jours après mon retour à Fort Lauderdale, je téléphonai à Clive.

— Alors, dit-il, qu'en penses-tu ?

— Je pense qu'il nous faut un bateau plus grand, répondis-je, plaçant enfin la réplique que je gardais en réserve depuis des années, une réplique du film *les Dents de la mer*.

— Vous savez donc tous les deux où il n'est pas, en conclut Clive.

— Eh oui, fis-je, et nous avons une petite idée de l'endroit où il est.

Restez avec nous : la NUMA reviendra.

Quatorzième partie

Un Léonard de Vinci américain

Un Léonard de Vinci américain

1792, 2001

Même si nous n'aboutissons pas souvent, il y a quand même une satisfaction dans le fait de mettre un point final à un épisode de l'histoire jusque-là entouré de mystère. Ainsi en allait-il de la chasse au navire de Samuel Morey, *Aunt Sally*.

Depuis près de deux siècles, on racontait qu'un bateau avait coulé dans les eaux du lac Morey à Fairlee, dans le Vermont, à environ un mille à l'ouest de la rivière Connecticut. De pittoresques variantes sont venues avec les années obscurcir la réalité.

Samuel Morey était un authentique génie dont le nom et les exploits sont aujourd'hui méconnus. Cet inventeur prolifique, en avance d'un demi-siècle sur son temps, mena pourtant dès 1763 des expériences sur la lumière, la chaleur et la vapeur. Si James Watt, c'est certain, inventa la machine à vapeur, c'est Morey qui, le premier, en installa une sur un bateau.

Son premier brevet – celui d'une broche fonctionnant à la vapeur – fut signé par le président George Washington en 1793 ; le suivant concernait l'utilisation de la vapeur dans la propulsion d'un bateau et portait le paraphe de Thomas Jefferson, alors secrétaire d'Etat. Morey construisit la coque et le matériel nécessaires à la scierie et à la forge qu'il possédait. L'histoire reconnaît du moins à Morey le mérite d'avoir, le premier, tiré partie des roues à aubes et aussi – malgré les réticences de certains historiens – construit un bateau propulsé par un moteur.

Exigu, le prototype offrait juste assez de place pour un second navigateur, mais il fonctionnait. Personne ne se rappelle aujourd'hui le nom dont fut baptisée cette embarcation historique. Son voyage inaugural conduisit Morey d'Oxford, dans le New Hampshire, à Fairlee, dans le Vermont, en remontant la Connecticut et retour. Ce ne fut qu'en 1792, plus de quatorze ans plus tard, que Robert Fulton effectua son voyage d'essai sur l'Hudson.

Peu après, Morey décida de se rendre à New York pour exposer un modèle de son bateau. Il y rencontra un riche financier prêt à investir dans des inventions, Chancellor Livingston. Fort impressionné par les réalisations de Morey, il le présenta à Robert Fulton qui, à son tour, fut fasciné par cette maquette de bateau à vapeur qui fonctionnait. Morey fut traité avec le plus grand respect par Livingston et Fulton. Les deux New-Yorkais suggérèrent quelques modifications mineures et offrirent à Morey dix mille dollars pour y procéder et effectuer la démonstration avec un modèle réduit.

Morey rentra chez lui et réussit brillamment ces travaux, montant la roue à aubes à l'arrière, innovation qui ne fut adoptée que bien des années après pour les bateaux naviguant sur le Missouri et le Mississippi. Livingston, raconte-t-on, se rendit à plusieurs reprises chez Morey pour suivre ses travaux.

Pourtant, le retour de l'inventeur à New York fut accueilli avec la plus totale froideur : on ne parla plus des dix mille dollars et ses supporters l'éconduisirent purement et simplement ; ils en avaient assez vu pour percer le secret de l'invention de Morey et n'avaient plus besoin de lui. Conséquence : Fulton, soutenu financièrement par Livingston, et grâce à l'influence de puissants personnages de l'État de New York, construisit un gros bateau d'après les principes de Morey – notamment les roues à aubes – auquel l'histoire décerna le titre de premier bateau à vapeur à fonctionner vraiment.

Des années plus tard, il fut nettement établi que Samuel Morey avait pris bien avant Fulton les brevets nécessaires pour le fonctionnement de bateaux propulsés à la vapeur et qu'il y avait donc atteinte évidente à ses droits. Mais Morey, connu pour son amabilité et sa discrétion, refusa les complications et les dépenses d'un procès, réalisant sans doute qu'il n'avait guère de chance de l'emporter sur les puissants de New York. Il protesta, bien sûr, mais, faute de temps et d'argent, il n'alla jamais plus loin.

La vérité était du côté de Morey ; malheureusement, seules quelques rares sociétés historiques locales le créditèrent de son génie.

Morey a également inventé des systèmes d'éclairage au gaz ; il a d'ailleurs des années durant chauffé sa propre maison avec ce qu'il appelait du « gaz d'eau ». Jamais personne n'a pris autant de brevets que Samuel Morey : il a construit des barrages, des systèmes complexes de canaux d'irrigation et des bassins d'élevage de poissons pour étudier leur comportement. On peut encore voir des vestiges d'un canal d'amenée qu'il édifia pour alimenter sa scierie en troncs d'arbres. Quand on ouvrit la Connecticut à la navigation, ce fut Sam Morey qui conçut les écluses de Bellows Falls dans le Vermont.

Après sa mésaventure avec Fulton, il retourna à Oxford et continua à travailler sur ses inventions, construisant une machine à vapeur rotative puis un moteur à vapeur de térébenthine. En 1826, il breveta un moteur à combustion interne. Très en avance sur son temps, Morey installa son premier petit moteur à essence sur un chariot qui, quand il le mit en marche, bondit en avant et passa à travers le mur de son atelier, cinquante ans avant la première automobile à essence de Charles Duryea.

Il réalisa alors un moteur plus important et l'installa dans un bateau de six mètres de long sur deux mètres cinquante de large, à la coque blanche rayée de jaune et aux plats-bords noirs, équipé de roues à aubes latérales. On le baptisa *Aunt Sally*.

Après l'avoir équipé d'une machine à combustion interne, Morey fit naviguer le *Aunt Sally* sur le lac Fairlee – on lui donna plus tard son nom – où, pendant plus d'un an, il transporta du bois et d'autres matériaux.

Puis, le premier navire propulsé par un moteur à combustion interne de l'histoire disparut mystérieusement.

Selon certains, Morey l'aurait coulé dans une crise de rage, ce que démentit l'un de ses amis en déclarant : « Aucun Yankee du Vermont ne détruirait quelque chose qui peut encore servir simplement parce qu'il est en colère. »

D'autres prétendent qu'il fut volé en pleine nuit par des rivaux new-yorkais de Morey, qui l'auraient chargé de pierres et sabordé. Une autre version avance que trois garçons prétendirent l'avoir coulé, ce qui ne fit qu'ajouter au mystère.

En 1874, on tenta de retrouver l'épave en draguant le lac avec un grappin que les herbes aquatiques très denses et atteignant parfois deux mètres de hauteur obligeaient à nettoyer sans cesse. On ne trouva rien.

D'autres tentatives restèrent tout aussi infructueuses. Le docteur Harold Edgerton, un administrateur de la NUMA et grand inventeur, essaya en 1984 en utilisant le sonar multifaisceaux qu'il avait spécialement mis au point pour explorer le lac. Mais il ne retrouva pas *Aunt Sally*. « Je n'aime pas renoncer, déclara-t-il. J'ai participé à de nombreux projets où nous n'avons pas retrouvé ce que nous cherchions, d'autres où nous avons finalement abouti et d'autres enfin où nous avons trouvé des choses que nous ne cherchions pas. »

En juillet 1999, je fus contacté par Michael Colin Moore qui, je crois, comptait Morey parmi ses ancêtres. C'est lui qui me raconta l'histoire de l'inventeur et qui suggéra que la recherche du bateau perdu pourrait peut-être m'intéresser.

Après avoir étudié la question avec l'aide de Hetser Gardner, conservateur de la Société historique de Fairlee, je décidai de tenter l'aventure. Je contactai mon vieux copain Ralph Wilbanks pour mettre au point une expédition. Bien qu'Edgerton l'eût déjà fait quinze ans auparavant, Ralph décida de balayer de nouveau le lac avec un sonar multifaisceaux cette fois plus moderne et plus perfectionné. Un pieu, m'apprit-on, s'enfonçait facilement jusqu'à un mètre cinquante dans la vase du fond : un magnétomètre serait donc nécessaire pour détecter le métal utilisé par Morey pour son bateau et le moteur. En cent soixante-quinze ans, la vase avait sans doute fini par engloutir complètement l'embarcation.

Ralph amena son *Diversity* à Fairlee en septembre 2000. Shea McLean, son associé spécialiste de la prospection sous-marine, l'accompagnait, ainsi que l'écrivain Jayne Hitchcock et son mari Chris.

Long et relativement étroit, le lac Morey s'étend sur deux cent trente hectares dans une belle vallée entourée de collines boisées, où se nichent de très belles maisons. Si sa profondeur ne dépasse pas une douzaine de mètres, plusieurs sondages ont parfois relevé, pour celle de la couche de vase déposée au fond, plus de cinq mètres.

Sur son ordinateur, Ralph divisa le lac en couloirs de recherche. Remorquant à bâbord un magnétomètre à césium et à tribord un sonar, il commença par balayer le secteur. Deux ordinateurs étaient reliés à un système GPS. Pendant deux jours consécutifs, on enregistra plusieurs petites touches ; aussi fut-il décidé de consacrer la journée du lendemain à la plongée. Ralph et Shea balisèrent chaque cible avec une bouée. Sur l'une d'entre elles, ils découvrirent de vieux tonneaux et sur une autre des traverses de chemin de fer ; la plus prometteuse n'était en fait qu'une section d'une douzaine de mètres de canalisations.

Le dernier jour, ils revenaient vers le ponton lorsqu'un plaisancier approcha et leur demanda s'il leur serait possible de chercher son portefeuille qu'il avait fait tomber à l'eau. Autant chercher une aiguille dans une meule de foin, pensait Ralph, mais l'homme insista : le portefeuille renfermait une médaille ayant appartenu à son fils mort récemment. Ralph et Shea se regardèrent : impossible de refuser.

On leur montra le secteur et Shea, persuadé que c'était une cause perdue, se porta volontaire pour plonger ; à la stupéfaction générale, moins de trois minutes plus tard, il réapparut brandissant le portefeuille. L'homme, les larmes aux yeux, montra la médaille à tous et tendit à Shea deux billets de cinquante dollars détrempés. Shea refusa, mais le plaisancier ne voulut rien entendre. Ce soir-là, Shea invita à dîner Ralph et les Hitchcock.

Ralph parcourut le lac d'une rive à l'autre et il traîna même le palpeur au milieu des herbes des berges. Recherches vaines qui nous renforcèrent, Ralph et moi, dans notre conviction : le bateau de Morey n'avait jamais été sabordé dans le lac ; il avait plutôt fini en bois de chauffage.

Ce qui est vraiment dommage, c'est la perte de l'ingénieuse machine de Morey – peut-être le premier moteur à combustion interne du monde – pour les ingénieurs qui suivirent et qui auraient donné la prunelle de leurs yeux pour l'étudier.

Les riverains du lac sont convaincus que le merveilleux bateau de Morey attend d'y être découvert, contrairement à nous pour qui le mystère est résolu : *Aunt Sally* ne gît pas dans le lac Morey. Son brillant inventeur l'a sans doute débité.

« Aucun Yankee du Vermont ne se débarrasserait d'un bateau et d'un moteur encore utiles », serais-je tenté de plagier.

Post-scriptum de l'auteur

La National Underwater & Marine Agency (NUMA) est fière de ce qu'elle a accompli. Jamais un groupe de personnes aussi réduit n'a autant œuvré avec des moyens financiers ou techniques aussi dérisoires.

Ni société gigantesque ou université largement subventionnée, ni service gouvernemental au budget se chiffrant en millions de dollars, nous bénéficions de dons plutôt rares : je citerai la généreuse contribution de Douglas Wheeler, un homme d'affaires de Chicago et administrateur de la NUMA, celles des productions ECO-NOVA, de Nouvelle-Écosse, qui m'ont chargé d'écrire le commentaire de *Chasseurs d'épaves*, un documentaire sur des naufrages célèbres, ou le prêt gratuit de matériel par Schonstedt Instruments.

La NUMA, organisation à but non lucratif, regroupe des bénévoles qui veulent sauvegarder notre héritage maritime en découvrant, explorant et préservant des épaves historiques, sensibiliser le public à notre histoire maritime passée, présente et future, en concevant des projets destinés à faire connaître, avant qu'ils ne disparaissent à jamais, des sites sous-marins mémorables. Nous nous efforçons de les protéger et de perpétuer les noms et la légende de ces amoureux de la mer qui nous ont précédés.

Autrefois, je quémandais des financements mais, notre objectif, purement historique, ne rapportant rien, rares étaient les donateurs ; en revanche et compte tenu de notre expérience, ils se seraient bousculés si j'avais annoncé que nous recherchions des trésors. J'aurais bien aimé recevoir dix *cents* par personne m'ayant proposé un financement, un bateau ou du matériel et qui n'a jamais rappelé.

Peut-être vaut-il mieux au fond que la NUMA soit essentiellement financée par mes droits d'auteur.

Pourquoi me lancer dans autant d'expéditions jugées futiles ? Parce qu'un navire perdu, je ne peux faire autrement que le rechercher.

Pourquoi jeter mon argent à la mer ? Parce que je suis fou à lier, pensent ceux à qui je tente d'expliquer ma philosophie.

Quand le jour viendra où, gisant dans un lit d'hôpital, je serai au bord de la tombe, j'aimerais entendre la sonnerie du téléphone. J'aimerais qu'une jeune et belle infirmière se penche sur moi et colle le combiné contre mon oreille, et j'aimerais que les derniers mots que je percevrai avant de m'en aller soient ceux de mon banquier : « Vous avez un découvert de dix mille dollars. »

Voilà comment je veux m'en aller.

Ou encore, en reprenant à l'attention des spectateurs ma conclusion du documentaire sur les chasseurs d'épaves :

A votre tour maintenant de quitter votre canapé et de traverser les déserts, de gravir les montagnes, de plonger dans les lacs, les fleuves et les mers à la poursuite de l'Histoire.

Jamais vous ne connaîtrez aventure plus enrichissante.

LISTE DES DÉCOUVERTES ET DES RECHERCHES EN COURS EFFECTUÉES PAR LA NUMA

HMS Aceton
Frégate britannique de 50 canons qui s'échoua et fut incendiée lors de la Guerre d'Indépendance à la bataille de Fort Moultrie, en Caroline du Sud, en 1776.

Alexandre Nevski
Frégate à vapeur russe qui s'était échouée sur la côte est du Danemark, en 1868, avec à son bord le prince héritier de la couronne de Russie. Tout l'équipage s'en tira sain et sauf.

American Diver
Sous-marin confédéré antérieur au *Henley* qui sombra au cours d'une opération de remorquage au large de Fort Morgan, dans l'Alabama.

Arctic
Vapeur britannique qui s'échoua sur la côte est du Danemark, en 1868.

CSS Arkansas
Cuirassé confédéré qui remporta un engagement contre la flotte du Mississippi. Incendié en 1862 par son équipage au-dessus de Baton Rouge, en Louisiane, pour qu'il ne soit pas capturé.

Blücher
Croiseur allemand coulé durant la bataille de Dogger Bank, en 1916.

USS Carondelet
Vénérable cuirassé de la marine de l'Union qui livra plus de batailles qu'aucun autre navire lors de la guerre de Sécession. Construit par le génial inventeur James Eads. A coulé dans l'Ohio en 1873.

Carpathia
Navire qui recueillit les survivants du *Titanic*. Torpillé par le *U-55*, en 1915.

Charing Cross

Cargo britannique torpillé par un sous-marin allemand au large de Flamborough Hear, en Angleterre, en 1916.

Chicago

Cargo britannique de dix mille tonnes torpillé par un sous-marin allemand au large de Flamborough Head, en 1916.

CSS Colonel Lovell

Cuirassé confédéré à éperon. Eperonné lui-même et coulé lors de la bataille de Memphis, en 1862.

USS Commodore Jones

Ancien ferry du port de New York transformé en canonnière. Détruit en 1864 dans le James par une mine électrique perfectionnée utilisée par les Confédérés.

Commonwealth

Cargo britannique coulé par un sous-marin allemand au large de Flamborough, en Angleterre, en 1915.

USS Cumberland

Frégate de la marine de l'Union. Le premier vaisseau à avoir été vaincu et coulé par un navire cuirassé. Eperonné par le cuirassé confédéré *Merrimack* à Newport News, en Virginie, en 1862. Le naufrage fit plus de 120 victimes parmi l'équipage.

HMS Defence

Croiseur britannique coulé pendant la bataille du Jutland, en 1916.

CSS Drewry

Canonnière confédérée qui combattit pendant trois ans sur le James avant d'être coulée par l'artillerie de l'Union à Drewry's Bluff, en 1865.

CSS Florida

Célèbre corsaire confédéré qui arraisonna et coula près de cinquante navires marchands de l'Union pendant la guerre de Sécession. Capturé à Bahia, au Brésil, et sabordé près de Newport News, en Virginie, en 1864.

CSS Fredericksburg

Cuirassé confédéré de la flotte du James. Son équipage le fit sauter à Drewry's Bluff, en 1865.

CSS Gaines

Canonnière confédérée qui participa à la bataille de Mobile Bay. Echouée devant Fort Morgan et incendiée en 1865.

Galveston (Cimetière de bateaux de)

Plus d'une douzaine de navires se sont échoués entre 1680 et 1880 au large de l'île de Galveston, au Texas.

CSS General Beauregard

Cuirassé confédéré à éperon qui participa à la bataille de Memphis. Gravement endommagé, il coula au bord de la rive ouest du Mississippi, en 1862.

CSS Governor Moore

Vapeur assurant le transport de passagers transformé en canonnière confédérée. Après avoir participé à la bataille de La Nouvelle-Orléans, s'échoua et fut incendiée en 1862 par son équipage pour ne pas être capturé, ce qui causa la mort de soixante-quatre membres de l'équipage.

General Slocum

Navire d'excursion new-yorkais qui prit feu et s'échoua au large de Brothers Island, dans l'Etat de New York, en 1904.

CSS General Thompson

Cuirassé confédéré à éperon qui subit de graves avaries lors de la bataille de Memphis et s'échoua en 1862.

Gluckhauf

Prototype des pétroliers d'aujourd'hui. S'échoua au large de Fire Island, près de New York, en 1893.

Great Stone (Flotte de)

Nombreux contacts dans une zone où on saborda des baleiniers de Nouvelle-Angleterre pour bloquer l'accès de la rade de Charleston durant la guerre de Sécession.

HMS Hawke

Croiseur britannique coulé par le *U-9* à soixante milles de la côte écossaise en 1915. 348 victimes.

USS Housatonic

Aviso de la marine de l'Union, premier navire à être coulé par un sous-marin, le *Hunley*, en 1864. Cinq membres de l'équipage périrent dans le naufrage.

CSS Hunley

Premier sous-marin de l'Histoire à couler un navire de guerre. Il disparut après avoir torpillé l'*Housatonic* au large de Charleston, en Caroline du Sud, en février 1864.

369

HMS Indefatigable
Croiseur britannique coulé par les Allemands au cours de la bataille du Jutland en 1916. Les pertes s'élevèrent à plus de mille membres d'équipage.

HMS Invincible
Croiseur britannique coulé par les Allemands dans la bataille du Jutland en 1916, faisant 1026 victimes.

RTN Invincible
Goëlette armée qui était le navire amiral de la marine de la République du Texas. Elle avait saisi sur un cargo mexicain des armes et du ravitaillement qui furent ensuite livrés au général Sam Houston. Coulée lors de la bataille de Galveston, au Texas, en 1837.

Ivanhoé
Forceur de blocus confédéré capturé par des canonnières de l'Union au large de Fort Morgan, dans la baie de Mobile, en Alabama, et détruit en 1863.

Jamestown
Vapeur assurant le transport des passagers, saisi par les Confédérés et qui par la suite se battit contre le *Merrimack*. Il fut coulé pour boucher le passage devant Drewry's Bluff en 1862.

USS Keokuk
Unique exemplaire de moniteur muni de tourelles fixes. Touché plus de quatre-vingt-dix fois par des obus confédérés devant Charleston, en Caroline du Sud, en 1863. Il coula peu après.

Kirkwall
Vapeur britannique qui s'échoua sur la côte est du Danemark en 1874.

L'Aimable
Vaisseau amiral de l'explorateur La Salle. Echoué dans la baie de Matagorda, au Texas, en 1685.

Leopoldville
Transport de troupes britannique torpillé la veille de Noël 1944 au large de Cherbourg, causant la mort de plus de huit cents soldats américains.

Lexington
Navire à vapeur à roues à aubes extrêmement rapide construit par Cornelius Vanderbilt. En 1840, il brûla et fit naufrage dans le chenal de Long Island.

CSS Louisiana

Cuirassé confédéré géant armé de seize pièces d'artillerie. Sa construction n'ayant jamais été terminée, il resta mouillé le long de la rive et participa quand même à la bataille de La Nouvelle-Orléans. Sabordé par son équipage pour lui éviter d'être capturé en 1862.

CSS Manassas

Premier navire cuirassé construit en Amérique du Nord, et le premier à voir le feu. Conçu comme un navire-éperon, il brûla et sombra dans les eaux du Mississippi durant la bataille de La Nouvelle Orléans en 1862.

Marie Celeste

Célèbre vaisseau fantôme retrouvé sans personne à bord. Plus tard délibérément échoué sur le Récif de Rochelais, à Haïti, en 1885.

Merrimack

La NUMA a relevé divers contacts près de Craney Island, au large de Portsmouth, en Virginie, où on avait fait sauter le navire pour lui éviter d'être capturé. Les courants ont dû disperser les vestiges de l'épave.

USS Mississippi

Frégate à propulsion par roues à aubes de la marine américaine, qui subit des avaries lors de la bataille de Port Hudson, en Louisiane, en 1863. Entraînée par le courant, elle finit par sauter.

New Orleans

Premier vapeur à descendre le Mississippi. Coincé par une souche, a sombré devant Baton Rouge, en Louisiane, en 1814.

Norseman

Forceur de blocus confédéré qui s'échoua sur la côte de l'Ile des Palmes, en Caroline du Sud, en 1865.

Northampton

Ravitailleur confédéré coulé pour boucher le chenal devant Drewry's Bluff, en 1862.

Odin

Un des premiers navires à vapeur suédois qui s'échoua sur la côte est du Danemark, en 1836.

USS Patapsco

Moniteur de l'Union qui fut engagé lors du siège de Charleston, en Caroline du Sud. Coula après avoir heurté une mine dans le chenal devant Fort Moultrie en 1865, faisant 62 victimes.

HMS Pathfinder
Second navire coulé par un submersible, et le premier par un sous-marin allemand. Torpillé par le *U-21* en 1914.

USS Philippe
Canonnière de la marine de l'Union détruite par les canons confédérés dans la bataille de Mobile Bay, en 1864.

Platt Valley
Vapeur à roues à aubes qui heurta l'épave du *General Beauregard* et coula sur place en 1867.

PT-109
Vedette commandée par John F. Kennedy pendant la Seconde Guerre mondiale. Eperonnée par le destroyer japonais *Amagiri* dans le détroit de Blackett, aux Îles Salomon, en 1943.

Raccoon
Forceur de blocus confédéré capturé par une canonnière de l'Union au moment où il quittait le port de Charleston avec une cargaison de coton. A brûlé en 1863.

Rattlesnake
Forceur de blocus confédéré surpris par la marine de l'Union quand il essayait d'entrer dans la rade de Charleston avec un chargement d'armes. A brûlé en 1863.

CSS Richmond
Cuirassé confédéré qui gardait les abords du James. Après la chute de Richmond, il fut sabordé par son équipage près de Chaffin's Bluff en 1865.

Ruby
Très efficace forceur de blocus confédéré qui fut finalement poussé sur le rivage de Folly's Island, en Caroline du Sud, et détruit en 1864.

S-35
Destroyer allemand coulé lors de la bataille du Jutland, en 1916.

Saint Patrick
Vapeur de quatre cents tonneaux qui brûla et sombra en amont de Memphis, en 1868.

HMS Shark
Destroyer britannique coulé durant la bataille du Jutland en 1916.

Stonewall Jackson
Autrefois vapeur britannique baptisé *Leopard,* devenu forceur de blocus confédéré. S'échoua sur la côte de l'Ile des Palmes, en Caroline du Sud, en 1864.

Sultana
Vapeur propulsé par roues à aubes qui prit feu sur le Mississipi en faisant 2 000 victimes parmi les soldats de l'Union : le naufrage le plus meurtrier qu'ait connu l'Amérique.

Torpilles remorquées
Ce qui reste du radeau de torpilles remorqué par le *Weekhawken*. Repéré à l'extrémité nord des marécages de Morris Island en Caroline du Sud.

U-12
Sous-marin allemand qui coula après avoir été éperonné par le croiseur britannique *Ariel* au large de l'Ecosse en 1915.

U-20
Sous-marin allemand qui coula le *Lusitania*. Echoué sur la côte danoise en 1916.

U-21
Premier sous-marin allemand à avoir coulé un navire. A sombré pendant qu'on le remorquait en mer du Nord, en 1919.

UB-74
Sous-marin allemand coulé après avoir été attaqué à la grenade sous-marine au large de Weymouth, en Angleterre, en 1916.

V-48
Croiseur allemand coulé durant la bataille du Jutland en 1916.

USS Varuna
Canonnière de la marine de l'Union éperonnée à trois reprises durant la bataille de La Nouvelle-Orléans. Avait coulé six navires avant de s'échouer et d'être incendiée en 1862.

Vicksburg
Cargo britannique qui s'échoua sur Fire Island, près de New York, en 1875.

CSS Virginia II
Cuirassé confédéré qui empêcha l'armée du général Grant de franchir le James pour prendre Richmond. Incendié par son équipage pour éviter d'être capturé à Drewry's Bluff, en 1865.

Waratah
Paquebot qui disparut en 1911 au large de la côte africaine, causant la perte de 200 passagers et membres de l'équipage.

USS Weehawken
A conduit la première attaque contre Fort Sumter. Seul moniteur de l'Union à capturer un cuirassé confédéré au cours d'une bataille navale. A coulé dans une tempête au large de Charleston, en Caroline du Sud, en 1864.

Wiesbaden
Croiseur allemand coulé durant la bataille du Jutland en 1916.

Zavala
Paquebot converti en navire de guerre par la marine de la République du Texas. Sans doute le premier paquebot cuirassé d'Amérique du Nord. Echoué dans la baie de Galveston, au Texas, en 1842.

AUTRES SITES ÉTUDIÉS

USS Akron
Dirigeable de la marine des Etats-Unis capable d'abriter en vol neuf avions. S'écrasa près de Beach Haven, dans le New Jersey en 1933, entraînant la mort de 73 membres d'équipage.

L'Oiseau Blanc
Avion français de Nungesser et Coli qui tentait de remporter le prix Orteig, décerné par la suite à Charles Lindbergh. Selon certains témoignages, l'appareil aurait été entendu au-dessus de Machias, dans le Maine, mais on n'en a jamais retrouvé aucune trace.

Locomotive perdue de Kiowa Creek
Région située à l'est de Denver, dans le Colorado, où une locomotive et un convoi de l'Union Pacific furent emportés par les eaux en 1876. Des recherches effectuées par la suite établirent que la locomotive avait été secrètement relevée et remise en service dans le cadre d'une escroquerie à l'assurance.

Ange des marais
Vestiges du canon Parrot, une pièce de huit, qui lança des projectiles de plus de soixante kilos sur Charleston durant la guerre de Sécession.

Les Sœurs jumelles
Célèbres pièces d'artillerie utilisée par Sam Houston lors de la bataille de San Jacinto. Remises en service plus tard pendant la guerre de Sécession, puis cachées par les soldats confédérés pour éviter qu'on les détruise.

Pour de plus amples informations concernant ces découvertes,
voir notre site Internet :
www.numa.net

TABLE

Cet ouvrage a été imprimé par

FIRMIN DIDOT
GROUPE CPI

Mesnil-sur-l'Estrée

pour le compte des Éditions Grasset
en octobre 2006